Michael Freedland ist ein Experte des Showbusiness. Aus seiner Feder stammen mehr als zwanzig Biographien, darunter über Fred Astaire, Gregory Peck und Dustin Hoffman. Außerdem schreibt er regelmäßig in »The Times«, »The Spectator«, »The Economist« und »The Sunday Telegraph«. Michael Freedland lebt mit seiner Familie in Elstree und Bournemouth, England.

Von Michael Freedland ist außerdem erschienen:

Dustin Hoffman (Band 2441)

Dieses Buch wurde auf chlor- und säurefreiem Papier gedruckt.

Deutsche Erstausgabe Dezember 1993
© 1993 für die deutschsprachige Ausgabe
Droemersche Verlagsanstalt Th. Knaur Nachf., München
Das Werk einschließlich aller seiner Teile ist urheberrechtlich
geschützt. Jede Verwertung außerhalb der engen Grenzen des Urheber-
rechtsgesetzes ist ohne Zustimmung des Verlages unzulässig und
strafbar. Das gilt insbesondere für Vervielfältigungen, Übersetzungen,
Mikroverfilmungen und die Einspeicherung und Verarbeitung in
elektronischen Systemen.
Titel der Originalausgabe: »Katharine Hepburn«
© 1984 Michael Freedland
Originalverlag: W. H. Allen, London
Umschlaggestaltung: Adolf Bachmann
Umschlagfoto: Süddeutscher Verlag, München
Satz: Compusatz GmbH, München
Druck und Bindung: Ebner Ulm
Printed in Germany
ISBN 3-426-02443-8

2   4   5   3   1

MICHAEL FREEDLAND

KATHARINE HEPBURN

*Aus dem Englischen
von Barbara Kern*

Katharine Hepburn ist in den Augen aller eine außergewöhnliche Persönlichkeit.

Nicht jeder bewundert sie uneingeschränkt, aber niemand wird die Begeisterung bestreiten, die sie auf der Leinwand vermittelt hat und dem sehr kleinen Teil der Weltbevölkerung, der privilegiert war, sie auf der Bühne zu sehen. Sie ist ein Name, der in der Theatergeschichte noch lange nachhallen wird, auch wenn das Gefühl, einen *neuen* Hepburn-Film zu sehen, nicht mehr in lebendiger Erinnerung sein wird.

Katharine Hepburn ist eine komplexe Persönlichkeit. Deshalb bin ich sehr zufrieden und sehr dankbar, daß mir viele Leute für dieses Buch Informationen gaben. Nicht alle wollten, daß ihre Kooperation öffentlich wird. Aus diesem Grund sei mein Dank an sie in diesem einfachen Satz zusammengefaßt. Die Namen der anderen möchte ich mit meinem Dank verquicken. Dazu gehören:
Eve Arden, Pandro S. Berman, Betsy Flair, Frank Capra, Cyd Charisse, Joseph Cotten, der verstorbene George Cukor, Douglas Fairbanks jun., Nina Foch, Bill Fraser, Samuel Goldwyn jun., Neil Hartley, Patricia Hayes, Paul Henreid, Jack Hildyard, Wilfried Hyde White, David Kossoff, Leigh Lawson, Fred MacMurray, Rouben Mamoulian, Lord Oli-

vier, Gregory Peck, Richard Quine, Mark Rydell, Ginette Spanier, Nigel Stock, Milton Sperling, Dean Stockwell, Ralph Thomas, Toyah Willcox, Hal B. Wallis, Jack Warner jun., Billy Wilder und Loretta Young.

Andere haben auf zahlreiche Weise geholfen. Hierfür besonderen Dank an Martin Pedrick, Carol Epstein, die anderen Bibliothekare der Academy of Motion Pictures Arts and Sciences in Beverly Hills und denen des British Film Institute und der British Library. Ich danke auch meiner Tochter Fiona für ihre Recherchen und meinem Sohn Jonathan, der den Index zusammengestellt hat. Besonderen Dank auch an meine Lektorin Amanda Girling, mit der dieses Projekt ein angenehmes Wiedersehen brachte.
Aber der größte Dank gebührt meiner Frau Sara, ohne die nichts entstanden wäre.

Michael Freedland
London, 1983

INHALT

MORGENROT
DES RUHMS

Präsident Woodrow Wilson, Architekt des Völkerbundes, Hoffnung amerikanischer Friedensfreunde und Enttäuschung so vieler anderer, war vielleicht einer der ersten, der eine Vorstellung von Katharine Houghton Hepburn gesehen hat. Als er aus dem Fenster des Weißen Hauses schaute, scheuten die Pferde, und die Kutscher strafften die Zügel. Die wenigen lauten, stinkenden Automobile, welche die Pennsylvania Avenue herunterschnauften, bremsten ruckartig.

Eine große Zahl von Frauen hatte sich dort versammelt, wo Amerikas Schicksal tagtäglich bestimmt wurde, und verursachte den Aufruhr. »Stimmrecht für Frauen!« riefen sie, und mitten unter ihnen verteilte ein rothaariges vierjähriges Mädchen, spindeldürr und groß für sein Alter, Flugblätter an Passanten, während es unter Massen von bodenlangen Röcken hervorlugte.

Es war das Jahr 1913, und der kleinen Kate machte diese Erfahrung einen Riesenspaß. Falls Katharine senior, bei ihren Freunden als Kit bekannt, Zeit gehabt hätte, die Freude ihrer Tochter zu bemerken, wäre sie sehr zufrieden gewesen: Sie hätte sich nichts anderes von ihrer Tochter gewünscht. Mrs. Hepburn, eine Houghton aus Neuengland, deren Cousin einmal Botschafter am britischen Hof gewesen war, hatte feste Lebensprinzipien und enormes Selbstvertrauen. Frauen hatten das Recht auf eine eigene Meinung und auf ihren eigenen Körper. Deshalb verwendete sie so viel Zeit darauf, Versammlungen zum Thema Frauenstimmrecht zu organisieren und Kampagnen zur Geburtenkontrolle zu führen. Wie viele Feministinnen ihrer Tage hielt sie das weibliche Geschlecht nicht für überlegen, ebensowenig verabscheute sie die Männer. Sie war nicht nur glücklich verheiratet, sondern hatte ihrem Ehemann auch sechs Kinder geschenkt.

Thomas Norval Hepburn wurde von denen, die ihn kannten, und sogar von denen, die ihn verabscheuten, als Aristokrat angesehen. Schon in seiner Jugend trat er wie ein Patrizier auf und sprach mit einem scharfen Tonfall, der sofort den Südstaatler aus Virginia erkennen ließ. Eine Legende besagt, daß er von schottischen Aristokraten abstammte und daß der Liebhaber der schottischen Königin Mary, der Graf von Bothwell, ein Hepburn und sein direkter Vorfahre war. Möglicherweise enttäuschte er einige seiner Familienmitglieder, weil er am berühmten Johns Hopkins Krankenhaus erfolgreich Medizin studierte. Denn in ihren Augen waren Leute seines Standes vom Schicksal nicht zur Arbeit bestimmt. Nach seinem Studium fand er eine Stelle im Krankenhaus von Hartford, Connecticut. Dort traf er die schöne Kit Houghton.

Die beiden paßten gut zusammen: er mit seinen breiten Schultern, seinem wie in Stein gemeißelten Gesicht und den flammendroten Haaren, sie mir ihren sanften Zügen und der phantastischen Figur. Beide besaßen einen ausgesprochen starken Willen und hatten keine Achtung vor dem, was man in ihren Kreisen Konventionen nannte.

Dr. Hepburn war Urologe. Er übte eine Medizinart aus, über die wohlerzogene Leute bei ihren Dinnerparties nicht sprachen, allenfalls hinter vorgehaltener Hand. Zweifellos konnten einige ihr Erröten nur schwer unterdrücken, weil sie persönliche Erfahrungen mit dem Arzt gemacht hatten und ihre Dankbarkeit nicht öffentlich zur Schau stellen wollten. Dr. Hepburn war nämlich Spezialist für Geschlechtskrankheiten.

Zwei Ereignisse ließen ihn diesen Weg einschlagen. Das erste war der Besuch eines Theaterstücks, ungewöhnlich für einen so welterfahrenen Mann. Es war Brieux' *Les avariés*, ein Stück, das sich mit der Heilung von Syphilis auseinandersetzt. Das zweite Ereignis betraf ihn direkt. Eine schöne Patientin, die von einer schmerzhaften Entzündung geplagt wurde und eitrige Geschwüre an ihren Geschlechtsorganen hatte, konsultierte ihn. Sie hatte sehr hohes Fieber und erzählte zwischen den Deliriumsschüben, daß der Mann, den sie vor kurzem geheiratet hatte, mit einer Prostituierten ins Bett gegangen war. Das Mädchen hatte Syphilis gehabt und ihren Kunden angesteckt, der die Krankheit dann an seine Braut weitergegeben hatte. Dr. Hepburn war von dieser Geschichte so bewegt, daß er sich zur Spezialisierung auf Geschlechtskrankheiten entschloß. Den Leuten in Hartford gefiel das gar nicht, besonders als er mit Dr. Charles Eliot die American Social Hygiene Association (Amerikanische Gesellschaft für Sozialhygiene) gründete.

Kit wurde von der Hartforder Gesellschaft noch unfreundlicher aufgenommen. Sie war nicht nur eine eifrige Verfechterin des Frauenstimmrechts und Anwältin der Geburtenkontrolle, sondern auch ein Mitglied der Friedenspartei. Damit war sie in den Augen der Gesellschaft als Sozialistin abgestempelt. Tatsächlich waren beide Hepburns Sozialisten – ihr Idol war George Bernard Shaw, und alles was er schrieb, schien von Bedeutung für ihre Welt zu sein.

Die Hautevolee in Hartford fand dieses Verhalten sehr befremdlich. Bei einem Mädchen ihrer Herkunft grenzte das schon fast an Verrat; ganz sicher aber war es ein Rückfall in irgendeine dunkle Periode ihrer Vergangenheit. Vielleicht rührte ihr Verhalten aus der Zeit, als sie dreizehnjährig verwaiste. Ihr Onkel Amory Houghton gab Kit und ihren Schwestern ein Zuhause. Sein Sohn Alanson wurde bald darauf Botschafter am Grosvenor Square und dann in Berlin. Kit lebte nicht gerne in seiner Familie. »Wir lieben Onkel zwar sehr«, sagte sie zu ihren Schwestern, »aber es gibt keinen Grund, warum er sich in unser Leben einmischen sollte.« Sie brachte ihn dazu, seine Meinung über ihre Erziehung zu revidieren, indem sie zu Hause fürchterlichen Lärm veranstaltete. Ihr Onkel verstand den Wink, schickte Kit in ein Internat und anschließend nach Bryn Mawr, auf das exklusivste Frauencollege in Philadelphia.

Später gab Katharine Hepburn zu, daß ihre Familie bereits damals ihren Anteil an »Verrückten« hatte – wie ihren Großvater väterlicherseits. »Er besaß nicht einmal eine Zahnbürste. Er sagte, er wolle von nichts abhängig werden. Also putzte er seine Zähne mit demselben Waschlappen und derselben Seife, die er für seine übrige Toilette benutzte.« Das könnte eine Erklärung für den Badetick seiner Enkelin sein. Sie ist dafür bekannt, durchschnittlich fünfmal am Tag zu baden.

Die Kinder von Thomas und Kit wurden kurz nacheinander geboren. Erst Tom, dann Katharine, gefolgt von Dick, Bob, Marion und Peggy. (Als Erwachsene vernichtete Katharine ihre Geburtsurkunde. In Dokumenten, die eine Geburtsangabe erforderten, benutzte sie Geburtstag und -monat ihres Vaters. Sie sagte, das ginge niemanden etwas an. Allerdings machte sie nie ein Geheimnis aus ihrem Geburtsjahr – 1909.) Thomas und Kit hatten Kinder, weil beide Kinder wollten. Wäre Kit jemals in die Verlegenheit gekommen, ihre vielen Kinder rechtfertigen zu müssen – gerade gegenüber den Frauen, die sie von der Geburtenkontrolle zu überzeugen versuchten –, hätte sie geantwortet, sie sei sowohl stark als auch reich genug, Freude am Kinderkriegen zu haben. Es war jemand zu Hause, der sie beaufsichtigte, wenn sie auf ihre »Kreuzzüge« ging. Natürlich nahm sie die Kinder manchmal auch mit. Wie damals, als sie die kleine Kate (wie Katharine unwiderruflich hieß) zum Weißen Haus mitgenommen hatte. Und nicht nur Kate. Kit war damals hochschwanger. Das bewahrte sie auch davor, eingesperrt zu werden. Sehr zum Ärger der kleinen Kate mußte ihre Mutter deshalb auch kein Abzeichen tragen, auf dem zwei Gefängnisbalken und der Slogan »Wahlen für Frauen« aufgedruckt war. Kits Sohn Richard wurde kurz nach der Demonstration vor dem Weißen Haus geboren.

Wenn eines der Babies erst einmal sechs Monate alt war, nahm sie es zu den Demonstrationen mit. Sie ließ das Kind mit einer Kinderschwester im Vorraum, während sie sich mit wichtigeren Dingen beschäftigte. Sie bereitete Flugblätter vor, adressierte Kuverts oder hielt Ansprachen vor begeisterten Frauen oder Abgeordneten, die gegenüber ihren Forderungen immer intoleranter wurden.

Tom, das erste Kind der Hepburns, war Katharines Liebling. Groß und stark wie sein Vater, wurde er ihr Idol. Was er tat, wollte auch sie tun. Sie hatte kein Interesse daran, mit Puppen zu spielen. Auch andere Dinge, die kleinen Mädchen Spaß machen sollten, ließen sie kalt. Sie beschwatzte ihre Mutter, damit sie beim Spielen Jungenkleidung tragen durfte, und trug ihr Haar so kurz geschnitten, daß ihr Kopf wie rasiert aussah. Sie wollte sogar Jimmi gerufen werden.

Aber der Schein überzeugte nicht jeden. Als eine Frau einmal bemerkte, daß Kate trotz ihres herausfordernden Benehmens ein eher zerbrechliches Kind sei, wandte sich Kate an sie: »Wer ist stärker, ich oder der Baum dort?« Und dann versuchte sie, eine Antwort auf ihre Frage zu finden, indem sie mit dem Kopf gegen den Baum rannte wie ein Stier gegen den Matador. Sie überlebte leicht benommen mit blauen Flecken und blutigen Abschürfungen, war aber stolz, daß sie wenigstens bewiesen hatte, dem Baum ebenbürtig zu sein.

Tom, bei solchen Gelegenheiten ihr Beschützer, war davon mehr als beeindruckt.

»Wer ist das blöde Mädchen?« fragte ihn einmal ein Junge. Seine Antwort war ein rechter Haken auf das Kinn des Unglücklichen, der auf dem Boden landete. Kates Ehre war wieder hergestellt.

Die Familie Hepburn hatte sehr genaue Vorstellungen davon, wie sie ihr Leben gestalten sollte. Wenn es Themen gab, über die ihre Kinder reden wollten – und die gab es immer –, dann wurde darüber geredet. Man erzählte keine Märchen von Störchen, die kleine Kinder bringen. Im Hause Hepburn erklärte man den Kindern mit einfachen Worten den Geschlechtsverkehr. Wenn der Doktor über intime Einzelheiten seiner Arbeit sprach – obwohl er natürlich nie Namen nannte oder Andeutungen über die Identität der Patienten machte –, wurden die Kinder nicht aufgefordert, das Zimmer zu verlassen.

Kates eigene unabhängige Lebensauffassung – und die Art, wie sie diese zum Ausdruck bringt – kann man auf ihre Erziehung zurückführen. Als Schauspielerin sagte sie: »Wenn möglich, würde ich gerne mehr als irgend jemand sonst wissen, was passieren wird. Ich wurde nämlich von meinen Eltern dazu erzogen, laut zu sprechen, wenn eine Gesprächspause eintritt. Jeder wird dann das, was du sagst, akzeptieren, weil ja sonst niemand spricht.« Es gibt eine Reihe von Regisseuren und anderen Schauspielern, die davon ein Lied singen können.

»Ich hatte eine ganz wundervolle Kindheit«, sagte Kate im Alter.

Bei ihrem Vater suchte sie Trost, Verständnis und Führung. Trotz der Emanzipationsaktivitäten seiner Frau war er der unumstrittene Haushaltsvorstand. Keinesfalls mißbilligte er die Aktivitäten seiner Frau. Als Kit die britische Frauenrechtlerin Mrs. Emmeline Pankhurst nach Amerika holte, stimmte er von ganzem Herzen zu, sie bei sich zu Hause in Hartford aufzunehmen.

Anfangs machte sich Kit Sorgen darüber, der Bewegung beizutreten. »Ich fürchte, das könnte dich beruflich behindern«, sagte sie zu Thomas und beschloß tapfer, daß bei dieser Angelegenheit Angriff die beste Verteidigung sei.

Ihr Mann sah ihr in die Augen und antwortete: »Dabei gibt es kein ›könnte‹. Das wird bestimmt ein Hindernis für mich sein. Aber tue es ruhig. Das Leben ist nichts wert, wenn man sich nicht für Dinge einsetzen kann, an die man glaubt. Wenn ich nicht genug Grips habe, trotzdem erfolgreich zu sein, nun, dann werde ich die Strafe dafür auf mich nehmen.«

Er war ein Mann, an den sich die Familie ganz selbstverständlich um Rat wandte. Er konnte nicht nur auf eine Fülle von Medizinkenntnissen zurückgreifen, sondern war auch erfolgreich an der New Yorker Börse. Aber was seine Kinder betraf, so gab es für sie wichtigere Dinge zu lernen. Für Kate waren zum Beispiel ihre Sommersprossen und roten Haare ein Fluch. Ihr Vater riet ihr, sich in ihrem Ferienhaus in Fenwick, Connecticut, nicht zu sehr der Sonne auszusetzen. Später einmal würde sie bedauern, daß sie diesen Rat nicht befolgt hatte. Aber als Kind durfte sie ihre Schultern nicht entblößen, wenn sie schwimmen ging. Sie mußte eine Bluse unter ihrem Badeanzug tragen.

Anderen Kindern wurden meist aus Gründen der Schicklichkeit ähnliche Einschränkungen auferlegt. Das war für die Hepburns nicht der Beweggrund. Die Eltern sprachen auch offen über Freikörperkultur. Nicht deshalb, weil sie ihr selber frönen wollten, sondern weil es sie gab, und man deshalb darüber sprechen mußte. Jahre später erzählte Kate: »Ich erinnere mich, zugehört zu haben, und dachte dann: ›Eines Tages wird niemand mehr Kleider tragen.‹ Mich störte daran nur, daß ich von Kopf bis Fuß mit Sommersprossen übersät war und mich deshalb niemand mehr mögen würde.«

Thomas kannte die Sorgen seiner Tochter und sagte: »Ich möchte dir etwas erzählen, Kate, und das darfst du nie vergessen. Jesus Christus, Alexander der Große und Leonardo da Vinci hatten alle rote Haare und Sommersprossen, und sie waren erfolgreich.«

Trotzdem war ihre frühe Kindheit nicht vollkommen idyllisch. »Ich wurde mit Schlägen großgezogen«, erinnerte sich Kate. Bis sie neun Jahre alt war, wurde sie regelmäßig geschlagen. Und wenn sie nicht geschlagen wurde, mußte sie zur Strafe kalt baden – eine Angewohnheit, die sie ihr Leben lang beibehielt, auch wenn keine Strafe gefordert war. »Diese Bäder waren für meine spätere Perversion verantwortlich«, sagte sie. »Sie vermittelten mir den Eindruck: je bitterer die Medizin, desto hilfreicher. Das war vielleicht auch der Grund dafür, daß ich um so mehr Auftrieb bekam, je beleidigender sich die Presse verhielt.«

Die Kinder durften sich auch nicht aufführen, als gehörte ihnen das Haus alleine. Der Doktor war einmal so verärgert, daß er alle sechs in sein Arbeitszimmer rief und sagte: »Ich habe es satt, daß die unterste Schublade meines Schrankes als Warenhaus benutzt wird. Nur weil ihr dort hinkommt, ist das noch lange kein Grund, daß ich alles, angefangen von Messern bis hin zu Schildkröten, zwischen meiner Kleidung finde.«

Die Kinder – und besonders Kate – gaben ihm von Zeit zu Zeit Anlaß zu weit schlimmerem Ärger. Mit fünf Jahren ging sie verloren, löste das Problem aber selbst auf charaktervolle Weise.

Sie war gemeinsam mit ihrer Mutter beim Einkaufen, als sie getrennt wurden. Kate war nicht sonderlich besorgt. Sie wußte, daß Erwachsene immer ihren Heimweg fanden, also konnte das nicht schwer sein. Sie ging einfach auf eine Frau zu, die in eines der offenen Autos stieg, deren Existenz sich auf Amerikas Straßen allmählich bemerkbar machte, nannte ihre Adresse und verlangte, nach Hause gebracht zu werden. Die Frau stellte lediglich die Standardfragen und entsprach dem Wunsch des Kindes. Sie staunte wahrscheinlich nur über das Vertrauen der Kleinen. Als sich das Auto dem Haus der Hepburns näherte, sagte Kate höflich aber bestimmt: »Sie müssen nicht weiterfahren. Sie würden nichts verstehen. Jeder in dem Haus spricht Französisch.« Dabei sprach nur die Köchin Fanny Ciarrier Französisch.

»Es ist alles in Ordnung, Fanny«, sagte Kate, nachdem sie geläutet hatte und ins Haus gelassen worden war. »Eine Dame hat mich nach Hause gebracht. Ich gehe alleine ins Bett.« Die Köchin nahm davon keine Notiz. Und zunächst tat das auch sonst niemand, bis die Telefonanrufe anfingen. Zuerst rief Kit an, dann Thomas. Keiner von beiden wollte dem anderen sagen, daß er sich Sorgen über das Ausbleiben des Kindes machte, oder auch nur der Köchin mitteilen, warum sie anriefen. Der Doktor wollte seine Frau sprechen, Mrs. Hepburn ihren Mann. Nach ungefähr einem halben Dutzend Telefonaten rief schließlich der Doktor wieder an und fragte die Köchin, ob seine Frau angerufen habe, und falls ja, ob sie irgendeine Nachricht hinterlassen habe, wann sie zurück sein würde?

»Nein«, antwortete die Köchin, »es ist niemand hier außer Tom, mir und Kate.«

»Kate...?«

»Ja. Sie ist seit mehr als einer Stunde hier und schläft fest.«

Wenn Katharine Hepburn Lösungen für ihre Probleme brauchte, suchte sie diese im Freien. Man denke nur an den Morgen, als ein Polizist zur Tür kam. »Ihr kleines Mädchen sitzt hoch oben auf einem Baum«, sagte er zum Doktor. »Ich kann ihre roten Haare aus dem Baumwipfel herausblitzen sehen.«

»Um Himmels willen«, erwiderte Thomas, »rufen Sie nicht nach ihr, sonst fällt sie am Ende noch herunter.«

Der Polizist lüpfte seinen Helm, kratzte sich am Kopf und ging. Und Dr. Thomas Hepburn wandte sich wieder seinen Papieren zu.

Die perfekte Kindheit, in der nie etwas ernstlich schiefging, wurde an dem Osterfest gewaltsam zerstört, als Kate zehn Jahre alt war. Sie und Tom besuchten während der Ferien Freunde in New York. Samstagabend fand eine Party statt, auf der sich der sechzehnjährige Tom alle Mühe gab, die Anwesenden davon abzuhalten, ihm zu sagen, wie gut er aussähe. Und von zuviel Kuchen war ihm ein wenig übel geworden.

Am Morgen des Ostersonntag suchte Kate ihren Bruder, um mit ihm zu spielen. Sie fand ihn weder in seinem Schlafzimmer noch sonst irgendwo in dem fremden Haus. Irgendwann stieg sie auf den Dachboden. Was sie dort sah, wirkte wie eine Szene aus einem Horrorfilm. Toms Körper hing an einem Dachbalken, pendelte hin und her und warf einen langen Schatten auf den Fußboden. Er hatte sich erhängt. Schockiert, aber scheinbar völlig unter Kontrolle, versuchte die Zehnjährige vergebens, irgend jemand im Haus zu finden. Sie wußte aber, daß in der Nähe ein Arzt wohnte. Ruhig ging sie zu seinem Haus und klopfte. Ein Hausmädchen öffnete. »Würden Sie bitte Hilfe holen?« fragte sie. »Mein Bruder ist tot.«

»Wenn er tot ist«, erwiderte das Dienstmädchen, »kann ihm niemand mehr helfen.« Dann schloß sie die Tür vor Kates Nase. Als der Arzt endlich kam, schätzte er, daß der Junge schon seit drei Uhr früh tot war. Es konnte nie festgestellt werden, ob er Selbstmord begangen oder nur ein Spiel mit tödlichem Ausgang gespielt hatte. Dieser Vorfall diente jahrelang als Warnung für die Kinder, nicht mit einem Seil um den Hals zu spielen.

War es das Theaterstück, das sie einige Tage zuvor gesehen hatten? In Mark Twains Stück *A Connecticut Yankee at King Arthur's Court*, das Kate und Tom so beeindruckt hatte, kam ein Mann vor, der seine Nackenmuskeln so sehr anspannte, daß er dadurch dem Tod durch Erhängen entkam. Oder hatte ihn sein Vater darauf gebracht? Er hatte ihm kurz zuvor eine Geschichte erzählt, in der ein Schwarzer durch die gleiche Technik dem Lynchen entronnen war. Konnte es sein, daß Tom diese Technik in den frühen Morgenstunden, als ihn niemand störte, selbst ausprobieren wollte? Das ist möglich, ja sogar wahrscheinlich. Denn niemand konnte sich vorstellen, daß Tom andere Probleme gehabt haben könnte, als Mädchen und Erwachsene zu ärgern. Aber sicher konnten sie nicht sein, und diese Ungewißheit war vielleicht der schlimmste Schmerz.

Ohne Tom an ihrer Seite zog sich Kate in eine Muschel zurück, die nur manchmal durch ihr offensichtlich übermäßiges Selbstvertrauen gesprengt wurde. Das war natürlich ein Selbstschutz. Zeitweilig war sie äußerst scheu.

Ihr Vater scherzte darüber: »Alle meine Kinder sind schüchtern. Sie haben Angst, auf Feste zu gehen, weil sie fürchten, weder die Braut noch der Leichnam zu sein«, womit er meinte, daß Kate Angst habe, nicht zum Tanzen aufgefordert zu werden. Sie begründete ihre Schüchternheit auch mit der Furcht, daß niemand »sie für wunderbar hielt – und ich war niemals willens zuzuschauen, daß man ein anderes Mädchen für wunderbar hielt«.

Weil sie Dinge, die sie über sich selbst oder die andere über sie gesagt hatten, immer analysierte, sagte sie Jahre später zu diesem Thema: »Schüchternheit ist also in Wirklichkeit eine Form von Selbstsucht, nicht wahr? Die Angst davor, weder die Braut noch der Leichnam zu sein. Schauspieler sind alle Egozentriker. Sie sind nicht schüchtern. Sie sind selbstbewußt im wahrsten Sinne des Wortes. Ständig sehen sie sich in einer Situation. Ich bin sehr bewußt in dem Moment, in dem ich zur Tür hereinkomme, mich setze und irgendwie frage: ›Wie findest du mich, Joe?‹ Und dann, nachdem ich mich gesetzt habe, muß ich aus dieser Situation ja auch wieder herauskommen.«

Aber wenn es darum ging, sich im Wettkampf mit Gleichaltrigen zu messen, schien sie nicht schüchtern zu sein. Sie turnte am Trapez und machte akrobatische Übungen. An der Oxford School in Hartford galt sie als Schwimmchampion und hervorragende Eiskunstläuferin. Sie sagte oft, bei einem Wettlauf sei der einzige Platz, wo sie landen wollte, der erste. Kate glaubte, ihr Verhalten in der Schule sei entscheidend für ihr weiteres Leben.

Alles Gute schien zu Hause in Hartford oder im Sommerhaus in Fenwick zu passieren. Das schönste Kompliment, das die Hepburns einem scheidenden Gast machen konnten, war folgendes: »Es hat Spaß gemacht, Sie hier zu haben.« Denn um Spaß, so glaubte Kate, drehte sich alles im Leben. Spaß und Gleichberechtigung. »Ich wurde wirklich nicht in dem Glauben erzogen, daß Frauen Benachteiligte waren. Mir war überhaupt nicht bewußt, daß Frauen als zweitklassiges Geschlecht galten.«

Trotz ihrer Schüchternheit zeigte sie ihre Entschlossenheit auch auf der Bühne. Kate, ihre Brüder und ein Freund namens Robinson Smith, der später Theaterproduzent wurde, gründeten im Eßzimmer in Fenwick ihr eigenes Sommertheater. Als Requisiten benutzten sie alles, was sie finden konnten – die Möbel der Hepburns, Kits Puder und Lippenstift, alte Teekisten... aber nicht nur, um einfach auf einer Bühne aufzutreten.

Die ganze Nachbarschaft sprach über einen Vortrag, den Bischof Howden von New Mexico kurz zuvor gehalten hatte. Der Kirchenmann hatte eine fürchterliche Geschichte über die Zustände bei den Navajo-Indianern erzählt. Die »Hepburn Repetory Company« beschloß daraufhin, ein Stück aufzuführen und mit dem Erlös den Indianern zu helfen. Der Eintritt kostete 50 Cent, was einige Mütter für viel zu teuer hielten. Als Kate das zu Ohren kam, hielt sie eine Versammlung ab. Das Ergebnis war, daß den Kindern und Müttern gesagt wurde, sie sollten mit ihren 50 Cent weiterziehen. An diese Geschichte erinnerten sich die Leute noch Jahre später.

Das Stück hieß *Die Schöne und das Biest*, in dem die dreizehnjährige Kate ein blausamtenes Lord-Fauntleroy-Kostüm mit silbernen Streifen trug. Ein Eselskopf komplettierte das Kostüm. Er sah aus, als wäre er zuletzt in einer Produktion von *Ein Sommernachtstraum* gebraucht worden. Die Vorstellung spielte sechzig Dollar für die Navajo-Kinder ein, die sich davon ein Grammophon kauften. In dem Stück *Bluebeard* trug Kate einen gefärbten Bart – Mr. Smith spielte die weibliche Hauptrolle.

In der Familie Hepburn gab es wenig Anlaß zu Unstimmigkeiten. Man stritt sich nur um Politik: Wenn der Doktor einen radikaleren Standpunkt als seine Frau zur Unterstützung der russischen Revolution einnahm oder wenn sie darüber debattierten, inwieweit ein jeder von ihnen bereit war, einige der eher ausgefallenen Theorien von Bernard Shaw zu akzeptieren.

Der Hepburnsche Sozialismus hielt sie aber nicht davon ab, Familientraditionen aufrechtzuerhalten. Als Kate sechzehn war, folgte sie dem Beispiel ihrer Mutter und schrieb sich in Bryn Mawr ein. Ihre Mitstudentinnen waren sich nicht sicher, wie sie den arrogant aussehenden Rotschopf aufnehmen sollten, als sie ihn zum ersten Mal beim Abendbrot sahen. Sie war entschlossen, gut auszusehen und trug einen Pullover, von dem sie glaubte, daß er ihre Vorzüge zur Geltung brachte. Bis eines der Mädchen eine Bemerkung machte, die es damals wahrscheinlich für geistreich hielt, aber wohl augenblicklich wieder vergaß (was Kate niemals tat): »Ah, eine selbstbewußte Schönheit!« Das hätte ein Kompliment gewesen sein können. Aber die junge, schrecklich unsichere Kate empfand diese Bemerkung als so herablassend, daß sie tränenüberströmt aus dem Speisesaal rannte.

Frauen, die heute Urgroßmütter sind, erinnern sich an Kate nicht als tonangebend in Sachen Mode. Ihr Lieblingskleidungsstück war ein alter grüner Mantel, der von einer großen Sicherheitsnadel zusammengehalten wurde – ein Mantel, den sie später in dem Film *Morning Glory (Morgenrot des Ruhms)* trug.

Bryn Mawr war für Kate nicht in jeder Hinsicht ein Erfolg. Sie lernte zwar hervorragend Golf zu spielen, absolvierte ihre Studien aber eher mäßig. Ihr Tennisspiel rief bei allen, die ihr zusahen, Bewunderung hervor. Aber im College wurde ihr eines klar: Sie wollte Schauspielerin werden.

Ihr Vater hatte gehofft, daß sie Ärztin werden würde, und das hätte auch ihrer Mutter und den mit ihr befreundeten Frauenrechtlerinnen gefallen. Aber nachdem Kate in einem Theaterstück am College aufgetreten war, wollte sie weiterspielen. Als sie erfuhr, daß sie eine bestimmte Anzahl guter Noten in ihren Studienfächern bräuchte, um sich für die Schauspielklasse zu qualifizieren, legte sie sich ins Zeug. Ihre Zeugnisse wurden daraufhin erheblich besser. Bei Dr. Howard Levy Gray studierte sie Geschichte und erzielte in dem Fach eine sehr gute Note. Aber das Theaterspiel machte ihr mehr Freude. Dabei half ihr Dr. Horace Furness Jr., der damals führende Shakespeare-Forscher. Er wählte sie aus, um an den Mai-Festivitäten des Colleges teilzunehmen. Sie bekam die Hauptrolle in dem Stück *The Woman in the Moon* und später in *The Cradle Song* und in *The Truth about Blayds*.

In *The Woman in the Moon* spielte sie die Pandora – bekleidet mit den fließenden Gewändern einer Frau des antiken Griechenlands. Sie trug dieses Kostüm nochmals anläßlich der Parade zum 1. Mai und bestand unnachgiebig darauf, keine Sandalen zu tragen. »Pandora ging barfuß«, war alles, was sie dazu sagte und lief barfuß über den Kies.

Nicht alle Zeitgenossen mochten zugeben, daß sie ein bemerkenswertes Talent besaß. Jemand sagte zu ihr: »Du bist eine Mißgeburt. Du wirst niemals bestehen können.« Aber es gab auch andere Ansichten. Zehn Jahre später schrieb Mrs. Hortense Flexner King, eine Lehrerin am Bryn Mawr College: »Wir konnten immer noch das junge Mädchen mit dem roten Haarknoten sehen, die mit einem Arm voller Bücher in die Bibliothek eilte. (Der Titel dieses Stücks lautete: Miss Hepburn, die unter Anleitung von Dr. Gray ›Miss Hepburn‹ spielt.) Oder wir sahen sie in dem griechischen Kostüm aus *Women in the Moon*, worin sie einen ahnen ließ, was noch kommen würde.«

Die Theorie, daß sie »nicht bestehen würde«, drängte sich jedesmal wieder auf, wenn sie sich für Mannschaftsspiele qualifizieren mußte. Sie haßte es so, mit Gleichaltrigen im Collegeteam zu konkurrieren, daß sie immer wieder zeigte, wie schlecht sie in allem war. Offensichtlich war das einzige, was sie wirklich tun wollte, zur Bühne zu gehen.

2

BÜHNENEINGANG

Widerwillig akzeptierte Dr. Hepburn die Entscheidung seiner Tochter. Er gab ihr fünfzig Dollar und sagte, das sei sein einmaliger Einsatz. Falls sie keinen Erfolg habe, bis das Geld verbraucht war, mußte sie entweder ihre Meinung ändern oder ihren Weg alleine gehen.

Als erstes unternahm sie eine Reise nach Baltimore, wo Edwin Knopf seine eigene Produktionsfirma hatte. Weil sie die selbstgerechte Reaktion ihres Vaters fürchtete, hielt sie die Reise geheim, falls der sehnlichst gewünschte Erfolg als Schauspielerin ausblieb. Einige Male hatte sie versucht, Knopf telefonisch zu erreichen, aber der wollte nicht mit ihr sprechen. Also beschloß sie, persönlich in seiner Firma zu erscheinen und nicht eher wieder zu gehen, bis er ihr eine auch noch so kleine Rolle anbot.

An diesem Tag bot Kate Mr. Knopf ein fürchterliches Bild. Ihre Haare waren ungekämmt, ihre Nase glänzte, und sie trug einen schlampigen Pullover und Jeans. Knopf sah sie geradeheraus an, als sie um eine Chance bat. Obwohl er ihre Stimme für zu hoch und zu schrill hielt, engagierte er sie.

Ihre erste Rolle spielte sie in *The Czarina*. Ein weiterer kleiner Auftritt in *The Cradle Snatchers* folgte. Es war eine vergleichbar kleine Schauspieltruppe. Allerdings eine, die gelegentlich »Gastschauspieler« wie den damals gefeierten Kenneth

McKenna anzog. Er mochte Kate und riet ihr, Sprechunterricht zu nehmen. Sie befolgte seinen Rat. Ihre Lehrerin war Frances Robinson Duff aus New York, die ihren Teil dazu beigetragen hat, eine der berühmtesten Stimmen der Welt zu formen.

Noch vor Ende des Jahres 1928 war Katharine Hepburn in New York, bereit, die Rolle der Sekretärin in Knopfs Produktion von *The Big Pond* zu übernehmen. Vor der Eröffnung in Great Neck sollten eine Woche lang Proben stattfinden. Als die Woche zu Ende ging, brach ein Riesenkrach zwischen dem Produzenten und der Hauptdarstellerin aus. Daraufhin feuerte er die Hauptdarstellerin und bot Kate die Rolle an.

Wie sie dem Schriftsteller Charles Highham erzählte, war sie bei Leseproben immer sehr gut, bis sie die Rolle tatsächlich spielen mußte. Am Abend der Eröffnungsvorstellung kam sie spät ins Theater. Sie war vorher in eine nahegelegene Eisenbahnstation entschwunden, wo sie sich mit Blaubeeren vollgestopft hatte. Als sie ins Theater zurückkam, beschloß sie, ihre Spitzenunterhöschen seien zu aufreizend, um sie zu tragen und zog sie vor ihrem Bühnenauftritt aus. Was dann folgte, war keine beglückende Erfahrung. Sie blieb stecken, vergaß ihre Stichworte und wußte nicht mehr, wie sie ihre Rolle spielen mußte, die sie am nächsten Tag verlor.

Sie wurde mehrmals gefeuert. Das lag hauptsächlich daran, daß sie Angst vor dem Publikum hatte. Das Blut stieg ihr ins Gesicht, und sie verlor ihre Stimme. Das passierte ihr in *Death Takes a Holiday*. Im Jahre 1928 trat sie in dem Stück auf. Vorführungen in kleineren Städten wurden arrangiert. Bevor das Stück zum Broadway kam, flog Kate raus. Schließlich erhielt eine junge Dame die Rolle, die später auch Erfolg in Hollywood haben sollte. Sie hieß Claudette Colbert.

Kate sollte mit Leslie Howard in *The Woman in His House*

spielen. Wieder wurde sie kurz vor der Premiere gefeuert. Eine der älteren Schauspielerinnen, die bei Kates ersten Bemühungen auf dem Weg zum Ruhm dabei war, will gehört haben, wie Kate zum Regisseur sagte: »Ich kann es auf diese Weise nicht spielen, weil ich es so nicht fühle.« Entmutigt glaubte sie, daß sie auf der Bühne niemals Erfolg haben würde. Nachdem sie zu diesem Ergebnis gekommen war, brach sie mit allem, was sie sich vorher geschworen hatte, und heiratete.

Kurz zuvor war sie nachmittags mit dem Bildhauer Robert McKnight aufs Land gefahren, der ihr einen Heiratsantrag machen wollte. Viel später bekannte er, daß sie die ganze Zeit über die Liebe, das Leben, die Kunst und Katharine Hepburn geredet hatte. Sie gab ihm keine Gelegenheit, seinen Antrag vorzubringen, oder aber er änderte nach diesem Redeschwall seine Meinung. Doch jetzt war sie entschlossen, zu irgend jemandem »ja« zu sagen.

Das war ein impulsiver Entschluß, ohne sich über die Konsequenzen ernsthafte Gedanken zu machen. Und sie faßte diesen Entschluß sicherlich, bevor sie dafür einen bestimmten Mann ins Auge gefaßt hatte. Sie war immer von Männern umgeben, und viele wollten sie heiraten. Als ihr ein reicher Versicherungsagent namens Ludlow Odgen Smith einen Heiratsantrag machte, nahm sie an. Er war davon genauso überrascht wie sie selbst. Sie lernten sich während einer Tanzveranstaltung in Bryn Mawr kennen. Die Hochzeit fand im Haus der Hepburns statt, und niemand aus seinem Freundeskreis wußte davon. Das war eine dumme Tat, die sie fast sofort bereute. Sie fühlte sich noch nicht bereit für das häusliche Leben und haßte das Ehefrauendasein. Ihre Mutter hatte ihr das vorhergesagt. Außerdem haßte sie den Namen Smith, und ihr Mann stimmte zu, ihn in Odgen Ludlow zu ändern. Kate nannte ihn »Luddy«. Die Ehe dauerte ganze drei

Wochen. Aber die Trennung wurde genauso geheimgehalten wie die Hochzeit. Sie und »Luddy« blieben platonische Freunde, und es dauerte lange, bis ihr Arrangement offiziell für so tot erklärt wurde, wie es von Anfang an gewesen war. Kate ging wieder zurück zu ihrer Familie nach Hartford. Sie betete ihre Eltern an und besonders ihren Vater, dessen breite Schultern sie nun dringend brauchte. Aber kurz darauf wollte sie wieder arbeiten. Also bat sie Frances Robinson Duff um Hilfe. Ihre Lehrerin war mitfühlend und sorgte dafür, daß Kate für die Sommerspielzeit von der Berkshire Playhouse Theatergruppe in Stockbridge, Massachusetts, engagiert wurde. Wo sie dann wieder einmal mit ihren Ansichten über »richtig oder falsch« Probleme bekam. Das Ensemble wohnte im Haus eines Kirchenmannes mit Frau und zwei Töchtern. Als das Gespräch während des Abendessens auf das Gedicht eines inzwischen vergessenen Dichters kam, redete sie so lange über die Arbeit des Mannes, bis sie ihn zum miserablen Schreiber degradiert hatte. Bei folgenden Mahlzeiten diskutierte sie das Thema weiter, während die meisten anderen fast über ihrer Suppe einschliefen.

Häufig langweilte Kate sich. In *The Hound of Heaven* sollte sie den Namen eines Darstellers aus der Kulisse rufen. Das fand sie furchtbar ermüdend. Anstatt den richtigen Namen zu rufen, rief sie den ihrer besten Freundin Laura Harding. Der Regisseur haßte sie dafür. Er warnte sie, das zu oft zu tun, weil sie es dann vielleicht auch bei der Premiere machen würde. »Miss Hepburn«, forderte er, »Sie können das einfach nicht machen.«

»Nein«, erwiderte sie. »Wer kann mich daran hindern?«

Im Laufe dreier Vorstellungen tat das niemand. Nur Kate protestierte fortwährend, weil ihr nur mittelmäßige Rollen angeboten wurden, in denen sie selbst mittelmäßig war. Sie wollte in besseren Stücken spielen.

Nachdem ihr vorgeschlagen wurde, als Zweitbesetzung für Hope Williams in Philip Barrys Stück *Holiday* mitzuwirken, stieg ihre Hoffnung ein wenig. Das Stück hatte einige Jahre später einen beachtlichen Einfluß auf ihre Karriere. Aber nach sechsmonatiger Laufzeit hatte sie nicht bei einer einzigen Aufführung auf der Bühne gestanden.

Die typische Geschichte einer Jungschauspielerin. Sie suchte jede Agentur auf, die ihr die Tür öffnete und einen Platz im Wartezimmer anbot. Später erinnerte sie sich daran: »Nachdem ich ein oder zwei Büros besucht hatte, war mein Gesicht feucht von Schweiß und meine Haare und Kleider in Unordnung. Aber ich war zu schüchtern, um irgend jemanden nach der Damentoilette zu fragen.«

Die Antwort auf ihre Probleme war die angesehene Theatre Guild, die 1918 in New York mit dem Ziel gegründet worden war, qualitativ gute Theaterstücke zu präsentieren. Es war eine Theatergesellschaft, deren Manager politisch unabhängig waren. Ihr Hauptanliegen war nicht, um jeden Preis Geld zu verdienen (obwohl sie jahrelang als George Bernard Shaws amerikanische Theateragenten fungierten).

Dort suchte die junge Katharine Hepburn Arbeit. Die Truppe spielte Turgenjews *Ein Monat auf dem Lande*. Allerdings wußte sie damals noch nicht, daß sie fast die wichtige Nebenrolle bekommen hätte. Sie hätte ein junges Mädchen spielen sollen, das den Star Alla Nazimova unterstützen sollte.

Der Mann, der sie für die Rolle des jungen Mädchens in Erwägung zog, war der junge Regisseur des Stücks, Rouben Mamoulian. Er hatte die englische Version geschrieben und stand am Beginn einer brillanten Broadway- und Hollywood-Laufbahn (bei der er die Karriereleiter durch Klassiker und Fred-Astaire-Musicals wie *Silk Stockings* erklomm). Er glaubte, Kate könnte vielleicht die Lösung seines Problems sein. Fünfzig Mädchen nämlich hatten bereits für den Part vorgesprochen und waren abgelehnt worden. Keine schien seine Anforderungen erfüllen zu können. Vielleicht würde es Katharine Hepburn gelingen.

Generationen später erinnerte sich ein inzwischen vierund-achtzigjähriger Rouben Mamoulian, was an diesem Tag im Jahr 1928 geschehen war: »Die Rolle des jungen Mädchens ist fast so wichtig wie die Hauptrolle. Für einen Regisseur ist diese sehr schwierig zu besetzen. Ein Regisseur versucht immer, die besten Leistungen aus einer Schauspielerin oder einem Schauspieler herauszuholen. Ein anderes großes Ver-gnügen ist es, ein neues Talent zu entdecken. Ich war immer begierig darauf, neue Talente zu entdecken. Und wenn man das einige Male erfolgreich gemacht hat, traut man seinem intuitiven Urteil.

Ich bat Cheryl Crawford, die Besetzungsmanagerin der Guild, nach Unbekannten Ausschau zu halten. Dann kam eines Tages dieses junge Mädchen herein: rothaarig, Som-mersprossen, Tennisschuhe an den Füßen und vor Aufre-gung und Nervosität zitternd. Ich versuchte, ihr die Befan-genheit zu nehmen und bat sie, sich zu setzen.«

»Was haben Sie bisher gemacht?« fragte Mamoulian den immer noch zitternden Rotschopf.

»Nicht sehr viel«, antwortete Kate.

»Wissen Sie, was ich für Sie im Kopf habe, könnte eine sehr lange und wichtige Rolle werden. Die Hauptsache ist, dann bereit zu sein, wenn der Durchbruch kommt. Doch ich glaube, der wird sehr schwierig werden.«

Dennoch gab er ihr eine Szene zu lesen, sagte ihr, an welchem Teil sie arbeiten sollte und schickte sie dazu in den Neben-raum. Sie kam zurück und las sie, immer noch sehr nervös.

»Es war überhaupt nicht gut«, erinnerte sich Mamoulian. »Sie war zu nervös, sehr jung. Ich sagte ihr nochmals, daß sie für einen solchen Part bereit sein müßte, und das wäre sie jetzt noch nicht. Doch falls ich jemals eine kleine Rolle zu besetzen hätte, würde ich ihr Bescheid geben.

Was mich an diesem Mädchen beeindruckte, war ein bestimmtes Leuchten in ihrem Gesicht. Ich kann es nur so ausdrücken. Es gibt einige Gesichter, die scheinen Licht eher zu erschaffen, als selbst zu leuchten. Ihres war so, das der Garbo war so.

Ich ging hinaus und bat Cheryl Crawford, den Namen des Mädchens zu notieren. ›Sie hat etwas‹, sagte ich, ›und das nächste Mal, wenn wir eine kleine Rolle zu besetzen haben, erinnere mich an sie.‹

Das Stück wurde erstmals in New York gespielt. Nach zwei Wochen erkrankte die Schauspielerin, die das Dienstmädchen spielte (eine Sprechrolle mit vier Zeilen), und wir mußten uns nach Ersatz umsehen. Ich sagte: ›Hol das Mädchen, das vor einigen Wochen hier war. Wie war ihr Name?‹ Cheryl erwiderte: ›Katharine Hepburn.‹ Kate trat während der ganzen Spielzeit in New York auf und ging dann eine ganze Saison mit auf Tournee.«

Ich fragte ihn, ob Kate irgendeine Abneigung gezeigt hatte, eine so kleine Rolle zu übernehmen. »Scherzen Sie?« antwortete er. »Sie stürzte sich darauf. Es war schließlich ihr erster Broadwayauftritt.«

Später hat Mamoulian nie wieder mit ihr gearbeitet. Aber er weiß, daß die Rolle des Dienstmädchens in *Ein Monat auf dem Lande* ein wichtiger Schritt auf Kates Weg zum Erfolg war. »Es gibt bestimmte Unfälle, bei denen man sich fragt, ob sie vom Schicksal gesteuert sind.« Das rothaarige, sommersprossige Mädchen, das zum Vorsprechen für eine Rolle kam, von deren Existenz sie damals nicht einmal wußte, war vielleicht so eine Laune des Schicksals. Wie damals, als Mamoulian einen jungen Statisten traf, der sich eifrig Notizen machte, woraufhin er ihm eine Rolle in dem Stück anbot, in dem dieser bereits einen kleinen Part spielte. Sein Name war Charlton Heston. Oder als er einem scheuen, undeutlich sprechenden, linkisch aussehenden Jugendlichen eine Gelegenheit gab, weil er glaubte, der »hätte« etwas und könnte gut in der Rolle als Boxer in *Golden Boy* sein. Das war William Holden.

»Besetzung«, erzählte er mir, »ist Intuition. Manchmal muß man Entscheidungen treffen, die gegen alle Vernunft sind. Das war vergleichbar mit Michelangelo, der ein Stück Marmor anstarrte. Schließlich kam die Figur, die er schaffen wollte, zu ihm.«

Nach zwei Spielzeiten als Dienstmädchen in *Ein Monat auf dem Lande* war die Figur namens Katharine Hepburn, die noch wie ein unbearbeiteter »Marmorblock« war, bereit für wichtigere Rollen.

Endlich gelang es Kate, ein Broadwaymanagement davon zu überzeugen, ihr eine Chance mit einer gehaltvolleren Rolle zu geben. Sie spielte die Tochter einer der damals angesehensten Schauspielerinnen vom Broadway, Jane Cowl. Das Stück hieß *Art and Mrs. Bottle* von Ben Levy, der Kate in dem Moment rausschmeißen wollte, als sie im verwaschenen Seidenpyjama und mit einem alten Mantel im chinesischen Stil das Theater betrat. Was ihn besonders ärgerte, war ihre leuchtende Nase. »Warum glänzt die nur so?« fragte er, so daß sie es hören konnte. »Kaltes Wasser und Kernseife?« Daraufhin hatte Kate eine Flasche puren Alkohols in ihrer Handtasche, den sie sich bei jeder nur möglichen Gelegenheit aufs Gesicht sprühte.

Levy setzte sich schließlich durch, und Kate wurde gefeuert. »Sie sieht zum Fürchten aus, und sie hat kein Talent«, sagte er. Jane Cowl versuchte sie davon zu überzeugen, sich zu schminken. Aber die Kombination von Kosmetika und Alkohol ließ ihr Gesicht noch schlimmer aussehen. Da die Rolle sowieso verloren war, versuchte sie es erst gar nicht. Aber endlich entwickelten sich die Dinge einmal zu ihren Gunsten. Vierzehn Schauspielerinnen hatten vorgesprochen, und es fand sich immer noch kein geeignetes Mädchen. Zum Schluß sagte Miss Cowl: »Erinnern Sie sich an diese kindliche Hepburn?« Kate wurde wieder engagiert.

Allerdings tat sie auch jetzt nicht das, was man von ihr verlangte. Kate brachte Jane Cowl in Verlegenheit, als sie diese im ersten Akt küßte. Das stand zwar im Skript. Aber es stand nicht darin, auf Janes Wange einen großen Lippenstiftabdruck zu hinterlassen. Das Publikum sah das und lachte während des restlichen Akts darüber. Jane gab ihr einen kußechten Lippenstift, den sie am nächsten Abend verwenden sollte, doch nach ihrem Auftritt hinterließ Kate wieder den Abdruck ihrer Lippen auf der Wange des Stars.

»Haben Sie vergessen, diesen Lippenstift zu benutzen?« fragte Miss Cowl.

»Nein«, antwortete Kate, »ich mochte ihn nicht verwenden.« Das alles paßte zur Erziehung eines jungen Mädchens aus Neuengland, dem man beigebracht hatte, eine eigene Meinung zu haben. Bis dahin war ihr noch nicht bewußt, daß man sich auch kollegialer benehmen konnte.

Von da an hielt sich der Star die jüngere Schauspielerin vom Leib, wenn das Skript »Kuß« vorschrieb. Jahre später, als die »Saturday Evening Post« an diesen Vorfall erinnerte, sagte Kate: »Kann ich mich gegenüber einer so wundervollen Person wirklich derart unhöflich benommen haben? Das scheint unglaublich, nicht wahr? Und unentschuldbar.« Nach *Art und Mrs. Bottle* ging sie zurück ans Repertoiretheater. Ihr Vater sah sie in *The Man Who Came Back* in Ivorytown, Connecticut, und war erstaunlicherweise beeindruckt. Er sagte zu ihr: »Ich habe zum ersten Mal den Eindruck, daß du Talent hast.« Aber es war schwierig, sie davon zu überzeugen. Sie spielte weitere Rollen – und wurde erneut an die Luft gesetzt.

Nach fünf Vorstellungen mit Leslie Howard in *The Male Animal* flog sie raus, obwohl ihr der Grund nie gesagt wurde. Lag es vielleicht daran, daß sie größer war als Howard? Vielleicht. Der Grund könnte auch ihr »bösartiges Temperament« gewesen sein. Offenbar waren sie und Mr. Howard einfach nicht dazu bestimmt, zusammenzuarbeiten. Sie teilte ihren Ärger Philip Barry mit, dem Autor des Stücks, der schon bald darauf eine wichtige Rolle in ihrem Leben spielen sollte.

Ihre Stimme ließ die Wände von Barrys Apartment erzittern. Er kam gerade aus dem Bad, um sie zu begrüßen. »Sie können nicht zulassen, daß sie mir das antun«, schrie sie. »Sie haben immer gesagt, daß ich ideal für diese Rolle bin. Ich bin es! Ich bin es! Die ruinieren Ihr Stück! Sie gyppen mich (sie hat immer gerne Worte benutzt, die sich für sie richtig anhören; auch wenn sie nicht existieren, erfindet sie sie einfach), und ich werde mir das nicht gefallen lassen.«

Barry hatte genug gehört. »Wissen Sie«, erwiderte er, »die haben recht. Niemand mit Ihrer bösartigen Veranlagung kann Komödien spielen. Sie sind völlig ungeeignet für diese Rolle. Und ich bin froh, daß man Sie rausgeworfen hat.«

Es schien, daß es Katharine Houghton Hepburn nicht gerade bestimmt war, eine besonders erfolgreiche Theaterkarriere zu machen. Aber sie war nicht umsonst die Tochter ihres Vaters.

Und im Jahre 1931 hatte sie wieder eine Rolle am Broadway, in der Moroscow-Produktion von *The Warrior's Husband*. Die unordentliche, natürliche Miss Hepburn aus Hartford erstaunte alle, die sie in einem Leopardenfell über die Bühne stolzieren und die Königin der Amazonen spielen sahen. Es erregte die Leute, wie sie die Treppe mit einem über die

Schulter gelegten Spielzeughirsch herunterlief. Die Tunika, die sie trug, unterstrich die Schlankheit ihrer Beine. »Ich habe nie einen Hit gelandet, bis ich in einer Beinshow auftrat«, scherzte sie.

Doch jetzt gelang ihr ein Hit, sowohl beim Publikum als auch bei ihrem Partner Colin Keith Johnson, der die Hauptrolle spielte. Sie mußte ihm auf den Kopf hauen. Was sie manchmal so hart tat, daß seine Nase blutete. Ein Arzt stand ständig bereit, falls ihr Enthusiasmus wieder einmal mit ihr durchgehen sollte. Die Kritiker teilten endlich einmal Kates Begeisterung. Nach einer beachtlichen Laufzeit sollte das Stück in London aufgeführt werden, und die Hepburn war mit ganzer Seele darauf eingestellt, den Atlantik zu überqueren. Aber in letzter Minute entschloß sich der Produzent, keine Investition zu riskieren, die sich nicht mit Sicherheit vergolden ließ. Das Stück wurde abgesetzt.

Genauso »abgesetzt« fühlte sich Katharine Hepburn. Ihre Laufbahn war nicht gerade einfach gewesen, und am Horizont zeichnete sich nichts ab, was sie eine Besserung erhoffen ließ. Hier irrte sie allerdings. Laura Harding hatte sie dem Agenten Leland Hayward vorgestellt. Der wiederum glaubte, daß diese eigensinnige Schauspielerin an der Westküste Amerikas gut zurechtkommen würde. In einem neuen Film war eine Rolle zu besetzen, für die Kate genau die Richtige wäre. Katharine Hepburn war auf ihrem Weg nach Hollywood.

3

SPITFIRE

Der Film, den Hayward im Kopf hatte, war ein neues Stück mit dem Titel *A Bill of Divorcement (Eine Scheidung)*, das RKO* gekauft hatte. Mit Katharine Cornell in der Rolle war es ein großer Broadwayerfolg gewesen. Die Filmgesellschaft wollte jetzt ein neues Gesicht auf der Leinwand. Clemens Danes bewegende Geschichte einer Beziehung zwischen einem Veteranen aus dem Ersten Weltkrieg (er leidet an einer Kriegsneurose, die er sich im Schützengraben zugezogen hat) und seiner jungen Tochter wurde tatsächlich ein Erfolg.

Hayward hatte Myron Selznick, dem Bruder von David, die Hepburn vorgeschlagen – er war der Mann, der kürzlich RKO übernommen hatte. Unter ihm blühte die RKO auf, die zuvor ein eher armseliges Hollywoodstudio gewesen war. Agenten bezahlt man, weil sie wissen, was in den Studios passiert. Und Hayward hatte gehört, daß Jill Esmond, die Ehefrau von Laurence Olivier, die Rolle bereits abgelehnt hatte.

Alles hing vom Ausgang der Probeaufnahmen ab, die in einem kleinen New Yorker Studio, das zu diesem Zweck von RKO angemietet worden war, gedreht wurden. Kate selbst

---

* Anm. d. Übers.: RKO (*Radio Pictures Incorporated*) ist eine amerikanische Filmproduktions- und Vertriebsgesellschaft, die 1917 gegründet wurde.

war nicht sehr optimistisch. Nach den vielen wenig schmeichelhaften Dingen, die sie über ihr Gesicht gehört hatte, würde sie sicher niemand genug mögen, um ihr für die Arbeit vor einer Kamera gutes Geld zu zahlen. Damals hat sie natürlich noch nicht gewußt, was Rouben Mamoulian über das »Leuchten« dieses Gesichts gesagt hatte.

Bei der Probeaufnahme – eine Szene aus Philip Barrys Stück *Holiday*, in dem Kate die Zweitbesetzung gewesen war – führte Lillie Messenger Regie. Eine RKO-Frau, die ständig auf der Suche nach neuen Talenten war. Miss Messenger glaubte, eine Entdeckung gemacht zu haben. Haywards Ahnung machte sich bezahlt. David Selznick sah die Probeaufnahme, und auch ihm gefiel, was er sah. Als die Aufnahme endlich aus New York eintraf, war er allerdings fast gezwungen, sie zu mögen. Sein Star, John Barrymore, der die Rolle des Vaters spielte, war nur für vierzehn Tage von MGM* ausgeliehen, und sein brillanter junger Regisseur George Cukor bekniete ihn täglich, mit den Dreharbeiten zu beginnen.

Tatsächlich war Cukor von der Entdeckung begeisterter als Selznick. Er sah die Probeaufnahme, bemerkte Kates linkische Bewegungen und war sich nicht sicher, ob er ihre ungewöhnliche Stimme haßte oder liebte. Was sie tat, war seiner Ansicht nach »durch ungeheures Gefühl« hervorgebracht worden. »Ja«, sagte er zu seinem Boß. »Engagieren wir sie.«

Doch Kate hatte nicht wirklich vorgehabt, nach Hollywood zu gehen. Deshalb machte sie wieder Schwierigkeiten und verlangte, was sie später einmal als »einen unmöglichen Preis« bezeichnete, in der Hoffnung, daß kein Studio verrückt genug sein würde, ihn auch zu zahlen. Als das Studio

---

* Anm. d. Übers.: MGM (*Metro-Goldwyn-Mayer*) ist eine amerikanische Filmproduktionsgesellschaft, die 1924 gegründet wurde.

dann den »unmöglichen Preis« zahlen wollte und ihr 1500 Dollar die Woche anbot, nahm sie an.

Der Film war hauptsächlich Selznicks Hätschelkind. Er wollte ihn seit Jahren drehen. Aber es war bis dahin ebenso unwahrscheinlich gewesen, die Zustimmung eines Filmmoguls für einen Film über Geisteskrankheit zu bekommen, wie für einen Film, der die Mutterschaft, die amerikanische Fahne und »Apple Pie« verdammte. Als er nun endlich zum Produktionschef von RKO ernannt worden war, war der Weg für seinen Wunsch frei.

Er kündigte an, daß er nicht nur den Film *Eine Scheidung* machen würde, sondern darin auch eine noch Unbekannte namens Katharine Hepburn präsentieren würde. Dies war gar keine so seltsame Entscheidung. Wenn RKO nämlich an der Hollywood-Spitze Erfolg haben wollte, konnten sie das nur erreichen, wenn sie neben eingeführten Namen neue Stars hervorbringen würden. Diese Politik brachte Fred Astaire, bereits berühmt am Broadway und in London, aber noch neunzig Prozent des weltweiten Filmpublikums unbekannt, in ihre Studios.

Immerhin war diese Ankündigung kein Rezept, das den Frieden und die Harmonie auf dem RKO-Gelände erhielt. »Alle waren völlig geschockt«, schrieb Selznick später. Selznick selbst nicht minder, als ihm klar wurde, was er diesem Mädchen zahlte. Er fragte sich, ob er nicht dringend eine ausführliche Sitzung beim RKO-Psychiater nötig hätte.

Kate überredete Laura Harding, sie auf ihrer Reise nach Kalifornien zu begleiten. Für beide eine aufregende Reise – für Kate, weil sie fühlte, daß sie am Beginn einer neuen Karriere stand, und für Laura, die die Erbin des Vermögens der American Express Gesellschaft war, weil sie einen neuen Teil des Landes kennenlernen konnte und dabei zusehen durfte, wie Amerikas aufregendste Branche mit all ihren glamourösen Persönlichkeiten arbeitete.

Auf der langen Bahnreise kicherten sie wie Mädchen auf einem Schulausflug. Während ihrer ersten Nacht im Zug zeigte Kate auf den Neumond, der durch die Bäume schien. »Schau nie auf einen Neumond durch Glas. Das bringt Unglück«, sagte Laura.

Das Fenster wurde heruntergezogen, und die beiden Mädchen, denen der Wind durch die Haare fuhr, schauten hinaus und bewunderten die Schönheit, die vor ihnen lag. Gerade als alles so perfekt schien, flog Kate ein heißer Metallspan ins Auge. Er war nur klein, und sie rieb ihr Auge, das stechende Gefühl wurde immer schlimmer. Das Auge tränte, schwoll an und rötete sich zusehends. Als der Zug in Pasadena einfuhr, bot sie Pandro S. Berman, der zu ihrer Begrüßung gekommen war, keinen angenehmen Anblick. Berman war der junge Mann, den Selznick als Produzent förderte, und der damals als sein Assistent arbeitete. »Ich war furchtbar geschockt und enttäuscht«, erinnerte er sich mehr als vierzig Jahre später an diesen Moment.

Hollywood stand am Anfang seiner glamourösesten Ära. Vor nur fünf Jahren hatten Al Jolson und die Warner Brothers* gezeigt, daß das Kino eine Stimme hatte. Kate war Teil einer großen Armee von New Yorker Schauspielerinnen und Schauspielern, die in Los Angeles willkommen geheißen wurden, weil sie ihre Stimme gebrauchen konnten und ihr Handwerk beherrschten. Die Filmkolonie hatte sich vom Schock des Tonfilms erholt und war wieder einmal der Berg Olymp, zu dem Sterbliche auf der Suche nach ihren Göttern pilgerten. Die riesigen Palmen, der nie enden wol-

---

* Anm. d. Übers.: *Warner Brothers Pictures Inc.* ist eine amerikanische Filmgesellschaft, die 1923 gegründet wurde.

lende Sonnenschein, die großen Häuser im spanischen Stil mit ihren Swimmingpools symbolisierten Vollkommenheit und Wohlstand inmitten der Depression.

Für die Studios war das eine wirklich gute Zeit. Auf der Wallstreet mochten sich Bankiers aus den Fenstern der Wolkenkratzer stürzen, aber es gab immer noch genügend Männer, die ihr Haus jeden Morgen um acht zu verlassen pflegten, um auf Parkbänken zu warten, bis die Kinos öffneten. Für fünf oder zehn Cent konnten sie der grausamen Realität entfliehen und gleichzeitig ihre Würde bewahren. Sie hatten eine Beschäftigung und konnten ihren Frauen und Familien leichter verheimlichen, daß sie arbeitslos waren. Es waren Ehemänner, ihre Frauen und Kinder, die sogar in den schlechtesten Zeiten einige Pennies zusammenkratzten, damit sie einen Abend fernab von den Zwängen des Alltags verbringen konnten.

Die Kinobesitzer erkannten, daß sie davon profitierten, was »Variety«, die »Bibel« des Showgeschäfts, den Wallstreet-Magnaten geraten hatte, als sie schrieb, sie sollten zweimal wöchentlich das Programm wechseln. Doppelt so viele Filme vorzuführen, hieß für die Studios, zweimal so viele Filme drehen zu müssen. In dieser Zeit des Aufschwungs, inmitten der düsteren Stimmung, die die letzten Tage von Herbert Hoovers Präsidentschaft kennzeichneten, und am Vorabend von Franklin D. Roosevelts Griff nach der Macht mit seinem Versprechen des »New Deal«* nahm Katharine Houghton Hepburn ihren Platz unter den Filmstars ein.

Unmittelbar nach ihrer Ankunft brachte man sie ins Studio. Und Berman erhielt von David Selznick den Auftrag, sie mit allen für sie wichtigen Leuten bekannt zu machen. Zusam-

---

* Anm. d. Übers.: »New Deal« waren von Roosevelt eingeleitete Reformen zur Überwindung der Wirtschaftskrise.

men gingen sie zur Maske und zum Friseur. »Sie werden mit meinen Haaren gar nichts anfangen können«, sagte Kate zur Friseuse, »ich trage sie immer à la concièrge«, und deutete auf ihren festen Knoten. Als Antwort erhielt sie nur einen wissenden Blick, der besagte »Wir werden schon sehen«.

Berman nahm sie mit zur Garderobe. Die Leute hatten ernste Bedenken, ob sie aus dieser Hosen tragenden jungen Frau die Art von Dame machen könnten, die Selznick in seinen Filmen sehen wollte. Damals mußten Mädchen schließlich elegant und frivol auf der Leinwand aussehen. »Sie war so übernächtigt und ihr Auge so geschwollen, daß man unmöglich ein faires Urteil über sie abgeben konnte«, sagte Berman. Die beiden wurden bald enge Freunde und Tennispartner. Zu ihrem Regisseur George Cukor oder auch zu John Barrymore, denen sie von Berman vorgestellt wurde, schien sie zunächst keine so gute Beziehung zu haben. Barrymore glaubte, jede junge Dame auf dem Studiogelände sei Freiwild und zeigte das, wie er meinte, auf angemessene Art und Weise. Er rief sie in seine Garderobe und zog sich weiter aus, als eine Augen reibende, mit offenem Mund starrende Katharine Hepburn hereinkam. Aber sie war genügend Frau der Lage, um klarzustellen, daß sie nicht zu dieser Sorte von Mädchen gehörte. »Das muß ein Irrtum sein«, platzte sie heraus, nicht wissend, wie ihr geschah. Sicher war das ein Rückschluß auf ihre eigene Moral, die wohl als sehr locker angesehen wurde.

Ihre Beziehung zu Cukor war nicht derart belastet, aber dennoch gespannt. Der Regisseur wußte nicht, was er von ihr halten sollte. Er führte sie durch das RKO-Gelände und nahm sie mit ins Büro der Studiointendanz, wo sich die Skandalgeschichten am schnellsten verbreiteten.

Die Hollywood-Autorin Adela Rogers St. John beschrieb diese Szene: »Als sie mit Mr. Cukor hereinkam, fielen einige der leitenden Angestellten fast um. Mr. Selznick verschluckte einen ganzen Hühnerflügel. Wir sahen ein großes, dünnes, gänzlich von Sommersprossen übersätes Mädchen, das die entsetzlichsten und unglaublichsten Kleider trug, die ich je gesehen hatte. Lee Tracy würde so etwas für die mexikanische Armee zum Skispringen entwerfen. Es schien, als wäre dies ihr letztes Wort zum Thema ›Kleider‹.«

Cukors Zurückhaltung basierte auf rein beruflichen Gründen. Jahrelang zitierte man ihn, gesagt zu haben, sie kam nach Hollywood und benahm sich weiterhin wie ein »studierter Idiot«.

»Das habe ich nie gesagt oder gefühlt«, sagte mir Cukor kurz vor seinem Tod. »Ich sagte, daß sie einige irgendwie irritierende Qualitäten hätte. Sie war intellektuell und sehr selbstsicher.«

Welche Worte er damals auch immer gebraucht hat, in diesem Stadium ihrer Beziehung schienen sie auf Kollisionskurs zu liegen. Trotz ihres Aufzugs machte Kate ein Riesentheater um ihre Filmgarderobe. Sie war nicht gerade wie ein Experte auf diesem Gebiet angezogen. Dennoch besaß sie die Frechheit zu sagen, daß die Garderobe, die man für sie gefertigt hatte, nicht ganz das richtige war, und daß sie diese deswegen nicht tragen würde. Sie sagte Cukor, daß ihre Garderobe von Chanel entworfen werden müßte – eine köstliche Ironie, wie sich vierzig Jahre später herausstellen sollte.

»Mögen Sie den Aufzug, den Sie tragen, wirklich?« fragte Cukor sie. »Aber sicherlich«, antwortete sie. »Das wurde eigens für mich von einem der führenden Häuser in Paris entworfen.«

»Nun«, sagte der Regisseur. »Ich halte es für miserabel. Ich meine, das ist das scheußlichst aussehendste Ding, das ich je an einer Frau gesehen habe. Ich denke, jeder, der so etwas außerhalb seines Badezimmers trägt, hat keine Ahnung von Kleidern. Nun, was sagen Sie dazu?«

»Sie haben gewonnen«, gab sie klein bei. Wäre der Streit anders ausgegangen, wäre alle Autorität, die Cukor in den folgenden Wochen ausüben wollte, null und nichtig gewesen. Ihre Beziehung zu Cukor verbesserte sich, als die Dreharbeiten fortschritten. Bald empfanden sie gegenseitigen Respekt füreinander.

Zwanzig Jahre später sprach sie auch von ihrem Respekt John Barrymore gegenüber: »Er kritisierte mich nie. Er drängte mich nur zu dem, was ich vor der Kamera zu tun hatte. Er lehrte mich alles, was man solch einem ›Greenhorn‹ in so kurzer Zeit beibringen konnte.«

Es hatte auch Kritik von ihrem »Filmvater« gegeben, und Barrymore, der auf Stichwortkarten angewiesen war, um sich an seinen Text zu erinnern (er erklärte einmal: »Mein Kopf ist angefüllt mit Shakespeare-Gedichten; Sie wollen doch nicht, daß ich ihn mir mit diesem ganzen Scheiß besudele, oder?«), versuchte immer noch den Eindruck zu erwekken, er sei vor allem daran interessiert, Kate ins Bett zu bekommen. Er kniff sie in den Po. »Wenn Sie das noch einmal machen«, sagte Miss Hepburn, »höre ich auf zu spielen.«

»Mir war nicht bewußt, daß Sie angefangen hatten«, erwiderte er.

Sie hatte von ihm auch keine bessere Meinung. Jahre später rief sie sich ins Gedächtnis zurück: »Ich erinnere mich, Jacks erster Szene zugeschaut zu haben und dachte, ›du bist nicht sehr gut...hmmm‹.« Aber als die Arbeit an dem Film fortschritt, revidierte sie ihre Meinung.

Es gab eine gemeinsame Szene, in der Barrys Rolle für sie zur aufregenden Realität wurde. Sie sagte zu ihm: »Ich denke, du bist mein Vater.« Dann, erinnerte sie sich, »nahm er mein

Gesicht in seine Hände. Er sah mich lange an und war überwältigend einfach... Ich war mir damals nicht bewußt, daß Jack so ein verwirrter Mensch war. Er versuchte immer, mir zu helfen.« Es war wie eine plötzliche Überbrückung des Generationsunterschieds.

Auch andere teilten das Vertrauen, welches Barrymore plötzlich in sie hatte. Cukor und Selznick waren der Meinung, daß Kate die Gage von 1500 Dollar, die sie investiert hatten, wert gewesen war, und die Kritiker schienen der gleichen Ansicht zu sein. Cukor war besonders dankbar für die Leichtigkeit, mit der sie ihre Arbeit vor einer Kamera tat. »Das sind Naturtalente«, sagte er, »die Frauen, die beruflich zum ersten Mal vor einer Kamera stehen, und die sich davor so wohl fühlen, als wären sie in ihrem Wohnzimmer. So eine war Katharine Hepburn. Sie lachte auch viel, eine weitere gute Eigenschaft. Sie besaß so etwas Schalkhaftes.«

Cukor hatte Recht gehabt, was ihre Gefühle vor der Kamera anging. »Ich hatte nie Angst vorm Filmen«, sagte sie. »Ich erinnere mich, daß ich dachte, ›Oh, das ist großartig. Oh, diese Kamera! Sie ist ein Freund. Das ist sehr einfach.‹ Warm! Gemütlich! Umm! Sie machte mich nie verlegen.« Nicht, daß sie ihrer Arbeit so große Bedeutung zumaß, wie die Anstrengung, die sie daran setzte, anzudeuten schien. »Meine Schwester wird Bäuerin werden«, sagte sie. »Ihre Arbeit ist viel wichtiger als meine. Schauspielerin heißt einfach, auf den Pudding zu warten.« Ihre Probeaufnahme bestätigte diese Einschätzung. Wie sie viel später darüber sagte: »Ich habe nie jemanden gesehen, der so jung und absolut lächerlich aussah und gleichzeitig wild entschlossen war, Erfolg zu haben. Es ermüdet mich schrecklich, mir das nur anzusehen.« *A Bill of Divorcement* vermittelte einen ganz anderen Eindruck. Sie war nicht besonders glücklich über die Fallen, die ihr das Leben in Hollywood stellte. Obwohl sie mehr Tennis spielte als je zuvor und eine Institution auf den gepflegen Tennisplätzen des Beverly-Hills-Hotels wurde, litt sie stark unter der Sonne. Sie wollte sich auch nicht den meisten Konventionen Hollywoods beugen. Von einem Star wurde erwartet, daß er sich seinem Publikum in Diamanten und Nerz zeigte und dies nur mit der gebührenden Distanz bei Premieren und anderen Auftritten, die die Studios für ihn ausgewählt hatten. Als sich die Studiopolitik änderte, und sie wie das Mädchen von nebenan aussehen sollte, lancierte das Studio vorsichtige Artikel, die die Zeitungen deshalb veröffentlichten, weil ihnen das Hollywood-Spiel Spaß machte. Im Austausch dafür bekamen sie viele Anzeigenaufträge und sämtliche Geschichten, die sie haben wollten.

Aber Kate spielte dieses Spiel nicht mit. Sie setzte sich einfach auf die Bordsteinkante an einer verkehrsreichen Kurve und beantwortete dort ihre persönlichen Briefe und die Fanpost. Problematischer war ihre Reaktion auf Reporter.

»Sind Sie verheiratet, Miss Hepburn?« fragte einer.

»Nein, war ich auch nie«, log sie.

»Haben Sie Kinder?« fragte ein anderer, der vorgab, ihre Antwort vergessen zu haben. »Ja«, antwortete sie. »Fünf. Zwei weiße, drei farbige.« Das waren nicht gerade Geschichten, die die Public-Relations-Abteilung erfreuten und selbstverständlich auch nicht Mr. Selznick, den Filmmogul, der sie engagiert hatte.

Cukor erzählte einmal einem BBC-Journalisten[*]: »Sie war recht überheblich und benahm sich, als wären wir anderen alle Ignoranten.«

---

[*] Anm. d. Übers.: BBC ist die Abkürzung für die englische Rundfunkgesellschaft *British Broadcasting Corporation*.

Kate hat ihre Leistung in ihrem ersten Film niemals unterschätzt. Sie war auch nie bescheiden genug abzustreiten, daß sie Barrymore die Schau gestohlen hat. Sie erklärte: »Das wußte ich, als ich den Vertrag unterschrieb. Es ist naiv, gegen einen Star anzuspielen, der die Last des Stückes tragen muß. Den ganzen Film tragen zu müssen, war eine Qual für Barrymore. Ein Mädchen mit einer wunderbaren Rolle, das noch unbekannt ist und gegen den Star spielt, kann ihm immer die Schau stehlen. Das ist unfair, wissen Sie. Viele weibliche Rollen werden darauf zugeschnitten. Deshalb haben auch so viele Frauen für ihren ersten Film einen Oscar bekommen.«

Trotz des Erfolgs von *Eine Scheidung* beschloß Kate, mit Hollywood zu brechen. Bei der ersten Gelegenheit, nachdem einige zusätzliche Szenen abgedreht worden waren, reiste sie nach New York und segelte von dort nach Europa. An ihrer Seite war der Mann, mit dem sie verheiratet war. »Ich mag ihn«, erklärte sie einigen neugierigen Freunden. »Es ist sehr wichtig, den Mann zu mögen, den man liebt.« Zu sagen, sie liebe ihn, war wahrscheinlich übertrieben.

Das Paar buchte Plätze auf dem Zwischendeck, »weil ich mich auf Seereisen immer übergeben muß, und ich nicht einsehe, dafür ein Ticket in der Ersten Klasse zu lösen«. Sie kamen bis Tirol, wo Kate ein Telegramm von Selznick erwartete. Er hatte für sie einen neuen Film im Kopf.

Aus dem neuen Film wurde nichts, und Selznick verließ RKO. Doch Pandro Berman wollte einen neuen Film mit Kate in der Hauptrolle produzieren. Er sollte *Christopher Strong (Ihr großes Erlebnis)* heißen und handelte von einer Pilotin. Regie führte Dorothy Arzner, eine der wenigen Hollywoodregisseurinnen, mit der Kate gar nicht gut auskam. Das schlug sich in dem Film nieder. Er war keine Katastrophe, aber auch kein großer Triumph. Berman sagte:

»Es war gar nicht leicht, mit ihr zu arbeiten. Sie war ein sehr süßes und großartiges Mädchen. Aber sie hatte Komplexe in bezug auf Hollywood – bis sie selbst Teil davon wurde.«

Ich fragte ihn, ob sie vielleicht arrogant war. »Vielleicht könnte man das so nennen«, antwortete Berman. »Aber ich glaube, sie hatte einfach Angst.« In Wirklichkeit hatte sie eine Todesangst, die auch noch nach *Ihr großes Erlebnis* anhielt. Sie war nervös wegen der Auswahl ihrer Rollen, wegen ihres Aussehens. Ich glaube nicht, daß sie sich für besser als andere hielt. Sie meinte, nicht fotogen genug zu sein.

Ihre Stimme ließ das Kinopublikum erstarren. »Diese Neuenglandtöne waren manchmal schrill«, erinnerte sich Barrymore. »Für den Durchschnittszuhörer hörte sie sich ein wenig affektiert an, obwohl ich nicht glaube, daß sie es war. Ich denke, sie sprach natürlich. Das war kein großes Handikap für sie, nur in den Filmen, in denen sie sympathisch erscheinen mußte.«

Trotz ihres ersten Filmerfolgs hatte man »große Zweifel«, welche Rollen man ihr anbieten sollte, sagte Berman. Im Rückblick hätte er sie nicht für die Rolle von *Ihr großes Erlebnis* ausgewählt.

Wenn man mit ihr arbeitete, wußte man, woran man war. »Kate war ein präziser Mensch. Sie war sehr geradeheraus. Man konnte sie nicht hinhalten, und sie war sehr intelligent – intelligenter als die meisten weiblichen Stars ihrer Zeit. Entweder ihr gefiel ein Drehbuch oder nicht. Als ich sie ein wenig besser kennenlernte, ging ich die Dinge dann vorsichtiger an, wenn ich wußte, daß ich im Vorteil war.«

Inzwischen wurden die Klatschkolumnisten aufmerksam. Was bedeutete die Filmarbeit für Kates Ehe? Adela Rogers St. John, eine der wenigen Journalistinnen aus Hollywood, die von Mr. Smiths Existenz wußten, wollte das wissen.

Im Magazin »Liberty« schrieb sie: »Ob diese Ehe die langen Trennungen überstehen wird, ob sie die neuen Probleme, die sich aus Katharine Hepburns Erfolg ergeben werden, überdauern wird, kann niemand wissen. Es ist bestimmt nicht einfach, eine Ehe über 3000 Meilen Entfernung hinweg aufrechtzuerhalten, eine enge Gemeinschaft zu bewahren, wenn beide Menschen sehr lebendig und sehr ehrgeizig sind... Soviel ist sicher: Heute gilt Katharine Hepburns Interesse vor allem ihrer Arbeit.«

Bevor Pandro Berman Kate die dritte Rolle in Zoe Atkins' *Morning Glory (Morgenrot des Ruhms)* anbot, fuhr er fast täglich zum Haus des Autors nach Pasadena, um auch das kleinste Detail des Drehbuchs zu besprechen. Er bat zuerst Laura Harding, das Drehbuch zu lesen. Wenn ihr die Geschichte gefiel, in der Kate eine junge, ambitionierte und entschlossene Schauspielerin, losgelassen in New York, spielen sollte, dann – war sich der Regisseur sicher – würde sie ihre Freundin davon überzeugen, die Rolle anzunehmen. »Ich wollte, daß sie es las, ohne Katharine etwas davon zu sagen. Falls es ihr nicht gefiel, mußte ich selbst sehen, was Katharine davon halten würde. Aber Laura war ganz begeistert und gab es Katharine zu lesen, noch bevor ich das tun konnte. Laura pries dieses Drehbuch für mich an. Aber das habe ich nie wieder getan. Es war nicht nötig. Ich kannte Kate dann besser.«

In dem Film spielten Adolphe Menjou und Douglas Fairbanks jun. mit, mit dem Kate zunächst eine stürmische Beziehung zu haben schien. Er hat nachweislich einmal von »ihrem maskulinen Gehirn und ihrem Zwang, beleidigend zu sein«, gesprochen. Davon will er heute ganz und gar nichts mehr wissen.

»Ich glaube, ich habe sie bei *Morgenrot des Ruhms* zum ersten Mal getroffen«, erzählte er mir, »obwohl wir uns beide nicht sicher sind, ob wir uns nicht bereits in New York gesehen haben, als sie in *The Warrior's Husband* auftrat. Die große Frage für das übrige Ensemble war, ob sie als romantische Dame in der Hauptrolle durchgehen würde«, erinnerte er sich. »Aber das Studio setzte großes Vertrauen in sie. Und sie hatte das Selbstvertrauen, alles spielen zu können – und das kann sie auch. Übrigens machte sie das so gut, daß die Leute vergaßen, daß Adolphe Menjou und ich darin mitspielten.« Er war sich ebenfalls ihrer Unsicherheit bewußt. »Doch es gibt niemanden von uns, der nicht irgendwann einmal unsicher ist.«

Sein bleibender Eindruck von diesen Film ist, »daß ich verrückt nach ihr war, als ich sie am Drehort sah. Ich war vermutlich nicht der einzige. Andere Leute, die mit Kate arbeiteten, verliebten sich Hals über Kopf in sie, und ich war besonders verknallt in sie. Natürlich, ich wäre ja auch ein verdammter Idiot gewesen, wenn nicht. Sonst hätte ich meinen Kopf und auch mein Herz untersuchen lassen müssen. Aber ich glaube, ich hatte damals noch einige Rivalen. Wir haben uns absichtlich kaum je darüber unterhalten. Bis heute weiß ich nicht, wie bewußt ihr das damals war. Seitdem haben wir oft darüber gelacht.«

Es gab eine Nacht, in der Fairbanks dachte, er hatte ihre Beziehung fest im Griff. Sie sagte zu, mit ihm zu Abend zu essen. »Jeder mußte frühmorgens wieder arbeiten, also sagte sie, anstatt nach dem Abendessen noch weiterzuziehen, möchte sie lieber nach Hause. Deshalb lieferte ich sie zu Hause ab. Nachdem ich das getan hatte, fuhr ich einfach so an den Straßenrand. Ich weiß nicht mehr, warum. Vielleicht nur, um zu grübeln, zu denken, ›Oh, ich Armer – ist sie nicht großartig?‹. Das nächste, was ich aus den Augenwinkeln heraus sah, war die schlanke Figur von Kate, die zur anderen Straße huschte und in das Auto von irgend jemandem stieg.

Ich habe nie herausgefunden, wer das war. « (Die Leute haben gemutmaßt, daß es wahrscheinlich Leland Hayward war, der damals die Spitze der Hepburnschen »Romantic Chart« anführte. So etwas passierte dem gutaussehenden und jungen Fairbanks nicht oft.)

Dieser erste Ausflug in einen romantischen Film ist einer der wenigen, gut dokumentierten Momente der Hepburn-Filmkarriere. Die Leute erinnern sich an die Szenen mit Fairbanks und Menjou. Wenige wissen jedoch etwas über die Aufnahmen des Films, die Kates und Douglas Fairbanks' gemeinsame Zukunft im Shakespeare-Theater hätte begründen können. Für eine Traumsequenz des Films spielten sie die Balkonszene aus *Romeo und Julia*. Das gelang so gut, daß noch mehr Szenen aus dem Stück gedreht wurden – all diejenigen, in denen die jungen Liebenden entweder alleine auf der Bühne waren oder nur in Begleitung der Kinderschwester.

»Sie luden Hunderte von Leuten ein, die uns am Drehort in der Aufmachung von Romeo und Julia zuschauten, und wir dachten und denken immer noch, daß wir ganz gut waren«, erinnerte sich Fairbanks. Es klappte so gut, daß sie darüber nachdachten, ob sie nicht gemeinsam eine neue Filmversion des Stücks drehen sollten. Aber daraus wurde nichts. »Wir hatten beide andere Dinge zu tun. «

Sogar die Traumsequenz wurde herausgeschnitten. Man fürchtete, sie sei zu lang, um in so einen Film zu passen, und sie würde die Gedanken der Zuschauer von der Haupthandlung ablenken. »Alles, was davon noch übriggeblieben ist«, erzählte mir Douglas, »sind einige Standfotos. « Als ich fragte, was mit den Negativen der gedrehten Szenen geschehen sei, wurde mir gesagt, sie seien zerstört worden. »Aus ›historischen Gründen‹ wäre es ganz hübsch gewesen, ein Stückchen des Films zu haben, auf dem ich wie eine dekadente Bohnenstange aussehe. Sie wendet sich von mir ab und sieht mich an, als hätte ich ein Bad nötig. Es ist eine Schande, daß das verloren ist. Niemand weiß, daß das je gedreht wurde.« Douglas Fairbanks erinnert sich heute, daß es ihnen ganz natürlich erschien, diese Shakespeare-Szene zu drehen. »Das ist so wie bei einem Pianisten, der sich hinsetzt und eine wunderbare Musik spielt. Uns gefiel die wunderbare Musik der Shakespeare-Verse. Wir waren beide gut in Übung, und es war eine Freude, diese Musik so zu spielen, wie sie war. An dieser Szene haben wir wahrscheinlich härter gearbeitet als an jeder anderen in diesem Film.«

Es war nichtsdestoweniger der Beginn einer lebenslangen Freundschaft. Falls das gegenseitige Benennen mit Kosenamen irgendeine Aussagekraft für den romantischen Aspekt einer Beziehung hat, war bei beiden wirklich eine große Zuneigung vorhanden. »Wir nannten uns gegenseitig ›Pete‹. Ich habe nie genau gewußt, warum. Sie unterschreibt ihre Briefe an mich mit ›Pete‹ und beginnt sie mit ›Lieber Pete‹.« *Morgenrot des Ruhms* war ein sensationeller Erfolg. Plötzlich war das seltsame rothaarige, sommersprossige Mädchen, das David Selznick immer bedauert hatte, engagiert zu haben, der Liebling des Studios. Aus gutem Grund. Denn für ihren dritten Film und nach nur zwei Jahren in Hollywood wurde ihr von der Academy of Motion Picture Arts and Sciences der Oscar als beste Schauspielerin des Jahres 1933 verliehen. Die junge Schauspielerin, welche eine junge Schauspielerin gespielt hatte, die nach New York gegangen war, um Erfolg zu haben, war nach Hollywood gegangen – und hatte Erfolg. Als nächstes kam der Film *Little Women (Vier Schwestern)* mit Kate als Jo. Er versetzte das Publikum in Ekstase, brach alle Kassenrekorde am weltgrößten Kino, der »Radio City Music Hall« in New York. Die Zeitschrift »Vanity Fair« berichtete: »Aus der Versenkung aufgetauchte alte Damen kamen, die alles taten, um ihren ersten Film seit *Birth of A*

Nation zu sehen, wie gebannt von der Hepburnschen Persönlichkeit.«

In derselben Ausgabe der Zeitschrift war eine ausführliche Kritik des Films und seines Stars zu finden: »Natürlich war der größte Erfolg des Jahres *Vier Schwestern*. Ich stimme dem überwältigenden Lob für die Produktion zu. Was die Ausleuchtung, Szenerie, Fotografie und Besetzung anbetraf, war es ein hervorragender Film. Trotzdem muß ich noch davon überzeugt werden, daß Katharine Hepburn eine großartige Schauspielerin ist. Sie hat eine überhebliche Art, die ihrer Rolle in *Vier Schwestern* zugute kommt, aber diese Art scheint mir gleichzeitig eine Einschränkung zu bedeuten. Sie gilt als altkluge Jugendliche, und man hat das Gefühl, daß sie ständig ihre Brust herausstreckt und sagt, ›Schaut mich an…‹ Offensichtlich gefällt das den meisten Kritikern. Aber diesen Manierismus bringt sie in all ihre Arbeit ein.«

Die Zeitschrift hatte Schwierigkeiten damit, die wirkliche Miss Hepburn kennenzulernen. Kate ging in die Redaktion, um sich dort von ihrem Starfotografen, dem in Rußland geborenen Lusha Nelson, fotografieren zu lassen. Ihren Hals – der für sie immer der am wenigsten attraktive Körperteil war, lang und hager – wollte sie vor dem Posieren mit einem Schal verstecken. Als sie das Ergebnis sah, meinte sie, wie ein junger Beethoven auszusehen.

Aber sie schien den Punkt erreicht zu haben, an dem alles, was sie tat, dem Publikum gefiel. David O. Selznick kam zurück zu RKO, um den Film zu produzieren. Das Studio offerierte Katharine Hepburn, was immer sie wollte. Was nicht unbedingt eine gute Idee war.

Bis jetzt hatte sich das Studio auch noch nicht mit ihr über ihren Kleidungsstil geeinigt. Sie sagten ihr in unmißverständlichem Ton, wenn sie weiterhin darauf bestehen würde, Arbeitshosen zu tragen, würden sie in ihre Garderobe einbrechen, um sie ihr zu stehlen. Eines Tages taten sie das tatsächlich. Aber damit war jemand wie Katharine Hepburn nicht einzuschüchtern, obwohl es andere Schauspielerinnen gegeben hätte, die bei dem Gedanken an so etwas in Tränen ausgebrochen wären.

»Falls ihr mir meine Hosen nicht zurückgebt«, erklärte sie, »werde ich nackt durch das RKO-Gelände laufen.« Wenn man bedenkt, welche Komplexe sie wegen ihres knochigen Halses hatte, ganz zu schweigen von den Sommersprossen, die damals genauso ausgeprägt waren wie in ihrer Jugend, wird das wohl nur eine Drohung gewesen sein, die sie nicht in die Tat umgesetzt hätte. Aber die Hepburn stand in dem Ruf, sehr seltsame Sachen zu tun. Das Studio wunderte sich, war etwas ängstlich, wollte sie aber zwingen, Farbe zu bekennen. Natürlich lief Kate nicht splitterfasernackt herum, aber sie kam in seidener Unterwäsche aus der Garderobe. Woraufhin man ihr die Hosen sofort zurückgab.

4

EIN AUFSÄSSIGES
MÄDCHEN

Bis zum Jahre 1933 hatte Kate ein gesundes Selbstwertgefühl entwickelt. Jed Harris, der damals eine steile Karriere als Bühnenautor gemacht hatte, bat sie, in seinem Stück *The Lake* aufzutreten. Sie sagte zu und blieb dann in Hollywood, statt an den achtundzwanzigtägigen Vorproben teilzunehmen. Er sagte ihr, sie brauche bei ihm Privatunterricht, um das morbide Psychodrama spielen zu können. Das traf sie nicht besonders tief, wo ihr RKO gerade 50 000 Pfund für die vier Wochen in Hollywood angeboten hatte. Sie meinte auch, es sei in ihrer augenblicklichen Erfolgsphase sinnvoller, weiter in den Studios zu arbeiten. Doch Jed Harris betrachtete das als unentschuldbare Arroganz ihrerseits und sagte das noch Jahre danach.

Ständig wurden Kate Drehbücher und Drehbuchideen vorgetragen, und das Studio druckte Zusammenfassungen, die sie ihr schickten. Kate wollte sich nur Rollen und Filme aussuchen, die ihr Freude machten. Laut Pandro Berman hatte sie bei der Auswahl des Materials kein glückliches Händchen.

Während sie auf den Beginn der Proben für *The Lake* wartete, drehte Kate einen Film namens *Spitfire*. Er handelte von einem Mädchen aus den Bergen, das aus ihrem Dorf vertrieben wird, als sie den Leuten sagt, sie sei Gesundbeterin. »O

Gott!«, erinnert sich Berman. »Was für ein Fehler das war! Diese kultivierte Lady aus Neuengland spielte eine Zigeunerin. Der Film war ein Desaster, aber Kate schien ihn zu lieben.«

Berman hat Grund genug, an diesen Film ohne jede Zuneigung zurückzudenken. Kate erhielt die üblichen 1500 Dollar pro Woche für ihre Arbeit, die, wie jedermann bei Drehbeginn glaubte, in vier Wochen beendet sein würde. Genau vier Wochen und 6000 Dollar später wußte Berman, daß er einen halben Tag zusätzliche Dreharbeit mit seinem Star brauchte.

»Sie macht es für weitere 10000 Dollar«, sagte Leland Hayward, der inzwischen mehr als nur Kates Agent war. Weil sie miteinander ausgingen, entstand das Gerücht, sie hätten eine wilde Affäre miteinander.

»Ich dachte darüber nach«, sagte Berman, »und stimmte widerwillig zu, da ich keine andere Möglichkeit hatte. Ich mußte ihr diesen kleinen Bonus zahlen.« Berman zweifelte nicht daran, daß es allein Kates Entscheidung war, diesen »kleinen Bonus« zu erpressen. »Ich glaube nicht, daß Hayward das tun wollte, denn ich hatte bereits einige andere Geschäfte mit ihm gemacht. Aber Katharine bestand darauf. Sie wußte, sie hatte uns in der Hand.«

Tatsächlich sagte sie den Studioleuten folgendes: »Wir müssen die Konditionen erfüllen, die Sie uns in die Verträge schreiben. Es wird Zeit, daß auch Sie das lernen.« Das war keine große Affäre. »Zu dieser Zeit gaben wir nur Pfennigbeträge für Filme aus. Wir brauchten jährlich fünfzig Filme für unsere Theaterkette. Lächerlich, was wir dafür ausgaben! Ich produzierte einen Film für 100000 Dollar. *Spitfire* kostete uns insgesamt 150000 Dollar.«

Es gab Leute, die ihr Verhalten, gelinde gesagt, für dreist hielten. Kate hatte anderes im Kopf. Sie hatte keine Angst vor dem, was die Leute über sie dachten, oder davor, wie sich ihr Talent auf den Kontostand des Studios auswirkte. Sie erklärte Jahre später: »Ich war immer zutiefst von meinem Charme überzeugt und war immer sehr zufrieden mit mir. Die Filme, die ich machte, schienen recht brauchbar, und es hat mich nicht wirklich gestört, daß mich die Leute nicht als Schönheit ansahen.«

Falls sie RKO wirklich überredet hat, *Spitfire* zu drehen, so spielte sie zweifellos auch in Filmen, die sie gar nicht machen wollte. Aber *Spitfire* war keine Tragödie, obwohl er ein Kassenflop und ein Flop bei den Kritikern war. Weil die Kinos zweiundfünfzig Wochen im Jahr mit etwas bestückt werden mußten, schien ein Mißerfolg keine große Rolle zu spielen.

Aber insgeheim spielte es für Kate doch eine Rolle. Sie mußte nun ernsthaft anfangen, für *The Lake* zu proben. Was sich in jeder Hinsicht als Desaster herausstellte und sie zu sehr an ihre frühere Bühnenarbeit erinnerte. Harris war der Regisseur. Er zeigte ihr, wie wütend er über ihre mangelnde Kooperation war. Ihr Selbstvertrauen schwand schnell.

Zwischen ihr und dem Regisseur brach der totale Krieg aus. Jahre später erzählte Jed Harris von seinen Auseinandersetzungen mit einer Schauspielerin, die jedermann für perfekt auf der Bühne hielt. Er aber beschrieb sie mit den Worten selbstsüchtig und inkompetent. Andere, die mit ihr an dem Stück arbeiteten, sagten, daß sie vom Regisseur schamlos ausgenutzt wurde. Er zeigte für das, was sie in Hollywood erreicht hatte, wenig Bewunderung. Kate hatte zweifellos Probleme. Sie war gar nicht glücklich darüber, daß einige Schauspielerinnen und Schauspieler mitspielten, die lange vor ihrem Eintritt ins Bryn Mawr College bereits Erfolge am Broadway vorweisen konnten. »Schaffen Sie diese Leute raus!« forderte sie, als sie einige der Veteranen in der Kulisse stehen sah. »Ich kann nicht arbeiten, wenn mich Leute anstarren.«

Harris war hart gegen sie, aber diese Botschaft drang bald durch. »Falls Sie Schauspielerin werden wollen, müssen Sie die Bühnentradition der Höflichkeit lernen«, wies er sie zurecht. »Jeder, der dort steht und Anweisungen befolgt, ist ein besseres Mitglied der Truppe als Sie.«

The Lake wurde nach sechs Wochen Probe aufgeführt. Brooks Atkinson, der »Metzger des Broadway« von der »New York Times«, schrieb über Kate im Martin Beck Theater: »Sie ist noch keine fertige Schauspielerin. Im laufenden Stück hat sie eine einfühlsame und bemerkenswert intensive Persönlichkeit und einen weltfremden Charme. Aber bis jetzt hat sie noch nicht die Fähigkeiten der erstklassigen Schauspielerin entwickelt, und ihre Stimme ist ein eher schrilles Instrument.«

Die Bemerkung saß. Aber nichts schien gehässiger zu sein als das von Dorothy Parker gefeierte Bonmot. Sie sagte, daß Kate »das ganze Alphabet der Gefühle beherrsche, von A bis B«.

Ein Kritiker fragte lieber, als zu antworten. »Wird es Katharine Hepburn wagen, nach Hollywood zurückzukehren, ohne einen Bühnenerfolg in New York gehabt zu haben? Welchen Effekt wird der Flip-Flop des Stücks The Lake auf ihre Filmkarriere haben? Hat die Preisverleihung der Academy of Motion Picture Arts and Sciences sie vor einem großen, bösen Sturz bewahrt? Wie wird sich der Film Spitfire, der schlechteste, den sie bisher gedreht hat, auf ihre Popularität auswirken? Bestimmt war noch kein Star in einer solchen Klemme.«

Kate glaubte, den Grund für das Ganze zu kennen. Sie fühlte sich, sagte sie später, als hätte sie allen Kontakt zum Publikum verloren. Als sie hörte, daß Jed Harris trotzdem beabsichtigte, mit dem Stück auf Tournee zu gehen, war sie wütend. Harris war immer der Ansicht, sie würde mit auf Tournee gehen. Er hatte Geld investiert und konnte sich nicht leisten, es zu verlieren. Kate ist immer bei ihrer Version geblieben, er habe die Tournee als willkommene Maßnahme zur Erpressung genutzt.

»The Saturday Evening Post« schrieb, daß sie Harris anrief und sagte: »Ich bin zweifellos schlecht in dem Stück, aber es hat auch niemand die Produktion besonders gelobt. Sie haben mehr als Ihre Investition eingespielt. Warum blasen Sie es nicht ab? Es ist, als würden Sie eine Medizin verkaufen, von der Sie wissen, daß sie nichts taugt.«

Harris erwiderte: »Meine Liebe, das einzige Interesse, das ich an Ihnen habe, ist das Geld, das ich aus Ihnen herausholen kann.«

Das zu hören, war nicht angenehm. Sie fragte ihn: »Wieviel?«
Er entgegnete: »Wieviel haben Sie?«

Sie ging zu ihrer Handtasche und holte ihr Scheckbuch heraus. »Ich habe genau 15461 Dollar und 67 Cent«, antwortete sie. »Okay«, sagte Harris. »Das nehme ich.«

Sie nahm den vergleichbar leichten Ausweg und segelte nach Europa, anstatt nach Hollywood zurückzukehren. Aber sie blieb nur vier Tage in Paris, bevor sie den Atlantik ein weiteres Mal überquerte. »Ich weiß nicht, warum ich das tue«, erzählte sie Reportern in einem schwachen Moment. Sie begriffen nicht, warum sie zwischen zwei so langen Seereisen nur so kurze Zeit in einer fremden Stadt blieb. Aber sie lief bald wieder zu ihrer üblichen Form auf. »Ich tu's einfach, und das ist alles. Ich hatte nichts zu sagen, als ich abreiste, und ich habe auch jetzt nicht mehr zu sagen. Wenn ich etwas zu sagen habe, bin ich gerne bereit, es ihnen mitzuteilen.«

In Wirklichkeit gab es einen Grund, auch dafür, unmittelbar

nach ihrer Ankunft in New York mit dem Wasserflugzeug nach Mexiko weiterzufliegen. Es wurde offensichtlich, als sie landete. Sie wollte ihre Beziehung mit Ludlow Odgen Smith lösen und Mexiko, wo Scheidungspapiere genauso ausgehändigt wurden wie Tequila, schien dafür der geeignete Ort zu sein. Wie sich später herausstellte, war die Scheidung nicht rechtmäßig. Alles verlief sehr, sehr geheim. Kate mietete sich unter ihrem rechtsgültigen Namen, Mrs. Ludlow Smith, im Hotel Itza in Merida, Yucatan, ein und buchte sofort einen Rückflug nach Miami, der vier Tage später erfolgte. Im Hafen von Progresso gab sie endlich zu, daß ihre Ehe geschieden wurde, obwohl Pressenachfragen ergaben, daß ihr Mann gar nichts davon wußte. Auch seine Mutter nicht.

Mrs. Lewis Lawrence Smith sagte zu Hause in Philadelphia: »Ich kann es nicht glauben, daß das meine Tochter ist.« (Sie vermied es, Kate Schwiegertochter zu nennen.) »Ich habe vor ein paar Tagen in New York zum letzten Mal von ihr gehört, und es war keine Rede davon. Ich bin eher geneigt, sehr skeptisch zu sein, was diese Angelegenheit betrifft. Es ist mir unverständlich, wie sie in der kurzen Zeit, seit ich mit ihr gesprochen habe, bis nach Mexiko gekommen ist.« Kate wandte eine List an, so als würde sie RKO dazu bringen wollen, ihre Gage zu erhöhen. Sie hatte sich einer Gruppe von Touristen angeschlossen, die die Maya-Ruinen in Yucatan besichtigten. Ein Einfall, den sie Pandro Berman für ihren nächsten Film hätte verkaufen können. Man rief ihre Mutter an und fragte sie nach ihrer Meinung. Die hatte jedoch von ihrer Tochter gelernt, mit der Presse umzugehen. »Ich möchte diese Angelegenheit nicht erörtern«, antwortete sie.

Kates Heirat war in Wirklichkeit weitgehend unbeachtet geblieben, so daß bis vor kurzem nur wenige Leute davon gewußt hatten. Die davon wußten, waren von der Beziehung völlig unbeeindruckt. Es war keine Ehe, die von der Gesellschaft erörtert wurde. Tatsächlich wurde im Dezember des Jahres 1933 ohne weiteren Kommentar bekanntgegeben, daß die Namen von Mr. und Mrs. Odgen Smith für das kommende Jahr aus dem Gesellschaftsregister von Philadelphia gestrichen worden waren. Sie waren in den beiden Ausgaben der Vorjahre mit der Adresse 146 East Thirty Ninth Street, Philadelphia, eingetragen gewesen.

Die Geschichte wurde lediglich in ihrer Fakultät in Bryn Mawr kommentiert. Es entstand der Eindruck, daß sie die Scheidung auf die leichte Schulter nahm. Tatsächlich war eine lange Zeit der Seelenerforschung vorausgegangen. Jahre später erklärte sie ihre Haltung zur Ehe. »Es muß eine geheimnisvolle Anziehung geben. Und die kann nicht nur sexueller Natur sein. Es muß Respekt, Bewunderung als Mann, als Frau, als irgend etwas sein. Es ist ungeheuer schwierig und wird heute immer schwieriger, weil sich die Damen mit nur einer Ehe gelangweilt fühlen.«

Sie zitierte gerne Dorothy Dix: »Wenn Sie die Bewunderung von vielen für die Kritik eines einzigen opfern wollen, dann heiraten Sie.« Kate sagte dazu: »Es ist die erschreckende Wahrheit, nicht wahr?« Sie hat häufig zugegeben, daß sie sich selbst in ihrer Ehe »schlecht verhalten hat. Ich war noch nicht reif für die Ehe. Ich dachte lediglich an mich selbst. Ein Schauspieler, dessen Temperament in diese Richtung geht, muß mit dem Heiraten vorsichtig sein, weil es sehr wahrscheinlich ist, daß man einen anderen unglücklich macht. Und ich verabscheue es, andere unglücklich zu machen.«

Deshalb schwor sie, nie wieder zu heiraten. Seitdem glaubte sie auch nicht mehr an die Ehe. »Es ist eine künstliche Beziehung, weil man einen Vertrag unterschreiben muß. Es ist eine Garantie, die man für Kinder eingeht, in der Hoffnung, ihnen dadurch ein solides Fundament zu bieten.

Ich glaube nicht, daß Mann und Frau notwendigerweise dieses Arrangement brauchen. Es hält sie heute auf keinen Fall mehr zusammen. Man kann von zwei Menschen, die aneinander völlig desinteressiert sind, nicht verlangen, zusammenzuleben – das ist grausam. Ich glaube, daß sich Leute oft in eine Ehe hineinstürzen, ohne recht zu wissen, was sie tun und wem sie sich verpflichten.«

Kate hatte wahrscheinlich Schuldgefühle, all diese Fehler gemacht zu haben. Wie sie später zugab, stand sie auch der Mutterschaft ablehnend gegenüber und war der Ansicht, das sei nichts für sie: »Ich konnte mich entweder dafür entscheiden, innerhalb meiner Möglichkeiten die beste Schauspielerin zu werden oder Mutter. Aber nicht beides. Ich glaube nicht, daß ich beidem hätte gerecht werden können. Die Schauspielerei war das richtige für mich. Meine Karriere war mir wichtig.«

Seltsamerweise schien das ihre Bindungen an ihre eigene Familie nur zu stärken. Als ihr Bruder Dick ein Stück über die Hepburn-Familie schrieb, war sie wütend. Das war ein Angriff auf ihre Privatsphäre, und sie drohte ihm alles mögliche an, damit er es nicht veröffentlichte. Er bot es nie einem Theaterverlag an. Dabei hätte es ihn berühmt machen können. Er versuchte schon lange, erfolgreiche Stücke zu schreiben, aber mit keinem schaffte er den Durchbruch. Als Kates Scheidungsangelegenheiten weitgehend geregelt waren, ging sie zurück nach Hollywood, um einen weiteren Film für RKO zu drehen, *The Little Minister*, in dem sie wieder ein Zigeunermädchen spielte – diesmal allerdings eine adelige Dame in der Verkleidung eines Zigeunermädchens. Es wurde nicht in den amerikanischen Bergen gedreht, sondern im schottischen Hochland.

Im Laufe der Jahre änderte Pandro Berman seine Meinung über diesen Film. Damals hatte er Zweifel, weil der Kassenerfolg nicht so groß war, wie die meisten Leute geglaubt hatten. Aber heute sagt er: »Es war ein ziemlich guter Film, und wenn man alles in Betracht zieht, sowohl ein Erfolg bei den Kritikern als auch beim Publikum. Sie spielte gut und war die richtige Besetzung.«

Dann folgte der nicht besonders erfolgreiche Film *Break of Hearts*, wo sie neben Charles Boyer auftrat, und darauf *Alice Adams*, der erfolgreich war.

Der Film handelt von einem armen Mädchen, das sich verzweifelt bemüht, die soziale Leiter emporzusteigen, was ständig vereitelt wird. Regie führte George Stevens, dem Pandro Berman gesagt hatte, daß Kate mit ihm nicht einverstanden war. Sie war der Meinung, den Film solle ein erfahrener Regisseur machen. Hätte sie gewußt, daß sich Stevens' Erfahrung lediglich auf Hal-Roach-Komödien beschränkte – fliegende Torten, Slapsticks und derartiges –, wäre sie noch weniger von der Wahl ihres Produzenten angetan gewesen. Aber Pandro Berman beharrte darauf.

»Ich kann keinen sehr erfahrenen, sehr berühmten Regisseur engagieren«, sagte er zu ihr, »aber ich glaube, George Stevens ist ein Mann der Zukunft. Ich glaube, er wird wunderbar mit Ihnen arbeiten.« Wirklich steckte dahinter, daß Stevens von RKO neu unter Vertrag genommen worden und billig war. Ein anderer Regisseur würde nur für den einen Film zur Verfügung stehen und wäre teuer.

»Wer steht noch zur Auswahl?« fragte sie Berman.

»Willy Wyler«, antwortete er. »Er möchte den Film machen.«

»Oh, das ist großartig«, erwiderte Kate. »Gott sei Dank. Er wird wunderbar sein. Das löst all unsere Probleme.«

»Nein«, erwiderte der Produzent. »Sie sind noch nicht gelöst. Ich möchte immer noch George Stevens einsetzen.«

Der Disput dauerte sechs Wochen. Schließlich sagte Berman:

»Kommen Sie in mein Büro, damit wir diese Angelegenheit ein für allemal klären können.«

Sie ging in sein Büro. »Was wollen Sie tun?« fragte sie.

»Ich weiß, was ich will«, erwiderte er. »Ich will George Stevens engagieren.«

»Und ich Willy Wyler«, sagte sie stur.

»Nun«, antwortete er, »dafür kann ich Ihnen nicht böse sein. Er ist der Beste. Aber ich möchte Sie überreden, George Stevens zu akzeptieren.« An diesem Punkt, erzählte mir Berman, hatte er eine Eingebung. »Warum werfen wir nicht eine Münze?« sagte er. Zu seiner Überraschung war Kate einverstanden. Er nahm einen Vierteldollar heraus, und sie einigten sich, daß Kopf für Wyler und Zahl für Stevens stehen würde. Kopf. Aber Berman sah, daß sie zögerte, während er über den Ausgang sehr unglücklich war. »Ich sag Ihnen was, lassen Sie uns die Münze noch einmal werfen.« Diesmal war es Zahl. Und Kate akzeptierte Stevens. »Es gab irgendeinen Grund, warum sie Stevens nun nicht mehr zurückweisen wollte«, erzählte mir Berman.

Am nächsten Tag begegnete Stevens Kate, die in einem offenen Auto einen Mann küßte. »Oh, Entschuldigung«, sagte er und war sehr verlegen – genau wie Kate. Errötend bat sie ihren namenlosen Freund, sie zum Studio zu fahren, wo sie einen wichtigen Termin mit Berman hatte. Sie war schon spät dran.

»Nun«, sagte sie zu Stevens, nachdem der Produzent sie einander vorgestellt hatte, »ich glaube, Sie sind derjenige, den ich für *Alice Adams* haben möchte.«

Ihre Beziehung war allerdings nicht völlig problemlos. Fred MacMurray, der als Schauspieler Karriere machte und sich häufig nicht weiter um die Konsequenzen seiner Leinwandarbeit scherte, erinnert sich an eine Meinungsverschiedenheit zwischen Kate und Stevens. »Ich glaube, es war auf einer

Veranda oder an einem ähnlichen Ort. Stevens sagte, daß er die Szene auf eine bestimmte Art gespielt haben wollte. Kate war anderer Ansicht. ›Nein‹, sagte sie. ›Ich glaube, es muß so gemacht werden.‹ ›Nein‹, erwiderte Stevens. ›Es muß so gemacht werden.‹ Das ging den ganzen Morgen lang. Er muß es auf Dutzende verschiedener Arten versucht haben. Endlich trennten wir uns zum Mittagessen. Nach dem Mittagessen ging es weiter. ›Ich mag Ihre Art nicht‹, sagte Katharine. ›Und ich mag Ihre Art nicht‹, antwortete George. Schließlich gewann George und drehte die Szene so, wie er es wollte.«

Das war nicht ihre einzige Meinungsverschiedenheit, und noch Wochen später nannten sie sich »Miss Hepburn« und »Mr. Stevens«. Probleme, die sie beide bei der Verandaszene gehabt hatten, wiederholten sich auf ähnliche Weise immer wieder. Das klassische Beispiel war eine Szene, in der Alice das Zimmer betreten und in Tränen ausbrechen mußte, während sie sich auf das Bett warf. So stand es jedenfalls im Drehbuch, aber Stevens wollte das anders gespielt haben.

Der Regisseur bat sie, sich an ein Fenster zu stellen und zu weinen. »Ich werde auf dem Bett weinen«, insistierte Kate. Und vier Stunden lang beharrte jeder auf seinem Standpunkt. Endlich hatte Kate genug. »Das ist lächerlich«, schrie sie. »Es gibt eine Grenze für Dummheit. Und ich ertrage es nicht mehr. Sie dummer Hurensohn, ich werde auf dem Bett weinen.« Stevens ließ sich nicht so leicht unterkriegen. Was sind schon vier Stunden bei einem Film? Chaplin rang Monate um eine einzelne Geste und akzeptierte eine Szene erst dann, wenn sie für ihn hundertprozentig richtig war. Währenddessen erhielt der restliche Stab die volle Gage. »Entweder Sie weinen am Fenster«, schrie er, »oder ich gehe wieder zu meinen Torten!«

Das war alles, was die Hepburn hören wollte. »Drückeberger«, spottete sie. »Falls ich jemals vor Ihnen Respekt gehabt habe, habe ich ihn nun verloren. Wenn nicht alles nach Ihrer Nase geht, geben Sie auf. Sie sind feige.« Das alles vor der gesamten Truppe. Von solchen Streitereien zwischen Schauspielerin und Regisseur hatte man bis dahin weder bei RKO noch sonstwo gehört.

Es war Zeit für einen Kompromiß. Was immer auch geschah, der Regisseur hatte das letzte Wort. »Miss Hepburn«, sagte George ruhig, vernünftig. »Gehen Sie einfach zum Fenster – bitte. Und bleiben Sie dort einige Zeit. Sie müssen nicht weinen. Ich werde ein Doubel für eine lange Einstellung nehmen, den Ton können wir hinterher unterlegen.«

Ein guter Kämpfer weiß, wann er verloren hat und den Rückzug antreten muß. Sie sagte nichts. Sie ging einfach zum Fenster, und als die Kameras liefen, lockerten sich ihre Gesichtszüge. Und sie weinte. Keiner konnte sagen, ob sie weinte, weil es der Regisseur von ihr verlangte, oder ob sie einfach weinen mußte. Aber danach änderte sich alles zwischen ihnen. Die Beziehung blühte auf. »Sie schienen sich sehr zu mögen«, sagte Berman. »Es würde mich nicht sehr wundern, wenn sie eine Romanze miteinander gehabt hätten. Allerdings ging George mit allen Frauen, mit denen er arbeitete, so um. Er kam ihnen sehr nah. Aber das sagt mir meine Intuition.« Als wieder Tränen in diesem archetypischen »Frauenfilm« verlangt wurden, gab es keine weiteren Probleme. Eine andere Szene erforderte, daß sie den Schauspieler, der ihren Vater spielte, ansehen mußte, während er sagte: »Das ist der netteste junge Mann, den du je mit nach Hause gebracht hast.« Stevens sagte zu ihr: »Es wäre nett, wenn Sie ein oder zwei Tränen bei dieser Bemerkung vergießen könnten. Würden Sie's bitte einmal versuchen? Wenn's nicht geht, nehmen wir Glyzerin« – die klassische Antwort auf Tränenprobleme beim Film.

»Ich schaffe es«, sagte Kate. Als der Schauspieler die Worte »nach Hause« sagte, weinte sie.

Der Regisseur war begeistert, bis ihm ein Kameramann sagte, er glaube, die Scheinwerfer seien außer Betrieb gewesen. »Ich werde das irgendwie in Ordnung bringen«, antwortete Stevens. »Ich darf diese Einstellung nicht verlieren.« Aber Kate meinte, es müsse richtig gemacht werden. Sie spielte die Szene noch einmal und weinte wunderbar, genau an der Stelle, als der Schauspieler »nach Hause« sagte. Kate erklärte später: »Da war gar nichts Wunderbares dabei. Paps wurde von Fred Stone gespielt, der so süß war – er sieht wie ein hilfloses Löwenbaby aus. Ich hätte fünfzigmal weinen können.«

Neunzehn Jahre später schrieb Stevens: »Ich habe nie eine Schauspielerin kennengelernt, bei der ich mir ihr Potential betreffend sicherer war. Aber ich kannte auch keine Schauspielerin, bei der man so wenig sicher sein konnte, ob ein Versprechen auch eingehalten würde. Sie hatte nicht nur keine Technik, sie schien auch keine zu wollen. Ich glaube, damals dachte sie, Gott habe sie in ihrer Jugend auserwählt und durch ein Wunder eine Bernhardt aus ihr gemacht.«

Er glaubte, daß es dafür einen Grund gab. »Das Problem lag tiefer. Sie dachte, es sei unehrlich, über Technik nachzudenken. Sie wollte einfach vor einer Kamera stehen, sich bewegen und fühlen. Sie dachte, daß das Publikum auch fühlen würde. Solche Mechanismen wie Koordination, dramaturgischer Aufbau, der Gebrauch der Bühnenaufteilung, bedeuteten für sie künstliches Schauspielern. Deshalb bekam sie Panik, weil sie fürchtete, daß sie nicht rüberkam, und tobte.«

Als *Alice Adams* herauskam, deutete nichts mehr auf ihre früheren Meinungsverschiedenheiten hin. Pandro Berman erzählte, das sei sein liebster Film von allen, die er mit der Hepburn gedreht hat. »Es war einfach ein köstlicher, sehr köstlicher Film. Katharine war großartig darin.« Während einer BBC-Radiosendung sagte Alistair Cooke im Jahre 1937: »Nur einmal in vier Jahren, bei *Alice Adams*, spielte sie die Rolle eines Mädchens, das sie auch im wirklichen Leben hätte sein können. Ich wünschte, man würde ihr Ruhe vor großen Liebesrollen gönnen, und sie ginge statt dessen mit dem jungen Mann von nebenan spazieren. Ich wünschte, sie müßte keine Sätze sagen, wie: ›Es hat keinen Zweck, Liebling, wo immer wir auch hingehen werden, was immer aus uns werden wird, es wird niemals mehr dasselbe sein – niemals.‹ Lieber würde ich das College-Mädchen das sagen hören, was sie sicher in Bryn Mawr gesagt hat: ›Klar mag ich dich, aber ich finde trotzdem, wir sollten noch einen Hot dog essen.‹«

Sie interessierte sich viel mehr für das, was sie Berufsethos nannte. Zu dieser Zeit hörte sie, daß John Barrymore ein schneller Abstieg von seiner bereits erklommenen Karriereleiter bevorstand. »Wissen Sie was«, sagte sie zum Studio, »ich fände es schön, wieder einmal seine Tochter zu spielen.« Das war eine Geste, die aus dem Herzen kam, und so etwas galt bald als typisch für sie – obwohl sie sich öffentlich völlig anders verhielt. Dann mußte sie sich wieder der eigenen Karriere widmen.

Wenige Leute hatten etwas Gutes über den Film *Sylvia Scarlett* zu sagen. In Pandro Bermans Erinnerung ist das die Zeit, als Kate und George Cukor »sich gegen mich zusammenrotteten«. Sie spielte darin ein Mädchen, das sich als Junge verkleidet, um ihrem kriminellen Vater die Flucht zu ermöglichen. »Ein Film für Freaks«, erinnerte sich Berman. »Ich haßte den Roman. Ich wollte ihn nicht verfilmen, aber sie waren beide verrückt danach. Das Drehbuch sollte John Collier schreiben. George und Katharine waren begeistert. Ich hatte die beiden noch nie so besessen von etwas gesehen.«

Was ihn wirklich von der Fortführung des Projekts überzeugte, war die Entlassung Cary Grants aus seinem Vertrag mit Paramount*, um in diesem Film zu spielen. Berman hatte schon immer einen Film mit ihm drehen wollen. Die Geschichte bot eine weitere interessante männliche Rolle. Neben Cary Grant, der einen Arbeiter spielte, war noch eine Rolle mit einem jungen Mann zu besetzen. Berman war überzeugt, zu einem Film gedrängt worden zu sein, den er eigentlich gar nicht machen wollte. Der einzige Lichtblick für ihn war, daß er in diesem Film einen gutaussehenden jungen Australier, den er entdeckt hatte, fördern konnte.

»Ich dachte, er würde ein großer Star werden. Ich testete ihn, und er war gut – sehr gut. Den Test zeigte ich George, aber Cukor konnte ihn nicht leiden. Katharine mochte ihn auch nicht. Ich hatte ihn für sieben Jahre unter Vertrag genommen. Ein Vertrag, der uns Optionen gewährte, vorausgesetzt, daß er zuerst diesen Film für uns machte. Aber Katharine und George wollten ihn auf keinen Fall, also ließen wir ihn gehen. Sein Name war übrigens Errol Flynn.«

Berman ergänzt, er führe das nicht gegen Kate oder Cukor an. Aber fügt eindringlich hinzu: »Wir haben an dem Film kein Geld verdient, und mir wurde die Chance genommen, daß dieser große Star mehrere Jahre für mich arbeitete. Ich weiß nicht, ob Kate und Errol während der Dreharbeiten gut miteinander ausgekommen wären. Es wäre mir auch egal gewesen. Dieser Film war zweitrangig gegenüber dem, was Errol Flynn für uns bei RKO bedeutet hätte.« Die Rolle ging schließlich an Brian Aherne, der anscheinend sehr gut mit Kate und allen am Film Beteiligten ausgekommen ist. Für viele Mitglieder der Truppe war es eine vergnügliche und

---

* Anm. d. Übers.: *Paramount Pictures Corporation* ist ein Unternehmen der amerikanischen Filmindustrie, das 1914 in New York gegründet wurde.

arbeitsame Zeit. Der Film wurde hauptsächlich in Malibu gedreht, und Kate, die nicht mehr mit Odgen Smith verheiratet war (obwohl das nie eine Rolle gespielt hat), schien ein höchst begehrtes Ziel der Herren gewesen zu sein, die den Ort frequentierten.

Obwohl es viele Männer in ihrem Leben gab, sorgten sich Menschen, die ihr nahestanden, wegen ihrer Haltung zum anderen Geschlecht. Sogar ihr Vater war mit ihrer Haltung gegenüber Männern nicht ganz einverstanden. »All ihr Mädchen aus Neuengland betrachtet einen Mann wie einen Bullen, der angreift. Ihr seid sehr geradeheraus und ehrlich, aber irgendwie schreckt ihr die Männer ab.«

Diesen Eindruck schien sie jedoch nicht auf einen großen, schlaksigen, jungen Mann mit Schnurrbart zu machen, der regelmäßig mit seinem Wasserflugzeug den Drehort in Malibu besuchte. Sein Name war Howard Hughes.

Zweifelsfrei hatten Kate und Hughes eine heiße Affäre miteinander. Ihm gehörte bald das Studio, für das sie arbeitete. Der Glamour der Filmwelt zog ihn genauso an, wie Flugzeuge zu bauen und Geld anzulegen. Außerdem hatte ihn Katharine Hepburn verzaubert. Seine Entschlossenheit wirkte in ihren Augen wahrscheinlich äußerst maskulin; eine Eigenschaft, die wohl auch ihr Vater besaß.

Der Film war keineswegs so erfolgreich wie die Beziehung zwischen Kate und Hughes. Es dauerte sogar sehr lange, bis der Produzent auch nur die geringste Zuneigung für ihn empfand. Am Abend vor der heimlichen Premiere von *Sylvia Scarlett* in Huntington Park aßen Cukor und Kate gemeinsam. Beide waren überzeugt, der Film würde der große Erfolg werden, den sie Pan Berman vorausgesagt hatten. Cukor meinte: »Ich kann jetzt aus dem Geschäft aussteigen und mich auf meinen Lorbeeren ausruhen.«

Als Kate zustimmte, lachte er. »Wäre es nicht ein Witz, wenn wir einen Flop landen würden?« Cukor war sich sicher, daß das ganz unmöglich war. Ungefähr fünf Minuten nachdem die Lichter ausgegangen waren, war der Witz erschreckende Wirklichkeit geworden. Es war ein totales Desaster. Die Hälfte des Publikums ging raus und die übrigen schimpften. Offensichtlich verstand niemand, worum es ging. Anschließend versammelten sich die Schauspieler zu Hause bei Cukor. Berman kam später in einer Ich-hab-es-euch-gesagt-Stimmung.

»Wir wissen es«, sagte Kate. »Wir wissen, daß wir Ihnen all diese Sorgen bereitet haben, und wir hatten unrecht. Wir drehen kostenlos einen weiteren Film für Sie.«

Pandro Berman erzählte mir: »Ich erinnere mich, irgend etwas darauf erwidert zu haben. Ich weiß nicht mehr, was.«

Cukor hat immer behauptet, Berman habe geantwortet: »Herr im Himmel! Ich will raus aus diesem Haus. Ich will nie wieder einen von euch sehen.«

Weil Kate selbst bei jeder Gelegenheit von Hollywood weg wollte, war es für ihn nicht allzu schwierig, seine Absicht in die Tat umzusetzen. Zwischen zwei Filmen – und das wurde zu einer lebenslangen Gewohnheit – besuchte sie ihre Familie in Connecticut. Das wurde in ihren Verträgen festgeschrieben. Sie hatte die Erlaubnis des Studios, Hollywood nach jedem abgedrehten Film zu verlassen. Wie sie damals sagte: »Ich mag Hollywood und die Filmschauspielerei. Aber trotzdem glaube ich, daß es ganz gesund ist, regelmäßig fortzugehen.« »Zuhause« war immer ihr Vater, Dr. Hepburn, der Star der Familie – und er wurde von den Freunden ihrer Schwestern gefürchtet. Der Harvardstudent Ellsworth Grant mußte beträchtlichen Mut aufbringen, um um die Hand seiner Tochter Marion anzuhalten. Grant dachte, es wäre am einfachsten, wenn er sich einen Termin als Patient geben ließe. Er meldete sich unter dem Namen »I. M. Stuck« an und sagte, er habe »Herzbeschwerden«. Kate half, die Heirat zu beschleunigen. Was sie zweifellos nicht getan hätte, wenn sie nicht einverstanden gewesen wäre. Sie hätte ihren Schwager eher zum Teufel geschickt.

Kate war völlig von Familienangelegenheiten beansprucht. Wenn sie zu Hause war, ging sie schwimmen, spielte Tennis und Golf und manchmal das Familienoberhaupt. »Ich dachte, ich bin der Boß hier«, pflegte ihr Vater zu sagen. »Meine Frau ist auch der Meinung, daß sie alles am laufen hält. Aber wenn Kate zu Hause ist, wissen wir alle, sie ist der Boß.«

Während sie auf dem Golfplatz war, wurde das Haus der Hepburns von einem Sturm zerstört. Sie raste nach Hause, half ihrer Mutter und ihren Schwestern und rief dann ihren Vater im Krankenhaus an. Er hörte scheinbar ungerührt zu. Schließlich sagte er: »Du hast nicht vielleicht zufällig daran gedacht, das Haus anzustecken, bevor es der Sturm weggeweht hat, oder?«

»Nein«, antwortete Kate, nicht wissend, ob sie lachen oder weinen sollte.

»Oh«, erwiderte ihr Vater, »das ist aber dumm. Wir sind gegen Feuer versichert, aber nicht gegen Hurricanes.« Glücklicherweise war die Familie immer noch wohlhabend. Ihr Vater wußte genug über Finanzen, um die schrecklichen Folgen des Wallstreet-Zusammenbruchs zu vermeiden. Er investierte die Hollywoodgagen seiner ältesten Tochter gewinnbringend. Vom Gewinn gab er ihr ein ausreichendes Taschengeld.

Am Ende dieses Aufenthalts fuhr sie zurück nach Hollywood und stellte fest, daß der Film trotz Bermans Beteuerungen nicht allzuviel Verlust eingebracht hatte, weil er in der Produktion billig gewesen war. Überall, wo er gespielt wurde, blieben die Kinos leer – zumindest in den ersten zehn Jahren. Später wurde er eine Art Kultfilm und erfolgreicher Klassiker. Aber damals noch nicht. RKO rechnete aus, daß sie 168 624,04 Dollar Verlust gemacht hatten. Doch obwohl der Film Kate nicht weiterbrachte, begründete er Cary Grants Karriere als Komödiant.

Kate selbst schien die Leute zu ängstigen. Ihre alte Bewunderin Adela Rogers St. John schrieb in der Zeitschrift »Liberty«: »So vital wie Mussolini (Mussolini war damals ein Mann, zu dem man aufschaute), so natürlich wie ein kleiner Junge, der auf einem Zaun sitzt, so ehrlich wie ihre eigenen Sommersprossen; Katharine Hepburn ist nicht nur eine große Schauspielerin und vielleicht die größte, die wir in diesem Land je hatten, sie verkörpert den besten Typ von Mädchen und Frau, den Amerika besitzt.« Pandro S. Berman mußte überzeugt werden. Aber die Animosität, ob wirklich oder eingebildet, zwischen ihm, seinem Regisseur und seinem Star, war nicht stark genug, um eine nochmalige Zusammenarbeit zu verhindern. Das geschah im folgenden Jahr in dem Film *Mary of Scotland*, ein Stoff, den Berman trotz aller Proteste des Produzenten mit Kate im Hinterkopf eingekauft hatte. Er hatte Maxwell Andersons Stück über Maria, Königin der Schotten, am Broadway gesehen und fand, Kate sei genau die Richtige für die Titelrolle. Frederic March hatte er als den Grafen von Bothwell, Kates Vorfahre, vorgesehen. Er wußte nicht, daß die Königin eine Tochter namens Bridie Hepburn gehabt hatte. Auch wenn er es gewußt hätte, hätte es den Film nicht mehr gerettet.

Berman erinnert sich daran genauso ungern wie an den vorangegangenen Film. Und aus gutem Grund. Er kostete viel Geld. Im Laufe der Jahre produzierte RKO jedoch bessere Filme, die den Schaden durch den inzwischen vergessenen Kassenflop kompensierten.

Bei diesem Film zeigte sich zum ersten Mal Kates Verlangen, unter einem starken Mann zu arbeiten. Sie wollte John Ford als Regisseur für *Mary of Scotland* haben. Das war in jeder Hinsicht eine seltsame Wahl. Die vornehme Neuengländerin hatte aber auch gar nichts gemein mit dem derben, trinkenden, ungehobelten Iren. Befremdlich auch, weil Ford, der sich schnell einen Ruf als Meister für Filme, die im Gelände gedreht wurden, erwarb, keine Erfahrung mit fremden Kulturen hatte und praktisch überhaupt keine, mit Frauen zu arbeiten.

Nichtsdestotrotz fanden die beiden einen Draht zueinander. (Später gab es sogar Gerüchte, daß sie eine Affäre miteinander gehabt hätten, was von der Hepburn jedoch nie bestätigt wurde.) Kate, deren Beobachtungsgabe noch immer so gut war wie damals, als sie mit ihrer Mutter bei den Demonstrationen der Frauenrechtlerinnen mitmarschiert war, beunruhigte ein grundlegender Unterschied in ihrem Lebensstil.

»Am Drehort kam sie eines Tages zu mir«, erzählte Berman, »und fragte: ›Glauben Sie, daß John jemals badet?‹« Sie hielt diese Frage nicht für ungehörig, weil – aber das sagte sie wenigstens nicht direkt – gewisse Gerüche, intensiviert durch die Scheinwerferhitze, in ihre Richtung wehten.

Pandro Berman erwiderte: »Nun, ich denke schon, ab und zu, obwohl ich zugeben muß, er sieht ein wenig verwahrlost aus.«

»Ja«, antwortete Kate. »Ich werde Ihnen etwas sagen. Ich bin überzeugt davon, daß er ein und dasselbe Hemd trägt, seit wir vor vier Wochen mit dem Film angefangen haben. Er hat es nie gewechselt!«

»Ich hab keine Ahnung«, versuchte Berman diplomatisch zu antworten. Dieser Versuch wurde etwas abgeschwächt, als er hinzufügte: »Das müssen Sie besser wissen als ich. Sie sind die ganze Zeit am Drehort.«

»Nun«, antwortete sie, »ich werde es herausfinden.«

Ungefähr eine Woche später kam sie bei Berman noch einmal

auf das Thema zu sprechen. »Ich habe recht«, sagte sie. »Er trägt es immer noch.«

»Woher wissen Sie das?« fragte er. »Ganz einfach«, erwiderte sie. »Ich habe mir einen blauen Stift besorgt, und als er nicht hinschaute und seinen Arm über einen Stuhl legte, habe ich ein blaues Kreuz auf die Manschette gemalt. Er hat es seitdem jeden Tag getragen, und das blaue Kreuz ist immer noch da.« Da Kate noch nie ein Blatt vor den Mund genommen hatte und die Dinge immer beim Namen nannte, konfrontierte sie Ford am Ende der Dreharbeiten mit dem ungewaschenen Hemd. Er beichtete sofort. Das Hemd trug er bei jedem Film, den er drehte. Er glaubte, es bringe ihm Glück.

Nicht genug Glück, um *Mary of Scotland* zu einem Kassenerfolg zu machen. Der Film kostete ungefähr 800000 Dollar – mehr als jemals von RKO ausgegeben worden war. Nicht einmal ein Astaire-Rogers-Film war so teuer gewesen. *Mary of Scotland* spielte nur einen Bruchteil der Kosten ein. Wenn Kate die Dinge nicht so bewußt gewesen wären, hätte man vielleicht glauben können, sie sei zu weit von Normalsterblichen entrückt, um sich damit abzugeben, wieviel Geld ihre Filme einspielten oder nicht. Aber sie konnte ihrem Agenten auf den Pfennig genau sagen, wieviel ihr Talent im Verhältnis zu den Kassenergebnissen wert war.

Diesen Eindruck erweckte sie allerdings nicht. Engen Freunden war ihr Verhalten rätselhaft, sogar denen, die ihre Überspanntheit als eine charmante Abwechslung ansahen. Warum sonst spazierte ein etablierter Star mit einem Affen auf der Schulter durch das RKO-Gelände? (Später stellte sich heraus, daß sie den kleinen Affen, den sie an die Träger ihrer Arbeitshose angeleint hatte, für einen Tag gemietet hatte.) Warum bestand sie darauf, täglich etwa sieben Mal zu duschen? Und warum hatte sie den Ruf, die Nummer eins der Hollywood-Einbrecher zu sein? Sie wollte kein Verbrechen begehen; ihre Neugier gewann einfach die Oberhand, wenn sie ein offenes Fenster in einem sonst verlassenen Haus sah. Wenn niemand zu Hause war, kletterte sie durch das Fenster und erkundete alles. Aber sie riskierte nicht, daß das jemand bei ihr machte. Paradoxerweise schätzte sie ihre Privatsphäre über alles.

Das Haus der Hepburn, das hoch oben auf den Hügeln Hollywoods stand, schien Eindringlinge wie eine mittelalterliche Burg abzuhalten. Wahrscheinlich hatte sie das örtliche Verbrechersyndikat wissen lassen, daß sie jeden Einbrecher mit heißem Öl übergießen würde. Sie hätten Grund genug gehabt, ihr das zu glauben. Sie mochte keine Besucher am Drehort, und die Publicity-Abteilung des Studios erfand taktvolle Absagen für Leute, die sie treffen wollten. Sie betrachtete das einfach als Unterbrechung ihrer Arbeit. Ein Regisseur glaubte, die Antwort darauf gefunden zu haben, wie man mit ihr umgehen müsse: »Brüllen Sie sie einfach siebenmal mit ›nein‹ an. Wenn Sie versuchen, taktvoll zu sein, glaubt sie, im Recht zu sein.« Bei der Auswahl ihrer Filmstoffe glaubte sie immer, recht zu haben. Mittlerweile fiel es RKO nicht einmal im Traum ein, ihr Filmrollen aufzuzwingen, die ihr nicht sofort zusagten. Doch sie lag in ihrer Wahl immer noch häufig falsch, obwohl ihr und Wallace Beery im Jahre 1937 bei den Filmfestspielen von Venedig Auszeichnungen in Gold als »weltbeste Filmschauspieler« verliehen worden waren.

A Woman Rebels spielte jedoch solch schlechte Ergebnisse ein (es war eine Frauenrechtlerinnen-Geschichte), daß Pandro Berman behauptet, er kann sich an nichts mehr erinnern, was damit zusammenhängt. In einer BBC-Sendung beschreibt Alistaire Cooke die Auftritte von Katharine Hepburn in *A Woman Rebels* und *Mary of Scotland* als »traurig«. »Es gibt jedoch einen Trost für Hepburn-Fans. Man muß nicht am

Zeichenunterricht teilgenommen haben, um zu erkennen, daß die Hepburn einen wohlgeformten Schädel hat, und daran kann auch das Studio nichts ändern. In *A Woman Rebels* ist er die ganze Zeit im Bild.«

Einige Leute waren damals der Meinung, der Titel dieses Films verriet eine ganze Menge darüber, wie Kate das Hollywood-Spiel spielte. Sie gab den Reportern weiterhin schnippische Antworten. Einige gaben ihre Antworten auf Fragen nach ihrer Familie eifrig wieder: »Ich bin dreimal verheiratet gewesen«, soll sie gesagt haben. »Und ich habe zehn Kinder.« Den Artikeln konnte man nicht entnehmen, daß sie vielleicht nicht die Wahrheit gesagt haben könnte. Sie glaubten ihr allerdings, als sie nach Ivorytown in Connecticut ging, um im Sommertheater *Dark Victory* – der als Film bald darauf ein Bette-Davis-Warner-Brothers-Klassiker wurde – zu spielen, und sagte, sie werde es ihnen zeigen. Doch noch bevor das Stück in Produktion ging, stieg sie aus diesem Abenteuer aus.

Während eines Urlaubs bei ihrer Familie in Connecticut merkte sie, daß sie von Fotografen verfolgt wurde. Sie verkroch sich auf dem Rücksitz ihres Autos, und als die beiden Männer vorbeigingen, griff sie diese mit ihrem Tennisschläger an. Sie liefen weg, sahen ihre ramponierten Kameras an und rieben sich die wachsenden Beulen auf ihrer Stirn.

In den folgenden Jahren kopierten andere Schauspieler und Schauspielerinnen viele hundert Mal ihren Angriff, doch damals war eine derartige Reaktion wie die von der Hepburn völlig unbekannt. Entweder mieden die Stars die Kameras oder sie genossen jede Minute davon und wären tief beleidigt gewesen, wenn sie nicht fotografiert worden wären. Aber Kates Benehmen fing an, die Fanzeitschriften zu beunruhigen. Die Journale hatten zwar keinen großen literarischen

Stellenwert, wurden aber vom Studio geschätzt. »Sollte diese Rebellin gezähmt worden sein?« fragte Mark Vyse in der Zeitschrift »Picturegoer«, als *A Woman Rebels* herauskam. Das Magazin schrieb, sie habe wegen ihres Eigensinns nachfolgende bessere Rollen nicht bekommen. Ein Verbrechen, dessen sich keine wirkliche Dame in den Dreißigern schuldig machen durfte. Mr. Vyse schrieb weiter, daß dieses individualistisch erzogene Kind jammern würde: »›Ich kann es so nicht spielen, weil ich es nicht so fühle. Ich will nicht den üblichen Weg gehen.‹ Kein Wunder, daß sich die geplagten Produzenten umgänglicheren Personen zugewandt haben.«

Und es kam noch schlimmer. Nachdem er sich mitfühlend in bezug auf die Probleme, die sie mit ihren Regisseuren hatte, äußerte (*Mary of Scotland*), schrieb der Journalist: »Das ändert nichts an der Tatsache, daß Katharines Stimme schrill ist und ihr trotz aller Vitalität und Ernsthaftigkeit schauspielerische Würde fehlt. Außerdem fehlt ihr die Gabe, historische Kostüme zu tragen.« Ein böser Kommentar, zumal der Film mit einer Aufnahme von Kate und Herbert Marshall begann, auf der sie sehr schön aussah. Aber dem Schreiber machte das Stänkern Spaß, und er erwärmte sich für das Thema: »Nicht *Lebewohl,* sondern *arrivederci* sagt man in Italien«, sagte sie in *A Woman Rebels* zu ihrem Liebhaber. In einem Moment, wo ein Hauch von Zärtlichkeit erlaubt, ja sogar willkommen wäre. Aber in ihrem Streben nach Ernsthaftigkeit spricht sie diesen Text, als würde sie den Milchmann bitten, bis nächste Woche nicht mehr vorbeizukommen. Katharine ist erst achtundzwanzig. Diejenigen, die glauben (und zu denen zähle ich auch mich), daß es an ihrer Arbeit etwas sehr Gutes gibt, was kein Mißgeschick zerstören kann, werden sie vielleicht noch in einer Rolle erleben, mit der sie den Ruf erwirbt, die beste Schauspielerin dieses

Landes auf der Leinwand zu sein. Falls sie eine Tochter erziehen müßte, bezweifle ich, daß sie das so nachsichtig wie ihre Mutter tun würde.«

Vyse wird damals nicht gewußt haben, wie sie über Mutterschaft dachte. Sie sagte noch einmal, daß sie nicht beabsichtige, Mutter zu werden. »Ich hatte nie die Absicht, das zu tun. Ich war von Anfang an ein Schwein! Aber ich war wenigstens klug genug zu erkennen, daß ich ein Schwein war. Häufig sind die ältesten Töchter klug genug, unabhängig zu bleiben.« Diese Ansicht, die sie nie änderte, bekam sie durch ihre jüngeren Brüder und Schwestern. »Ich habe bei fünf anderen Leuten zugeschaut, wie sie aufgezogen wurden. Nein danke, das ist nichts für mich. Ich glaube, es gibt Frauen, die hervorragende Mütter sind. Und ich finde, man sollte diese Frauen nicht zwingen, in Versicherungsfirmen zu arbeiten. Die Position der Frau im Leben ist viel komplizierter als die der Männer, nicht wahr?« Ein anderes Mal sagte sie: »Ich habe die Entscheidung, keine Kinder zu bekommen, vor vielen Jahren getroffen. Und ich bereue sie nicht. Ich habe mich ferner entschieden, keine Karriere als Mediziner zu machen, und auch das bedauere ich nicht.«

Kate ließ sich von dem, was über sie geschrieben wurde, nicht allzu tief treffen. Aber manchmal erlaubte sie ihren Gefühlen, an die Oberfläche zu kommen – obwohl ihre Äußerungen manchmal schwierig zu begreifen und nicht geeignet waren, Sympathien bei armen Familien zu erwekken. »Ich zahle einen schrecklichen Preis für den Ruhm«, sagte sie im Mai des Jahres 1934. »Es ist fast unmöglich, das Leben zu genießen, wenn man Erfolg auf der Leinwand hatte.« Einigen Leuten scheint nichts so verdächtig wie Erfolg, und die Tatsache, daß einige Zeitungen Kate trotz der Konkurrenz ständig als »die neue Garbo« bezeichneten, war enervierend. Derselbe »Picturegoer« stimmte zu, daß Kate

»eine geheimnisvolle Hollywood-Frau« war. Aber wenn das schmeichelhaft klang, so mußte der Leser nur weiterlesen: »Das größte Geheimnis an Kate ist: ›Warum sie immer noch ein Leinwandstar ist?‹ Ja, ich weiß, sie hat etwas zu bieten, das andere nicht haben. Ich weiß, man kann aus ihr nichts (um einen beängstigenden Ausdruck zu benutzen) Glamouröses machen. Ich weiß, sie ist keine Schönheit im Sinne Hollywoods. Das heißt, sie hat weder das Gesicht noch die Figur, aus denen man das genaue Ebenbild einer jeder führenden Hollywood-Dame machen kann. Ich weiß, sie hat Kühnheit, Unternehmungsgeist, Feuer, Schwung, Elan und eine Anzahl von anderen Qualitäten. Das alles gebe ich zu, und ich stimme dem zu, daß diese Qualitäten für sie von Vorteil sind – vorausgesetzt, sie werden nicht übermäßig beansprucht. Und das werden sie, und sie überlebt das. Darin liegt das Geheimnis. Warum hat ihr Feuer nicht dazu geführt, sie zu feuern?«

Das war einer der seltenen Fälle, bei dem sich ein Filmmagazin vorwagte, ein Idol seiner Leser anzugreifen. Und das erbarmungslos. »Es scheint keine offizielle Mißbilligung des, wie soll man sagen, unüberlegten Benehmens von Miss Hepburn gegeben zu haben«, bemerkte »Picturegoer«, unfähig zu entscheiden, warum Mr. Will Hays, der für die Hollywood-Moral zuständig war, sich nicht für die Belange der Studiogemeinde engagiert hatte. »Warum? Was ist das für eine geheimnisvolle Macht, die diese große, ungelenke, rothaarige Frau ausübt, die Hollywood zwingt, ihre Taktlosigkeiten zu ertragen. Es scheint sehr unwahrscheinlich, daß ihre Filmfirma, RKO Radio, diese Situation gut findet. Denn RKO ist bekannt für ein reibungsloses, friedliches Betriebsklima und einen fast idyllischen Grad an ›Personenkult‹. Warum sollte das der rothaarigen Katie als einzigem schwarzen Schaf der Gemeinde erlaubt sein, ohne zurückgeworfen zu werden? Warum führte ihr Benehmen nicht zu einem Karriereknick?« Und dann spekulierte das Magazin weiter: »Es gibt nur eine allgemein akzeptable Entschuldigung für dies alles, und das ist die Kinokasse. Enorme Einnahmen des Studios in Dollar und Cent, Pfund und Schilling, Kopeken und Piastern, Yen und Pices sind die einzige Antwort, die Kritik entwaffnet. Aber ist das auch das Ergebnis? Vielleicht mit Ausnahme von *Vier Schwestern* hat kein Film so viel eingespielt, daß er dem Star das Recht gibt, zu sagen: ›Zum Teufel mit der Kinokasse.‹ Es muß etwas dran sein an dieser seltsam attraktiven Frau, das ihre Kritiker entwaffnet und ihre Sponsoren zwingt, in ihren Bemühungen auszuharren, um sie zu einem Weltstar zu machen.«

Die Presse regte sich darüber auf, daß Kate bei ihrer Ankunft in London den wartenden Zeitungsleuten nicht einmal ein Lächeln geschenkt hatte. Sie wußten nicht, wieviel Glück sie im Vergleich zu ihren amerikanischen Kollegen hatten. Die Londoner »Daily Mail« hatte geschrieben: »Als man Sie bezichtigte, die Garbo zu imitieren, erwiderten Sie: ›Ich will nicht alleine sein. Ich will nur alleine gelassen werden.‹ Nun, Miss Hepburn, das ist unmöglich bei einem so brillanten Star. Sie sollten doch inzwischen wissen, daß eine geschützte Privatsphäre für jemanden, der so häufig im Blick der Öffentlichkeit steht, unmöglich ist. Ich schlage ja nicht vor, daß Sie ein Schild an die Tür heften: ›Interviews – Vierundzwanzigstundenservice‹. Ich möchte nicht, daß Sie bei einer Massenversammlung Ihrer Fans auf dem Trafalgar Square auftreten. Aber ich würde Sie sehr bitten, mir fünfzehn oder zwanzig Minuten Ihrer Zeit zu gewähren, wann immer Sie nach Großbritannien kommen.«

Ihre Fans litten ähnlich. Sie hielt die Türen ihres Autos elektrisch verschlossen. Einmal wechselte sie ihre Kleider mit ihrem Mädchen, damit sie die Fans draußen vor dem Theater nicht erkannten. Und einige Berühmtheiten hatte sie ebenfalls gegen sich aufgebracht. Kurz nachdem sie in Hollywood angekommen war, erhielt sie eine Einladung zum Abendessen von einer Dame, deren Namen sie nicht ganz verstanden hatte. »Nachher«, erklärte sie, »fand ich heraus, daß es Mary Pickford war, und ich hatte eine Einladung nach Pickfair ausgeschlagen! Ich entschuldigte mich, Mary vergab mir und lud mich wieder ein. Ich ging hin und redete die ganze Zeit. Ich wurde nie wieder eingeladen.«

Warum verhielt sie sich der Presse gegenüber so schwierig? Zum einen sah sie nicht ein, daß sie ihr Privatleben Leuten, die ihr völlig fremd waren, auf einem Silbertablett servieren sollte. Aber Douglas Fairbanks erklärte es mir noch etwas ausführlicher.

»Ich glaube, sie wurde einfach so geboren und war deshalb auch so am Theater. Ihre Haltung der Presse gegenüber war die vieler Theaterleute, die dies als lächerlichen Zirkus ansahen und nicht bereit waren, ihren Teil zu diesem Zirkus beizutragen. Nach dem Motto: Falls euch das nicht gefällt, fahrt zur Hölle. Sie hatte den Mut, das zu sagen und sich so zu benehmen, wie das viele Leute gerne getan hätten, denen jedoch der Mut dazu fehlte. Sie dachten, sie müßten mitmachen oder würden ihre Arbeit verlieren. Kate sagte: ›Zur Hölle damit, wenn ich meine Arbeit verliere, gehe ich einfach zurück in den Osten.‹« Sie arbeitete hart, und das war das Beste, was sie machen konnte.

»Ich glaube, einige Leute hielten sie für ätzend. Ich habe ihr gegenüber nie so empfunden. Aber ich glaube, die Leute zogen sie damit auf, und so wurde sie sich dessen bewußter, bis sie sich vorsätzlich und absichtlich so verhielt, und das wurde zu ihrer Natur – aber sie übertrieb etwas. Wenn sie sich mit einem Freund unterhält, ist sie schroff und nimmt sich zu viele Freiheiten heraus.«

Jahre später bestätigte Kate ihre Haltung. In einem langen Artikel im »Esquire« wurde sie zitiert: »Ich weiß, daß ich eine Menge Eigenschaften habe, die Sie erschauern lassen. Ich öffne einfach meinen Mund, und meine Stimme irritiert einige Leute. Es liegt eine Herausforderung darin. Sie sagt einfach: ›Was zum Teufel werden sie dagegen tun‹, nicht wahr? Meine Stimmlage ist eher aggressiv, und darin liegt eine gewisse Gewalttätigkeit. Nun, mir gefällt das. Und ich fühle mich gut dabei, also bin ich gewalttätig. Das scheint mir ganz natürlich...« Alle die Stars, vor denen sie selbst Respekt hatte, und sie nannte Namen, die von William S. Hart über Tom Mix bis zu Joan Crawford, Bette Davis und Greta Garbo reichten, »waren sehr starke Persönlichkeiten«. Ein Hollywood-Produzent erklärte es folgendermaßen: »Wenn sie die Rolle von Rotkäppchen spielen sollte, würde sie zum Schluß den Wolf fressen.«

Die amerikanische Zeitschrift »Pictorial Review« war der gleichen Ansicht wie die anderen Blätter, schien sich aber auf Kates Lebensstil zu konzentrieren. Sie konnten nicht verstehen, warum sie nicht den Wünschen ihrer Fans entsprach und wie ein Star lebte. Zum Beispiel hatte sie erst jetzt ein großes Auto, »das sie bei einer günstigen Gelegenheit gekauft hatte«. Aber es war ihr Kleidungsstil, der die »Wächter« über das Kinopublikum wirklich aufregte. Diese »Wächter« sorgten dafür, daß das Publikum seine Idole als Menschen, die von Fürsorge und Verantwortung gewöhnlicher Sterblicher entrückt waren, ansah. »Wenn nicht im Kostüm für ihre Rolle, trug sie ausgebleichte Blue jeans [was zeigt, wie weit sie ihrer Zeit wirklich voraus war]... Ihre Schuhe sind das Schrecklichste, was eine Frau je getragen hat. Sie reichen von wahren Scheußlichkeiten aus Segeltuch bis hin zu nägelbeschlagenen Stiefeln, und da sie ihre Beine immer möglichst hoch auf das zerbrechlichste

Möbelstück im Raum legt, kann niemand in der Filmstadt ihr Schuhzeug übersehen.«

Da gab es auch noch die Sticheleien einer Schauspielerin, die sich nie zurückhielt, Kates Kleidervorlieben zu kritisieren: »Wirf nur einen Hut in ihre Richtung. Wo immer er trifft, wird er hängenbleiben«, sagte sie. Aber zu der Zeit schien niemand zu bemerken, daß ihr Kleidungsstil keiner verrückten Affektiertheit entsprang. Sie trug Hosen nicht, um zu schockieren oder um ihre Unabhängigkeit zu beweisen. Das war ihr egal. Sie wollte sich einfach bequem kleiden. Kate fand auch, daß das niemanden etwas anging. Falls sie etwas über sie schreiben wollten, sollten sie über ihre Arbeit schreiben – obwohl sie auch darüber nicht sprach.

Mit einer Bühnenfassung von *Jane Eyre*, welche die »Theatre Guild« produzierte, ging sie auf Tournee. Die Premiere sollte in New York stattfinden. Katharine Hepburn, Filmstar (eine Bezeichnung, die ihr trotz allem niemand nehmen konnte), dachte, das sei eine großartige Gelegenheit, Rache für die frühere Demütigung durch die »Theatre Guild« zu nehmen. Ihr wurden 1 000 Dollar die Woche angeboten, und sie forderte sofort eine Erhöhung auf 1 500 Dollar. Auf die Differenz glaubte sie ein Anrecht zu haben. Das Stück gefiel ihr nicht besonders, und sie wollte damit nicht am Broadway auftreten. Aber auf der Tournee war es ein Kassenknüller, teils, weil der »Howard-Hughes-Zirkus« auf vollen Touren lief. Im Herbst des Jahres 1937 schauten die Leute genauso neugierig auf die Romanze zwischen Hughes und Hepburn wie auf Kates Bühnenauftritte. Sie erweckte immer noch den Eindruck, es sei ihr gleichgültig, in welcher Begleitung sie gesehen wurde. Das Stück war eine Sensation in Omaha, Nebraska. Es war gerade eine bitterkalte, scheußlich feuchte Wetterperiode. Nach dem Stück setzte sie sich selbst ans Steuer, um den Zug um 3.30 Uhr zu erwischen. Auf dem

Weg dorthin überholte sie den Bühnenbauer, der einen voll-
beladenen Pferdewagen fuhr. »Da drüben auf dem Wagen ist
Wally«, rief sie ihrem Begleiter zu. »Ich glaube, ich werde
aussteigen und mit ihm fahren.« Im strömenden Regen
verließ sie ihre bequeme Limousine und kletterte auf den
Karren, damit Wally nicht alleine fahren mußte.

Fünfeinhalbtausend Menschen füllten den »Masonic Temple« in Des Moines, Iowa, um *Jane Eyre* zu sehen – an
demselben Abend, als auch Shirley Temple in der Stadt
auftrat.

Andere Mitglieder des Hepburn-Clans waren nicht so unnachgiebig bezüglich der Bitten von Presseleuten, die Neu-
igkeiten über die unberechenbare Kate wissen wollten. Aber
wenn Reporter Mrs. Hepburn senior verfolgten, interessierten sie sich mehr für ihre immer wagemutigeren Äußerungen zur Geburtenkontrolle. »Ich habe aufgehört, mir Sorgen
zu machen, ob die Leute schockiert sind«, sagte sie, nachdem sie mit dem amerikanischen Faschisten-Vater Charles
Coughlin aus Detroit über dieses Thema diskutiert hatte.
»Sie sind bereits schockiert, und ich möchte es hinter mich
bringen. Der Terror vom Selbstmord der Rasse (eines der
Hauptargumente der Lobby der Geburtenkontrollgegner)
ist Unsinn, denn Frauen wollen Kinder haben. Aber sie
wollen sie dann, wenn sie sich diese physisch und psychisch
leisten können.«

Kate war keine große Partygängerin. Wenn sie auf einer
dieser Hollywood-Veranstaltungen gesehen wurde, die
hauptsächlich dem Ego des Gastgebers schmeicheln und
weniger dem Amüsement der Gäste dienen sollten, waren die
Chancen groß, daß sie einigen Filmleuten Anlaß gab, sich die
Mäuler zu zerreißen. Das lag zum Teil daran, daß sie nie
Angst hatte, ihre Meinung zu sagen. Manchmal auch daran,
daß ihr die falschen Sachen zur falschen Zeit herausrutschten.

Zum Beispiel traf sie die Schauspielerin Elissa Landi, die gerade die Filmversion von *The Warrior's Husband* abgedreht hatte. Die Landi spielte darin die Rolle, die Kate auf der Bühne gespielt hatte. Die beiden Frauen unterhielten sich angeregt, sprachen übers Geschäft. Und das Geschäft, das sie am meisten interessierte, war natürlich *The Warrior's Husband*.

»Welche Szene gefiel Ihnen am besten?« fragte Miss Landi. Kates Antwort ließ ihre Gefährtin erstarren und die umstehenden Gäste nervös in ihre Champagnergläser hüsteln. »Oh«, antwortete sie, »die, in der Sie das Feld überqueren und über den Zaun klettern. Diese Szene schien mir viel mehr Leben und Schwung zu haben als die anderen.«

Sie konnte es natürlich nicht wissen, aber das war die einzige Szene, die Miss Landi nicht selbst gespielt hatte. Ein Stuntgirl hatte sie ersetzt. Einen langen, peinlichen Moment schien es so, als würden die Katzen ihre Krallen ausfahren.

Einige Kritiker fuhren dann wirklich ihre Krallen wegen *Quality Street* aus, einem bonbonsüßen Stück über das Ende der napoleonischen Kriege. Franchot Tone spielte die männliche Hauptrolle. Wie in den meisten Bonbonnieren gab es in *Quality Street* einige Stücke, die nicht so verlokkend waren wie andere. Pandro Berman sagte, er könne sich kaum noch daran erinnern.

Was nicht auf ihren nächsten Film, *Stage Door (Bühneneingang)*, zutraf, in dem sie mit dem Regisseur Gregory La Cava arbeitete. Es war bekannt, daß Kate eine große Antipathie gegen Alkoholiker hatte. La Cava war ein aufgeschwemmter Trunkenbold. »Ein Vagabund«, sagte Pandro Berman. »Aber er war auch eines der größten Talente, mit dem ich jemals gearbeitet habe.«

Nicht nur der Film – der die Lebensumstände in einem

New Yorker Mädcheninternat für Theaterschülerinnen zeigt – zog Nutzen aus seiner behutsamen Regie, unzweifelhaft auch Kate.

»Was für ein hervorragender Mann!« sagte Berman. Er war brillant, weil er über Konventionen spottete. Trotzdem erreichte er Ergebnisse, die andere große Regisseure vielleicht nur dadurch erreicht haben, daß sie Althergebrachtes verwendeten. Andere Regisseure akzeptierten ein Drehbuch, besetzten die Rollen mit Schauspielern und Schauspielerinnen und drehten die Szenen ab. Nicht aber La Cava.

»Er war ein Mann, der sich, abgesehen von seinen eigenen Filmen, niemals einen Film ansah«, erinnerte sich Berman. »Er pflegte zu sagen, ›Ich weiß nicht, ob die Soundso für die Rolle geeignet ist‹, und ich erwiderte, ›Selbstverständlich wissen Sie das nicht. Sie schauen sich ja nie einen Film an‹. Wenn er aber einmal jemanden für eine bestimmte Rolle akzeptierte, verbrachte er Tage damit, diesen Schauspieler oder diese Schauspielerin zu beobachten. Er arbeitete dann mit dem Betreffenden, indem er Handlung und Dialoge der Persönlichkeit des Schauspielers anpaßte, statt es andersherum zu machen.«

Tatsächlich veränderte er das Drehbuch so sehr, daß George Kaufman, der mit Edna Ferber (der vielgerühmten Autorin von *Show Boat*) die Originalfassung geschrieben hatte, kryptisch sagte: »Warum zum Teufel hat er es nicht in *Screen Door (Filmeingang)* umbenannt?« Auch in anderer Hinsicht war er unkonventionell. Jeden Morgen verbrachte er damit, Proben abzuhalten, und mittags arbeitete er daran, das Drehbuch umzuschreiben. Nachmittags drehte er. »Aber er war so großartig«, sagte Berman, »er drehte am Nachmittag genausoviel wie ein anderer Regisseur während des ganzen Tages.«

Natürlich hatte La Cava seine Probleme, und die hingen

meistens mit dem Trinken zusammen. Einmal fiel er in einem Theater, in dem sie Außenaufnahmen drehten, von der Bühne – im trunkenen Zustand. Aber als Regisseur brachte er es fertig, daß sich die Schauspielerinnen so fühlten, als wären sie wirklich Bewohnerinnen des Internats, das den Hintergrund für den Film bildete. Das waren junge Frauen einer Repertoiregruppe, die bald selbst berühmt sein würden. Die Hepburn war der Star. Mit dabei war auch die schon bekannte Ginger Rogers, ein junger Rotschopf namens Lucille Ball und ein Witze reißendes dünnes Mädchen, das Eve Arden hieß. »Ich erinnere mich, wie wir Katharine Hepburn mit einer gewissen Ehrfurcht ansahen«, erzählte mir Eve Arden. »Nicht mit Neid, aber mit Respekt, mit Bewunderung. Sie gab uns viele gute Ratschläge.« Und sie fügte hinzu: »Ich habe immer ihre Integrität, ihre Stärke und ihren Mut bewundert. Es tut mir leid, daß wir nicht gute Freundinnen sind. Bei den Dreharbeiten sahen wir alle zu Kate auf.«

Das taten sogar die Statisten. Sie waren von einer Rede der Hepburn so bewegt (die La Cava wegen des Effekts von vier Seiten auf zehn Zeilen gekürzt hatte), daß einige schon weinten, noch bevor sie zu Ende war. Der Regisseur wollte auch, daß Ginger Rogers vor der Kamera weinte. »Sie ist genau der Menthol-Typ«, sagte er hinterher. »Nur einmal habe ich sie zum Weinen gebracht, und zwar als ich ihr erzählte, daß ihr Haus niederbrennt.« Während die Kameras liefen, spielte er ihr ein Band mit der Hepburn-Rede vor – Ginger war nicht dabei, als sie gedreht wurde – und auch sie weinte wie auf Kommando richtige Tränen.

Kate scheute sich nicht, die Ratschläge ihres Regisseurs anzunehmen. »Ich glaube«, sagte Berman, »daß er großartig für Katharine, für Ginger und für jedermann in dem Film war, aber besonders für Katharine, weil sie zu der Zeit ziemlich schlimm in der Gunst des Publikums abrutschte. *Bühnenein-gang* ist der Film, der ihr den Abgang von der Bühne erspart hat.« Es hatte 900 000 Dollar gekostet, ihn zu produzieren. La Cava meinte, Pandro Berman habe wahrscheinlich einige neue Gebäude als Sicherheit für das Filmbudget verpfändet. Er spielte an den Kinokassen die damals ungeheure Summe von 1 900 000 Dollar ein. »Sie ist eine durch und durch intellektuelle Schauspielerin«, sagte La Cava, nachdem der Film abgedreht war. »Sie muß alles verstehen, bevor sie fühlen kann. Wenn sie die Bedeutung verstanden hat, kommen Gefühl und hervorragende Arbeit.« Jahre später wurde das als »Die Methode« bekannt.

RKO setzte auf diesen erneuten Karriereaufschwung und auf die Auswirkungen, die er auf die Studiomoral hatte. Kate erhielt eine weitere Chance. Sie sollte mit Cary Grant drehen, der sich gerade als Hollywoods beliebtester Schauspieler für leichte Komödien etablierte. Das Studio hatte ein Drehbuch gekauft, das die beiden Talente so fördern sollte, wie sie es sich ursprünglich von *Sylvia Scarlett* erhofft hatten.

Bringing Up Baby (Leoparden küßt man nicht). Regisseur und Produzent war Howard Hawks. Es war eine verrückte Geschichte über einen Paläontologen und sollte die Kinokassen von Hollywood bis Hartfield mit klingender Münze füllen. Der Erfolg war dem eines nassen Schwamms bei einem Waldbrand vergleichbar. Das Murmeln der Kinobesitzer wurde immer lauter. Den Rest gab schließlich Mr. Harry Brandt, Präsident der unabhängigen Theaterbesitzer Amerikas. Er schaltete eine Zeitungsanzeige, in der er erklärte, daß Joan Crawford, Kay Francis, Greta Garbo und Katharine Hepburn »Kassengift« seien. Besonders über den Namen Katharine Hepburn zerrissen sich die Leute das Maul. Die anderen waren bereits Kultfiguren. Aber die Hepburn war noch sehr jung und umstritten. Die Anzeige verletzte Kate, obwohl sie, wie mir Pandro Berman erzählte, ihre Gefühle für sich behielt.

Aber tagelang konnte man sehen, wie deprimiert sie war. Ferner hatte die Anzeige zur Folge, daß RKO Kate nur mehr einen mäßigen Film mit dem Titel *Carey's Chickens* anbot.

5

VOM WINDE
VERWEHT

Katharine Hepburn stand nun vor der Alternative, entweder
zu spuren und einen zweitklassigen Film zu machen (in der
Hoffnung, daß ihn jeder schleunigst vergessen wird) oder
den Vertrag zu brechen und die Konsequenzen zu tragen. Das
war ein Spiel, in dem RKO Radio Pictures im Jahre 1937 alle
Asse in der Hand hatte. Das Vertragssystem war vor Gericht
bereits ausprobiert worden. Mehr als das, es hielt sogar im
Ausland vor den Gerichten stand. War nicht im Jahr zuvor
Bette Davis vom Obersten Gerichtshof in London »als sehr
schlimme junge Dame« entlassen worden und mußte anschließend ihre Koffer packen? Ein Vertrag ist ein Vertrag,
beschied der Richter, und auch keine Atlantiküberquerung
konnte diese Tatsache ändern.
Kate sagte sich, sie sei niemals ein Teil von Hollywood
gewesen. Sie hatte eine gesunde finanzielle Basis zu Hause in
Connecticut. Wenn ihr »Nein« zu dem RKO-Angebot bedeuten würde, daß damit ihre Filmkarriere beendet war, war
das zwar bedauerlich, aber zu ertragen. Sie sagte den Studio-
bossen: »Hört zu, Jungs, wir sollten kein Blatt vor den Mund
nehmen. Ich würde euch gerne los sein. Ihr würdet mich
gerne los sein. Verabschieden wir uns voneinander.«
Das tat sie ehrenhaft und teuer. »Wieviel wollen Sie?« fragte
sie RKO. Das war ein Angebot, sich freizukaufen. Die Buch-

halter des Studios rechneten einen Betrag von 220000 Dollar aus. Für George Stevens eine Träne herauszupressen, war schwieriger für sie, als ihr Scheckbuch herauszunehmen und einen Scheck über diese Summe auszustellen.

Sie war frei und schrecklich unglücklich. Trotz all ihrer Proteste, daß ihr die Filmarbeit keinen Spaß mache, glaubte sie, ohne große Probleme anderswo Arbeit zu finden. Aber es kamen keine Angebote. Die Studios hatten die unangenehme Angewohnheit, ihre Konkurrenten wissen zu lassen, daß sie es nicht gerne sähen, wenn die ihre abgelegten Besitztümer übernehmen würden. Wie immer glaubte Kate, sie könne dieses System durchbrechen.

Das gelang ihr auch ziemlich bald. Sie unterschrieb einen Vertrag mit Columbia*, um *Holiday (Die Schwester der Braut)* zu drehen. Das war das Stück von Philip Barry, aus dem sie damals eine Szene für ihre Probeaufnahmen gespielt hatte. Sie spielte die Rolle der schlampigen Tochter einer New Yorker Patrizierfamilie, die sich in den Freund ihrer Schwester (Cary Grant) verliebt. Die Szenen, die im Kinderzimmer des riesigen Haushalts in Manhattan spielen, als die restliche Familie das Haus verlassen hat, um zur Weihnachtsmesse zu gehen, sind die denkwürdigsten ihrer Karriere.

Es war ein Wiedersehen mit ihrem alten Freund George Cukor, der sich vorgenommen hatte, aus diesem Stoff zu machen, was mit *Sylvia Scarlett* nicht gelungen war. Diese Filmproduktion war für Harry Cohn, den eisernen Diktator von Columbia, eine Gelegenheit, die restliche Filmgemeinde, mit der er ständig im Clinch lag, zu brüskieren. Nachdem er sich dafür entschieden hatte, verkaufte er den Film mit seinem feinen Spürsinn fürs Geschäft. Der Film war ein

---

* Anm. d. Übers.: *Columbia Broadcasting System* (CBS) ist eine amerikanische Rundfunkanstalt.

kommerzieller Erfolg sowie ein Erfolg bei den Kritikern. Nachdem Kate *Die Schwester der Braut* gedreht hatte, war sie wieder eine akzeptabel vermarktbare Ware.

Nun widmete sie sich ihrer Zukunft und hielt außerdem eine ihrer seltenen Reden. Diese junge Frau, die sich im Privatleben niemals scheute, sich autoritär zu gebärden, interessierte sich genausowenig dafür, ihre Ansichten über das Leben von einer öffentlichen Plattform zu verkünden, wie ein Zeitungsinterview zu geben. Ihre Ansichten waren, was sie waren, nämlich »ihre« Ansichten. Im Jahre 1938 sprach sie vor dem »Herald-Tribune«-Forum, das von der New Yorker Zeitung ins Leben gerufen und gesponsert wurde, um Persönlichkeiten des öffentlichen Lebens eine Möglichkeit zu geben, über die sie umgebende Welt reflektieren zu können. Sie zitierte Beth aus *Vier Schwestern.* »Ich habe ein Schwäche. Ich bin scheu.« Sie sprach über die Macht, die das Medium Film bot. Kinder gingen ins Kino, weil es ihnen gefiel. »Wir gehen ins Kino, um unterhalten zu werden, um zu lachen, zu weinen, zu denken und uns inspirieren zu lassen. Es gibt zahlreiche brillante und talentierte Produzenten, Drehbuchschreiber und Regisseure in Hollywood, deren einzige Beschäftigung es ist, uns genau damit zu versorgen, ganz zu schweigen von den Bankiers. Sie arbeiten Tag und Nacht unter wahnsinnigen Anstrengungen daran, dem Publikum das zu bieten, was es haben möchte.

Bei den Klassikern haben sie heutzutage eine vergleichsweise freie Hand, und sie haben ihre Sache gut gemacht. Aus irgendwelchen Gründen scheinen wir in bezug auf politische, wirtschaftliche und moralische Probleme aus den Tagen unserer Großväter nicht so empfindlich zu reagieren, mit einer einzigen Ausnahme: der Verfassung. Wir können diesen Problemen ohne Angst vor Konsequenzen mutig ins Auge schauen. Mit anderen Worten, wir können die Vergangenheit mit ruhigem Gewissen betrachten und unseren Kindern das gleiche gestatten.«

Die Rede entwickelte sich zu einer Verteidigung der Filmindustrie – keineswegs das, was ihre Widersacher in den Studios erwartet hätten. »Aber in einem Film Situationen zu zeigen, in die wir heute alle verwickelt sind, in einem Film Menschen in ihrer ganzen Misere zu zeigen und einen Ausweg aufzuzeigen, in einem Film ein politisches, moralisches oder wirtschaftliches Thema unserer Tage aufzugreifen, ehrlich und einfach, davon will man nichts hören. Solche Filme werden wieder zurück in die Regale geschoben, um die alte Junge-trifft-Mädchen-Geschichte neu aufzubereiten. Und anschließend greift man die Produzenten an, weil sie keine Originalität zeigen. Wir sind alle Gewohnheitstiere. Wenn wir mit harmlosen Platitüden gefüttert werden, können wir uns weder geistig noch moralisch entwickeln. Werden Sie gestatten, daß dieses Medium der öffentlichen Aufklärung unterdrückt wird? Die Produzenten trauen sich offensichtlich nicht, diesen Krieg alleine auszufechten, und ich tadele sie deswegen nicht, weil ihr Risiko zu groß ist – dafür müssen sie den Rückhalt der Öffentlichkeit haben.«

Diese Rede hatten die Herren von RKO nicht erwartet, während die Veranstalter zweifellos erreichten, was sie erwartet hatten. Für RKO war das nicht nur ein im höchsten Maße wirtschaftlicher Unsinn, es klang schlichtweg kommunistisch.

»Nun«, fuhr sie fort und erwärmte sich brillant für ihr Thema, »falls Sie intelligente Zensur wollen, das ist die Zensur, die Ihnen Filme beschert, die nicht nur unterhaltsam sind, sondern auch ein oder zwei Ideen enthalten, können Ihnen die amerikanischen Frauenklubs sicher helfen. Sie können sich dieses Themas bei ihren Zusammenkünften annehmen. Sie alle können an die Zensurbehörden Ihres Staates schreiben und auf eine liberalere Haltung drängen, und Sie können den Produzenten schreiben, um sie zu ermutigen, bessere und modernere Filme herzustellen und ihnen Ihre Unterstützung zusagen.

Sie, die Sie verantwortlich sind für die Erziehung und die Entwicklung der Frauen und Männer von morgen, müssen sehr vorsichtig sein, daß Sie durch die Bestrebungen, die Moral Ihrer Kinder zu schützen, nicht deren Geist verkrüppeln.« Und sie schloß mit einem Zitat von George Bernard Shaw. »›Die Moral einer Nation ist wie ihre Zähne, je verfaulter sie sind, desto mehr schmerzt eine Berührung.‹

Halten Sie Zahnärzte und Dramatiker davon ab, Schmerzen zu verursachen, dann wird unsere Moral nicht nur so kariös wie unsere Zähne, sondern Zahnschmerzen und Plagen, die vernachlässigter Moral folgen, werden stärkere Schmerzen verursachen, als alle Zahnärzte und Dramatiker je verursachen können.«

In Wirklichkeit wollte sie ihren Finger auf eine dieser Es-hätte-sein-können-Wunden legen, die sich während ihrer Arbeitseinschränkung bei RKO ergeben hatte. Das war passiert – besser: nicht passiert –, kurz bevor sie *Leoparden küßt man nicht* gedreht hatte.

Lillie Messenger, der Talent-Scout, der die Hepburn nach Hollywood vermittelt hatte, las ein Buch, von dem sie glaubte, der Stoff sei ausschließlich für Kate geeignet. Als sie die Druckfahnen gelesen hatte, hatte sie sich hoffnungslos in den Roman und seine Hauptfigur verliebt. Ein Mädchen mit einer Haltung, wie Kate sie täglich vor der Kamera demonstrierte.

Sie schickte sofort Kopien an Kate, an Pandro Berman und an Leo Spitz, der jetzt dem Studio vorstand. Kate war sich zunächst unsicher. Deshalb las sie die Geschichte noch einmal und verliebte sich auch. Berman war nicht ganz so angetan.

Der Film würde teuer in der Produktion sein. Spitz sagte, er würde den Stoff kaufen, falls Kate den Film machen wollte (er hat sie nie für ihre Mißerfolge bei RKO verantwortlich gemacht). »Wieviel kosten die Rechte?« fragte sie den Film-mogul.

»Zweiundfünfzigtausend Dollar«, antwortete er.

»Zuviel«, sagte sie, »für einen meiner Filme.« Niemandem war klar, warum sie das sagte. Wahrscheinlich war das ein weiteres Beispiel für ihre direkte Art, obwohl gegen ihre eigenen Interessen gerichtet.

Als das Buch zur Auktion kam, wurde Lillie Messenger angewiesen, trotzdem ein Angebot für die Filmrechte zu machen. Aber dann änderte der Produzent seine Meinung und sein Chef, Mr. Spitz, ebenfalls.

Auch Warner Brothers zog sich zurück. »Kein Buch ist 50000 Dollar wert«, sagte Jack Warner, der Kopf des Studios, der als Koryphäe beim Rechteeinkauf bekannt war. Und so waren sowohl Warner als auch RKO aus dem Rennen für *Gone with the Wind (Vom Winde verweht)*. Es schien, als hätte Katharine Hepburn für immer die Chance verpaßt, Scarlett O'Hara zu spielen.

Wie heute jedermann weiß, gingen die Filmrechte an David O. Selznick. Damals war er ein unabhängiger Produzent und der Schwiegersohn Louis B. Mayers. Die beiden Männer vereinbarten ein gutes Geschäft. Während Selznick den Film produzierte, würde ihn MGM vertreiben.

Der Produzent wußte, mit wem er die Rollen von Scarlett und Rhett Butler besetzen wollte – Bette Davis und Errol Flynn. Aber da die Davis nicht mit Flynn arbeiten wollte (die Arbeit während der Filme, die sie gemeinsam gedreht hatten, war nicht besonders glücklich verlaufen), setzte er auf Clark Gable für die Butler-Rolle. Was danach passierte, ist ebenfalls Filmgeschichte.

Er kündigte an, er suche eine Scarlett und begann eine Jagd durch das ganze Land. Kate hatte nicht die leisesten Zweifel daran, daß sie perfekt für diese Rolle geeignet war. Wenn sich der Regisseur nach einem anderen Yankee wie Bette Davis umsah, konnte er schlecht ihren Geburtsort als Grund angeben, sie auszuschließen. Aber das tat Selznick aus anderen Gründen. Als er sich mit ihr traf, um über die Rolle zu sprechen, bat er sie um eine Probeaufnahme. Kate empfand das als eine Beleidigung für jemanden ihres Kalibers und weigerte sich.

»Sie wissen, wie ich aussehe, David«, sagte sie.

»Ja«, konterte er, »und ich kann mir nicht vorstellen, daß Ihnen Clark Gable zehn Jahre lang nachläuft.«

Die Unverschämtheit dieser Bemerkung ließ Kates rote Haare zu Berge stehen, und ihre Sommersprossen traten deutlich hervor. »Es mag Ihnen vielleicht nicht gefallen, David«, donnerte sie zurück, »aber es gibt Männer mit unterschiedlichem Geschmack.« Selznick war mit dem Wortwechsel offensichtlich sehr zufrieden. Er teilte ihr gleichzeitig mit, sie sei nicht hübsch genug für die Rolle und versuchte, sich finanziell mit ihr zu einigen. Er war nicht gewillt, ihre Weigerung Probeaufnahmen zu machen, als endgültig hinzunehmen.

In einem Memo an Daniel T. O'Shea, im Oktober 1938 sein Assistent, schrieb er, er sei deshalb so zurückhaltend gewesen, weil die Hepburn wie auch ein anderes hoffnungsvolles Talent, Paulette Goddard (die zugesagt hatte, Probeaufnahmen zu drehen), »gegen die Zuschauerablehnung anspielen müßten«. Nur einen Monat später führte er Kate zusammen mit Jean Arthur (die er ursprünglich wegen »Identifizierungsschwierigkeiten mit anderen Rollen« abgewiesen hatte), Doris Jordan, Loretta Young und derselben Paulette Goddard als eine der »besten Möglichkeiten« für die Besetzung auf.

In einem anderen Memo an O'Shea schrieb er: »Wenn Sie dies erhalten, wissen Sie wahrscheinlich schon, ob es möglich ist, mit der Hepburn zu einer Vereinbarung zu kommen. Wenn eine Vereinbarung abgeschlossen ist, sollten Sie die Hepburn sofort kommen lassen und die Probeaufnahmen sorgfältig auswählen, so daß die Szenen, die den meisten Sex-Appeal erfordern, gedreht werden. Denn ich glaube, daß zwei Dinge gegen die Hepburn sprechen – erstens die augenblicklich intensive und weitverbreitete Ablehnung des Publikums, und zweitens muß sie erst beweisen, die sexuellen Qualitäten, die wahrscheinlich die wichtigsten von den vielen Vorbedingungen für die Rolle der Scarlett sind, zu haben...«

Eine Woche später sagte er, man solle Kate mitteilen, sie sei auf der endgültigen Liste der Schauspielerinnen für die Rolle. Doch bis dahin hatte er natürlich noch nicht von Vivien Leigh gehört. Auch das Publikum hatte noch nie von ihr gehört, und obwohl noch niemand außerhalb von Selznicks Privatbüro irgendein Detail kannte, war die Nachricht von der Scarlett-Suche draußen, die bald als der größte Publicitygag aller Zeiten bekannt wurde.

Schon fragte die »New York Times« Margaret Mitchell, die Autorin des Romans, wen sie für die Rolle bevorzugen würde. Es hieß, sie habe Kate den Vorzug gegeben. »Das ist nicht wahr«, sagte sie. »Ich kenne niemanden aus dem Filmgeschäft, der wie Scarlett aussieht.« Sie sagte, sie würde sich streng neutral verhalten, obwohl Mrs. Odgen Reid, Vizepräsidentin der »New York Herald Tribune« erklärt hatte, daß sie ihre Freundin Miss Mitchell in deren Haus in Atlanta besucht hätte, und sie sich enthusiastisch für die Hepburn in der Rolle der Scarlett O'Hara ausgesprochen hätte.

Alles, was Margaret Mitchell dazu sagte, war: »Ich erzählte ihr, daß Miss Hepburn in den Reifröcken, die sie in *Vier*

Schwestern trug, hübsch aussah und mir der Film sehr gut gefallen hat. Ich habe niemals eine Vorliebe ausgesprochen und werde das auch nicht tun. Wenn Mrs. Reid verstanden hat, daß ich Miss Hepburn in der Rolle bevorzuge, muß ich mich bei ihr und Miss Hepburn entschuldigen.«

Für Kate war dies das Ende des Weges nach Tara.

6

DIE NACHT
VOR DER HOCHZEIT

Kate wußte nicht genau, was sie als nächstes tun wollte. Im stillen hoffte sie immer noch, daß sie die Rolle der Scarlett O'Hara bekommen würde, daß es nur galt, abzuwarten. Also machte sie sich rar. Wenn sie zurück an die Ostküste gehen und dort Theater spielen würde, wäre es nur eine Frage der Zeit, bis ihr die Rollen, die sie für geeignet hielt, ins Haus flatterten.

Es spielte sich nicht ganz so ab, weil sie mit dem gängigen System in Hollywood gebrochen hatte. Im Zeitalter des Studiovertrages war sie eine Ungebundene. Die Filmgewaltigen mochten solche Schauspieler überhaupt nicht. Einem Star unter Vertrag konnten sie Bedingungen diktieren, die scheinbar beide zufriedenstellten. Ein freier Schauspieler konnte Ärger machen – und Katharine Hepburns Ruf war allen bekannt. Sie erhielt dennoch Filmangebote – mit guten Gagen. MGM bot ihr einen Vertrag mit 5000 Dollar die Woche an. Ein anderes Studio bot ihr für einen einzigen Film 125000 Dollar, eine bis dahin noch nie gehörte Summe. Allerdings war das ein Film, an den sie sich unter keinen Umständen verkaufen wollte. Sie erhielt sogar ein Angebot über 400000 Dollar für einen Vertrag mit mehreren Filmen, das sie am Telefon ablehnte. Nein. Wenn es nicht Scarlett O'Hara sein konnte, mußte die Alternative superb sein (Bette

Davis hatte fast dasselbe zu Warner Brothers gesagt, aber nachdem sie bei ihnen unter Vertrag stand, war ihre Bewegungsfreiheit viel begrenzter).

Anstatt diese Angebote zu akzeptieren, fuhr sie nach Hause, schwamm, spielte Tennis. Wenn sie in New York war, fuhr sie Fahrrad im Central Park. Es schien, daß die Lokaljournalisten interessierter an ihrer Garderobe als an ihrer Karriere waren. Sie hatte, berichtete einer, einen Nerzmantel, ein »russisches Halstuch« und drei Hosen. Abends unterhielt sie sich mit Dr. Hepburn über ihre finanzielle Situation, der genausowenig wie sie besorgt war. Die Investitionen warfen immer noch einen hübschen Gewinn ab, und Kate war auf das Studiogeld nicht angewiesen. Sie verbrachte sogar einige Zeit mit ihrem früheren Ehemann, Luddy Smith. Er begleitete sie bei ihren New Yorker Theaterbesuchen und kümmerte sich um einige Finanzgeschäfte, die Kates Vater nicht abwickeln konnte.

Luddy besuchte oft das Sommerhaus in Fenwick, sogar wenn Kate nicht da war. Das Zimmer neben dem von Kates Brüdern war seins, so daß im oberen Stockwerk nur Männer hausten.

Kate lagen jetzt nicht weniger Männer zu Füßen als damals in Hollywood. Howard Hughes war immer noch nicht von der Bildfläche verschwunden. Sie besuchten eine Party, die der künftige Präsident der kommenden New Yorker Weltausstellung, Groven A. Whalen, veranstaltete. Das war eine der seltenen Gelegenheiten, bei der der exzentrische Hughes seine selbstgewählte Isolation verließ.

Ein weiterer Besucher in Fenwick war Philip Barry. Er kam als Gast der Familie und wurde zum Geschäftsfreund. Das Gespräch drehte sich um Ideen für Theaterstücke, und für eines wollte er Kate. Sie sollte einen Charakter namens Tracy Lord spielen. Er wußte, daß einzig und allein sie dafür in

Frage kam. Es war die Geschichte einer jungen, geschiedenen Frau, die am Tag ihrer zweiten Hochzeit feststellt, daß sie doch lieber wieder ihren ersten Ehemann heiraten möchte. Das Stück hieß: *The Philadelphia Story (Die Nacht vor der Hochzeit)*.

Sie sprachen es in Fenwick Wort für Wort durch, und Kate verliebte sich in das Stück. Ihr war bewußt, daß es auch einen guten Filmstoff abgeben würde, aber im Moment befriedigte sie schon der Gedanke, wie wirkungsvoll es am Broadway wäre. Es wäre wirklich großartig. Sie unterhielten sich darüber im Haus und schließlich auf einer Party. Nicht gerade der Ort, der dem urbanen Mr. Barry, einem der bestangezogensten Männer der Theaterszene, vorschwebte. Er konnte nicht ein Stück, von dem er überzeugt war, daß es einen Knüller auf der Bühne abgeben würde, inmitten von Dutzenden von Leuten besprechen, die in politische Diskussionen pro und contra Roosevelt verstrickt waren.

»Wir haben Wälder hier«, sagte Kate, »lassen Sie uns hinausgehen und dort miteinander reden.« Sie redeten, und Kate gefiel immer mehr, was sie hörte. Von Fenwick verlegten sie ihre Diskussionen in Barrys Haus nach Maine. Die Voraussetzungen waren so gut, daß sie sich mit dem Gedanken trug, in das Stück zu investieren. Zuerst sprach sie mit ihrem Vater darüber.

Er betrachtete seine Tochter zugleich mit einem bewundernden und einem beschützenden Auge. Es gab in der Wallstreet kein Geschäft, das so skeptisch wie die Bühne betrachtet wurde, sagte ihr der erfahrene Mann. Aber er war auch in der Lage, ein Drehbuch mit dem Wissen im Hinterkopf zu lesen, was Kate bisher in Hollywood verdient hatte und wie sie es verdient hatte. Er las *Die Nacht vor der Hochzeit*. »Das«, sagte er nach reiflicher Überlegung, »könnte es sein. Das könnte es sein.« Diese Empfehlung genügte.

Es war nicht die einzige. Kate bekam auch noch Rückendek-kung von Howard Hughes, der in der letzten Phase seiner Beziehung mit ihr stand. Er hatte ihr das Fliegen beigebracht und ihr ein Flugzeug zur Verfügung gestellt, damit sie die Entfernung zwischen Fenwick und Maine leichter überwinden und ihre Pläne mit Barry besprechen konnte. Er steuerte auch einiges an Geld bei, auch die Summe, die sie für den Kauf der Filmrechte brauchte.

Bald gehörten ihr das Flugzeug und das Stück. Die »Theatre Guild« wollte es herausbringen, und Kate war bei diesem Geschäft ein vollwertiger Partner. Sie trug ein Viertel des Geldes bei, das gebraucht wurde, um die Show auf die Bühne zu bringen, und erhielt dafür ein Viertel der Bühneneinnahmen. Außerdem kaufte sie die Filmrechte. Sie erhielt zehn Prozent der Bruttoeinnahmen, solange das Stück am Broadway lief, und 12,5 Prozent der Tournee-Einnahmen. In den achtziger Jahren steckten Rechtsanwälte des Showbusiness ihr Köpfe zusammen, um solche Verträge zu entwerfen und glaubten, so etwas wäre noch nie dagewesen.

Aber nicht alles lief so glatt wie der Abschluß des Vertrages. Kate liebte den ersten Akt, konnte aber nicht viel für den zweiten oder dritten empfinden. Während der Diskussionen in Fenwick drehte sie sich einmal zu ihrem Autor und Geschäftspartner um und sagte: »Es tut mir leid, Barry, aber das ist nichts für mich.« Barry schluckte schwer, schrieb aber die Szenen so um, wie Kate es sich vorstellte.

Das Stück war großartig besetzt. Kate hatte hauptsächlich die Darsteller ausgesucht. Sie engagierte Joseph Cotten, der am Anfang seiner Mitgliedschaft in der »Orson-Welles-Theatergesellschaft« stand, für die Rolle ihres Ehemannes, Dan Tobin als ihren Bruder und Shirley Booth (die später mit ihrem Film *Komm zurück, kleine Sheba* Starruhm erlangte), die eine Reporterin spielte.

Die Geschichte war genau auf Kate zugeschnitten, wie ein maßgeschneidertes Paar Hosen aus Paris. Gegen Ende der Vor-Broadway-Tour wurden die Dinge für Kate und Philip Barry nicht einfacher, obwohl das Stück mit tollen Lokalkritiken und hervorragenden Reaktionen des Publikums belohnt wurde. Nur fünf Tage vor der New Yorker Premiere sah Philip Barry in Boston, wo Stücke traditionell ausprobiert werden, eine Aufführung und glaubte, es wäre ein Glück, wenn das Stück eine Woche überleben würde.

»Die Nerven gehen mit euch durch«, belehrte er seine Truppe einschließlich des Stars. »Ihr seid die erstarrtesten Schmierenschauspieler, die ich je gesehen habe.«

Kate akzeptierte das natürlich nicht. Ihr Tonfall war hart und schneidend. »Sie sind eingebildet«, sagte sie in einer ihrer druckfähigen Äußerungen. »Sie haben nicht das leiseste Verständnis für sensible Menschen, und Ihnen sollte nie erlaubt werden, vor der Truppe zu sprechen.«

Katharine Hepburn hatte nicht nur mit ihren Nerven Probleme. Ihre Stimme, die ohnehin sehr schneidend war, klang nun viel zu hart. Ein anderer Lehrer wurde engagiert, um Abhilfe zu leisten.

In einem Zustand gelinder Panik kam Kate kurz vor der Eröffnungsnacht in New York an. Später sagte sie, sie hätte eine solche Angst vor einem Mißerfolg gehabt, daß sie sich »in einem todesähnlichen Zustand befand«. Anstatt in dem Stadthaus zu wohnen, das sie in Turtle Bay gekauft hatte, zog sie ins »Waldorf Astoria«. Sie fühlte sich nicht in der Lage, den Haushalt zu führen und sich gleichzeitig um das Stück zu sorgen. Sie erlaubte keinerlei Besuche, nicht einmal ihrer engsten Verwandtschaft, und hielt die Vorhänge zugezogen. Wann immer sie Momente grenzenloser Panik überkamen, wiederholte sie drei Worte: »Dies ist Indianapolis. Dies ist Indianapolis. Dies ist Indianapolis.« Das war den Leuten von

Indianapolis gegenüber nicht sehr schmeichelhaft, aber sie hätten zweifellos verstanden, was sie damit meinte. Was in Indianapolis geschah, würde sich nicht weiter auf die Karriere von Katharine Hepburn auswirken. Ein falscher Schritt auf dem Broadway jedoch, und sie wäre erledigt.

Während der ganzen Fahrt mit dem Mietwagen zum Theater hielt sie die Augen geschlossen. Sie flüsterte immer noch dieselben Worte. »Dies ist Indianapolis. Dies ist Indianapolis. Dies ist Indianapolis.« Sie sagte sie auch, als sie durch die blumenbewachsene Shubert Alley zum Bühneneingang ging, und wiederholte sie nochmals, als sich der Vorhang hob und sie einige Blumen in der Wohnzimmerkulisse arrangierte. (Sie bestand darauf, ihren Auftritt zu ändern, indem sie nicht in das Zimmer »hereinkam«. Sie sagte, sie hielte es nicht aus, wenn ihr das Publikum applaudierte. Sie mußte die Zeilen sofort sprechen, um es hinter sich zu bringen.)

Vielleicht war das der Trick. Das Stück war ein großer Erfolg am »Shubert Theatre«. Dieses Mal zweifelte Brooks Atkinson nicht an ihr. Er erinnerte dennoch an seine früheren Vorbehalte. »Eine fremdartige, angespannte kleine Lady mit herber Schönheit und metallischer Stimme, für die es bisher schwierig war, eine Rolle beim Theater überzeugend darzustellen. Aber nun hat sie sich in die Hauptrolle von Mr. Barrys Stück hineingefunden und spielt sie wie eine Frau, die endlich die Freude gefunden hat, die sie immer am Theater gesucht hat.« Das war Intuition. Freude war genau das, was sie nun fühlte.

Bei der vierhundertfünfzehnten Aufführung des Stücks, im Herbst des Jahres 1939, waren insgesamt 961 310 Dollar eingespielt worden – eine erstaunliche Summe vor dem Zweiten Weltkrieg am Broadway. Es sollten weitere zweihundertvierundfünfzig Tourneevorstellungen folgen. Das bedeutete, Kates Investitionen hatten sich gelohnt. Und was noch wichtiger war, es wirkte Wunder in bezug auf ihre Karriere. Das Pech schien gebannt. Im Jahre 1940 erhielt sie den New Yorker Kritikerpreis, welcher der besten Schauspielerin der vorangegangenen Saison verliehen wurde. In Dallas, Texas, wo sie die Tournee abschloß, teilte sie im Radio mit: »Ich bin überglücklich.« Dies war eines ihrer seltenen öffentlichen Statements. Dann spielte sie eine Szene des Stücks im Radio. Diese Ehrung wurde angeblich »fast einstimmig« verliehen. Weitere Auszeichnungen folgten. Sie wurde von den New Yorker Journalisten zu einer der bestangezogensten dreizehn Frauen des Jahres gekürt, was für all die eleganten Frauen und Filmleute, die seit langem über ihren Geschmack gelästert hatten, unverständlich war. Bezeichnenderweise war sie nicht unter den zwölf Frauen, die sich im »Waldorf Astoria« für die Fotografen versammelten, um ihre Garderobe vorzuführen.

Aber sie posierte für ein Porträt, das »Den Geist der Toleranz« symbolisieren sollte und vom »Council Against Intolerance in America« (Vereinigung gegen die Intoleranz in Amerika) in Auftrag gegeben worden war. Es wurde als Poster genutzt und hing in New York, Ecke 7th Avenue und 42nd Street. Das »Council« nutzte es für die in ganz Amerika veranstalteten Feierlichkeiten zum Unabhängigkeitstag, die als »Erklärung der Toleranz und Gleichheit« galten. Ihre Eltern waren darüber bestimmt sehr glücklich.

All das ergänzte sich hervorragend mit Kates übrigen politischen Aktivitäten, auch mit der Unterstützung ihrer Gewerkschaft. Sie unterstützte die »Gewerkschaft der Schauspieler und Artisten von Amerika« (AAAA) in ihrem Kampf gegen die »Gewerkschaft der Bühnenarbeiter«, die auch die Schauspieler organisieren wollte. Für Kate war es an der Zeit, einen politischen Standpunkt zu beziehen. »Seit neunzehn Jahren«, sagte sie, »ist die AAAA fähig und ehrlich für die

Belange der Darsteller im Theaterberuf eingetreten.« Katharine Hepburn stellte sich auch gegen den mächtigen Dachverband der Bühnenarbeitergewerkschaft, die »American Federation of Labour« (AF of L). »Jeder Versuch der ›American Federation of Labor‹, die rechtmäßigen Ansprüche der AAAA zu mißachten, wird von den loyalen Mitgliedern unserer Gewerkschaft als Treuebruch angesehen.«

Kate wurde zur Vorsitzenden der AAAA gewählt. Das Ergebnis war ein Zusammenstoß mit einer anderen Tochter aus Hartford, Connecticut, der Varietekünstlerin Sophie Tucker, die lauthals verkündete, sie sei »die letzte der heißen roten Mütter«. »Soph« wollte gerne Mitglied der Bühnenarbeitergewerkschaft werden, der »International Alliance of Theatrical Stage Employees«. Deswegen gelang es Kates Gruppe, Tuckers New Yorker Show *Leave It To Me* zu schließen.

Inzwischen hatten James Cagney und Miriam Hopkins angeboten, die Hepburnsche Haltung zu unterstützen, die nun als offener Krieg gegen Sophie Tucker angesehen wurde. »Ich habe mich schon früher gegen Berühmtheiten durchgesetzt«, sagte Sophie.

Die »AF of L« fungierte als Schiedsrichter und entschied zugunsten Kates. Zu Hause blieb sie Siegerin in einem ganz anderen Kampf. Kate hielt ihren Mittagsschlaf in dem Haus an der 49sten Straße, als ein Einbrecher in ihr Schlafzimmer eindrang. Es gelang ihm nur, eine Perlenkette im Wert von 5000 Dollar zu berühren.

Kate, für die der Mittagsschlaf eine notwendige Voraussetzung war, um abends in *The Philadelphia Story* auf der Bühne zu stehen, sah den Einbrecher aus den Augenwinkeln. Als er zur Tür stürzte, warf sie sich einen Morgenmantel über und stürmte hinterher. Sie rannte die Treppen hinunter. Er eilte an Kates Butler und Koch vorbei, die ihr dabei halfen, ihn auf den Bürgersteig hinauszuhetzen. Es gelang ihm zu entkommen, weil er in ein wartendes Auto sprang, in dem ein Komplize am Steuer saß.

Die Kette lag währenddessen sicher auf Kates Frisiertisch. Der Presse gegenüber war sie nicht mitteilsamer als sonst. »Ich will nicht darüber sprechen«, sagte sie, und sprach in einem Tonfall, der nie seine beleidigende Wirkung verfehlte. »Das sind keine Nachrichten.«

Die Philadelphia Story war auf jeden Fall eine Nachricht. Lange nach den ersten Rezensionen wurde noch darüber geschrieben. »The New York Times« wußte nicht, ob sie über diese Entwicklung erfreut oder entnervt sein sollte. In einem langen Feature schrieb Jack Gould: »Die Legende der Hepburn kommt nahe an die von der Größe der Füße der Garbo heran. Seit einer Dekade blüht und sprießt die Fabel in einem Ausmaß, daß sich der Didaktiker Aesop im Grabe umgedreht hätte.« Freunde und Feinde klagten darüber, daß sie ihre Yankeenase ein bißchen zu hoch trug...

Klatschreporter der Fanmagazine jagten sie so, daß sie sich mitten auf den Hollywood-Boulevard kauerte. Den Schreibern der Schlagzeilen gefiel das.

»Ach, es hat eine ›große Veränderung‹ gegeben. Überall wird gemunkelt, daß der Hepburn-Legende ein neues Kapitel hinzugefügt werden muß. Süße und Licht sind dem kleinen Hitzkopf erschienen. Die Zeit und ein Showhit haben sich nur positiv ausgewirkt, wie aus angeblich gut unterrichteten Kreisen zu vernehmen ist. Alles könnte vergeben und vergessen sein.«

Tatsächlich sagte Mr. Gould eine ganze Menge, und vieles davon entsprach der Wahrheit. Der Erfolg von *Die Philadelphia Story* hatte Kate viel selbstsicherer gemacht. »Die ehrlichste Erklärung ist (und der Autor stimmt damit überein), daß sie auf langfristige Erfolge setzt. In der letzten Saison schockierte sie die Hollywood-Kreise, weil sie sich für eine ordentliche Summe aus ihrem Vertrag mit einer Filmfirma freikaufte, nur um ihren Ruf und ihre Zukunft auf der Bühne zu erhalten... Wie das bei Spielern üblich ist, hat der Sieg Miss Hepburn Spaß gemacht. Trotz all des Ruhms, den sie mit ihren Filmen eingeheimst hat, ist es ihr wirkliches Ziel, Erfolg hinter den Rampenlichtern zu haben. Vielleicht nur deshalb, weil alle gelacht haben, als sie ihren Mitschülerinnen im Teenageralter erzählte, sie würde Schauspielerin werden. Miss Hepburn lacht nun als letzte für drei Dollar dreißig pro Kopf im ›Shubert‹.«

Nach dem Riesenerfolg des Bühnenstücks in New York und auf der Tournee verkaufte sie die Filmrechte an MGM. Alle Studios waren hinter den Rechten her gewesen, als hätte keiner von ihnen irgendwelche Vorbehalte gegen Drehbuch oder Star gehabt. Die Filmgewaltigen benahmen sich wie Zirkusclowns und vollführten verbale Salti, um sie in den Ring einzuladen.

Die Männer, die sich hinter ihren Schreibtischen verschanzten, um Schauspieler und andere Angestellte einzuschüchtern, die gewaltige Anstrengungen hinter sich bringen mußten, bis sie vor ihnen standen und die ihren Helfern früher zugeraunzt hatten: »Halten Sie mir die verrückte Tante vom Hals«, sagten nun ganz andere Dinge. Sie waren selbst am Telefon (wahrlich eine Seltenheit), nur um die »liebe Katharine« einzuladen, mit ihnen zu Mittag zu essen. Normalerweise wurden niemals einfache Schauspieler eingeladen, aus Angst, sie könnten einen Fetzen Klatsch mitbekommen, der nicht für ihre Ohren bestimmt war. Was stellt man nur alles für eine Unterschrift an.

Kate unterschrieb bei MGM, weil sie glaubte, daß die Kultur, die das Studio zu zeigen begann, für »ihre« Geschichte gerade richtig war. Sie machten außerdem das beste Angebot, was man vielleicht den Schuhen, die sie trug, zuschreiben konnte.

Garson Kanin, der zu Recht gerühmte Memoiren verfaßte, die ihn Kates Freundschaft kosten sollten, schrieb darin, daß sie sich wegen der Schuhe, häßlich im Design, aber mit massiv hohen Absätzen, fühlte, als throne sie über Louis B. Mayer, der vielleicht dadurch gehemmt war. Das könnte möglich sein. Es war nicht einfach, mit Miss Hepburn zu argumentieren, wenn sie sich einmal etwas in den Kopf gesetzt hatte. Wenn sie etwas ihrer Meinung nach zu Recht forderte, machte der Eindruck von Größe, hervorgerufen durch diese scheußlichen Schuhe, Männer wie Louis B. Mayer im Positiven zittern.

Bei anderen Leuten erlaubte sich »L. B.«, Kaskaden von Tränen auf seine Schecks fallen zu lassen, damit sie den großen Akt von Nächstenliebe »begriffen«, den er ihnen zukommen ließ, indem er ihnen das Privileg einräumte, auf dem MGM-Gelände zu weilen oder gar in seinen »Culver City Studios« zu arbeiten.

Kate vermittelte einem Studioboß sofort einen Eindruck von Terror. Würde sie mit Leo, dem MGM-Löwen, in einen Käfig gesperrt, wäre es die Bestie, die an den Gitterstäben rütteln würde, um herausgelassen zu werden.

Einen Filmvertrag unter Dach und Fach zu bringen, ist manchmal wie Kinderkriegen. Dieser Vergleich ist für den Vertrag zu *Die Nacht vor der Hochzeit* absolut zutreffend. Es dauerte nicht weniger als neun Monate, um alles zu organisieren. Kate hatte gewisse Bedingungen an das Geschäft geknüpft. Sie bestand nicht nur darauf, selbst die Hauptrolle der Tracy Lord zu spielen, es gab auch nur einen Mann, der für die Regie in Frage kam, George Cukor.

Die beiden hatten sich verschworen. Seitdem sie die Filmrechte gekauft hatte, sprachen sie ständig über das Projekt. Cukor hatte sich das Stück häufig auf der Bühne angesehen, er kannte nicht nur die Geschichte, sondern sah auch, bei welchen Auftritten sein Star am besten war, und er wußte, wo er hier und da eine Szene ändern und vielleicht einige neue Episoden einfügen mußte, um das Drehbuch zu verbessern.

Donald Ogden Stewart wurde verpflichtet, das Drehbuch zu schreiben. Denn Cukor war sich nicht sicher, ob Barry das Stück so umschreiben konnte, daß es sich für eine Filmversion eignete. Louis B. Mayer stimmte dem allen zu. Aber er bestand trotzdem auf einer Anzahl von Vertragsbestimmungen, die er als eine Art Versicherungspolice betrachtete. Entweder weil er glaubte, daß er mehr als seine Gegenspieler zu verlieren hatte, oder weil er sich insgeheim noch immer Sorgen machte, ob es das »Kassengift« Hepburn nicht doch noch gab. Deshalb war er dagegen, Joseph Cotten als Partner von Kate zu engagieren. Wie mir Cotten Jahre später gestand, war das eine der großen Enttäuschungen seiner Karriere. Mayer wollte, daß große Stars wie Robert Taylor mit Kate spielten. »Nein danke, L. B.«, sagte der gutaussehende Schauspieler, der dafür bekannt war, nur Rollen zu spielen, die für ihn geschrieben waren.

Clark Gables Ablehnung hörte sich folgendermaßen an: Es wäre dem Studio gegenüber nicht fair, wenn er all das Gute, das er für MGM mit *Vom Winde verweht* erreicht hatte, mit einer schwierigen Person wie Katharine Hepburn aufs Spiel setzte. Er war schon einmal an Columbia »verkauft« worden, das damals der Abschaum der Hollywoodstudios war, weil er einer Anweisung von Mayer nicht nachgekommen war. Das Ergebnis war der erstaunliche Film *Es geschah in einer Nacht*. Deshalb war der Filmmogul nicht geneigt, allzu nachdrücklich zu argumentieren. Er entschied sich für zwei Männer, die bei ihm unter Vertrag waren. Er glaubte, daß sie bekannt genug waren, damit die Leute vor den Kinokassen Schlange standen – sogar wenn sie die Aussicht auf

Katharine Hepburn nicht dazu verlocken sollte, ihren Platz vor dem Kamin zu verlassen.

Ihr erster Tag bei Metro verlief nicht besonders herzlich. Man ließ sie eine Stunde lang in einem Außenbüro warten, bis George Cukor sie hereinholte. Es war natürlich die große Frage, ob sie wirklich ihren Fluch als »Kassengift« bannen konnte. Sie selbst sagte dazu nur: »Ich habe mehr Geld mit dem Theaterstück *Die Nacht vor der Hochzeit* verdient als während meiner ganzen Zeit in Hollywood.« Um den Film zu machen, mußte Kate einen langfristigen Vertrag mit Mayer akzeptieren. Zunächst versuchte er, hart zu verhandeln. Kate fehlten jedoch nicht die nötigen Waffen, um darauf zu reagieren. »Sehen Sie, Mr. Mayer«, sagte sie, »ich weiß, daß Sie bewußt charmant zu mir sind, und trotzdem bin ich entzückt.« Sie war so entzückt, daß es laut Kate zu einer »fairen« Übereinkunft kam. Sie setzte sich durch.

Der Vertrag wurde ausschließlich mündlich geschlossen. So etwas war in der Geschichte des Studios noch nie dagewesen. Trotz all seiner tränenreichen Effekthascherei akzeptierte Mayer, daß diese Frau etwas Ungewöhnliches hatte, das ihn ihre Bedingungen akzeptieren ließ. Sie sagte immer, daß er jede Klausel dieses Vertrages erfüllt habe. In einem Interview mit Louella Parson sagte sie Jahre später: »Ich werde so wütend über einige Sachen, die Mayer nachgesagt werden. Mr. Mayer... verstand die qualvollen Launen, die einen Künstler befielen. Er wurde nicht wütend, wenn sich seine Stars betranken oder Dinge taten, die sie nicht tun sollten.« Er engagierte Cary Grant für die Rolle ihres Exgatten – er kam immer gut mit Kate aus, und deshalb bestand keine Gefahr, daß das Arbeitsklima vergiftet werden würde – und James Stewart als Journalisten, der über die Familienfeier berichten sollte.

Es waren fröhliche Dreharbeiten. Häufig alberten sie herum

und sorgten damit für eine gute Atmosphäre, obwohl sie bei einer Gelegenheit eher hitzig war. Kate überreichte einem Mitglied der Crew ein eingepacktes Geschenk. Als dieses aufgeregt das Papier abriß, kam eine seidenbespannte Dose zum Vorschein, die ein mausetotes Stinktier enthielt. Nicht ganz das, was man von einer Dame mit Miss Hepburns Abstammung erwartete. Aber solche Aktionen waren typisch für Kate. Sie fand das Tier auf dem Weg ins Studio und dachte, die anderen Ensemblemitglieder hätten Spaß an einem anständigen Begräbnis. Mit gebührender Feierlichkeit schritt Kate nach draußen und grub selbst das Loch für die Begräbniszeremonie. Sie überreichte das Geschenk Jack Greenwood, der die schwierige Aufgabe hatte, sie zu korrigieren, wenn sie einen Textfehler machte. Vielleicht versuchte sie, ihm damit etwas zu sagen. Aber es schien wohl eher ein sehr guter Scherz zu sein.

Hatte Kate sich geändert? Sie erweckte diesen Eindruck. Sie war sogar einverstanden, mit der Presse zu sprechen und für Standfotos zu posieren.

Die Geschichte war goldrichtig für Kate. Der Text »Wer zum Teufel glauben Sie eigentlich, daß Sie sind? Sie belästigen friedliche Leute, schauen jeder kleinen Verschrobenheit zu, machen sich Notizen darüber, wie wir sitzen und stehen und sprechen und essen und uns bewegen« kam geradewegs aus Kates Kathechismus.

Sie war durch nichts zu Taten zu bewegen, die Hollywood seinen Darstellern vorschrieb. Kurz zuvor hatte sie zugegeben, daß ihr vom Studio mit dem Rauswurf gedroht worden war, weil sie MGM irritiert hatte. Eine Irritation, die sich von ihren üblichen Kämpfen mit dem Establishment unterschied.

Dieses Mal war der Grund ein politischer. Sie sagte, daß sie ihre Stimme nicht dem republikanischen Gouverneur Sinclair aus Kalifornien geben würde. Die Demokraten hatten behauptet, daß ihre Gegenspieler von den Topstars eine Tagesgage für ihre Wahlkampfkasse verlangten, und alle großen Studios kooperierten und brachten ihre Darsteller dazu. So etwas war ganz und gar nichts für die Hepburn. Die Aufregung legte sich nach einiger Zeit.

Es war unwahrscheinlich harte Arbeit für Kate, den Film zu produzieren und darin zu spielen. Sie verlor acht Pfund während dieser Zeit. Sie fand jedoch immer noch Zeit, um Tennis zu spielen, wenn sie nicht am Drehort gefordert war oder das redigierte Drehbuch lesen mußte. Kates Anteil an dem Geschäft war eine Viertelmillion Dollar wert. Damals eine noch nie gehörte Summe. Es war noch etwas ungewöhnlich bei diesem Film. Ein Regieassistent bekam soviel Macht, daß ein älterer Mann wie Cukor das sicher als Einmischung in seine Arbeit und ein Star, ganz besonders die Hepburn, vielleicht als Impertinenz ansahen. Eddie Woehler, Cukors Assistent, wurde sowohl ein Resonanzboden für die Gedanken seines Chefs als auch ein brauchbarer Ideenproduzent. Ebenso Woehlers Frau.

Woehler sagte, Kate »flattere« in dem Stück zuviel. »Meine Frau sah das in dem Stück«, berichtet er, »und es gefällt ihr nicht. Laß Miss Hepburn in dem Stück nicht so herumflattern, George. Das ganze affektierte Herumgerenne macht meine Frau verrückt.«

Aber damals gab es andere Leute, die Kates »Herumgerenne« anzog. Unter ihnen Franklin D. Roosevelt, der als einer der ersten amerikanischen Politiker erkannte, wie wertvoll es sein konnte, Spitzenleute aus dem Showbusiness um sich zu scharen. Im Jahre 1940 wurden zahlreiche Stars in Roosevelts Haus nach Hyde Park im Staate New York eingeladen, um eventuelle Public-Relations-Beiträge für seinen kommenden dritten Wahlkampf zu besprechen. Kate war darunter. Aber anstatt in einem extra für die Hollywood-Leute gecharterten Zug zu reisen, nahm sie sich ein Wasserflugzeug mit Pilot.

Er landete mitten auf einem Fluß im Hyde Park, und Kate watete mit hochgekrempelten Hosen ans Ufer. Einiges von dem Modder blieb hängen. Ein Mann wie Roosevelt sah die komische Seite der Situation, die im Hinblick auf Wählerstimmen sehr wertvoll sein konnte. Als der Präsident in seinem Auto an ihr vorbeifuhr, rief er: »Ich bin sehr geschmeichelt, Katharine, daß Sie sich all diesen Unannehmlichkeiten aussetzen, nur um mich zu sehen.« Das war ein Ausspruch, der es verdiente, um die ganze Welt zu gehen. Ein Präsident, der mit Filmstars herumalberte? Der Mann mußte schließlich doch irgendwie menschlich sein!

Es schien, als wäre eine ganze Reihe Leute bereit, dieses Kompliment an Kate zurückzugeben – so wie Laurence Olivier und Vivien Leigh, das schöne englische Mädchen. Kate war sich allerdings noch nicht sicher, ob sie ihr vergeben würde, daß David O. Selznick sie entdeckt hatte und sie dadurch um die Rolle der Scarlett O'Hara gebracht worden war. Das Paar war in Hollywood, um den Film *That Hamilton Woman* zu drehen. Vivien spielte die Lady Hamilton und Oliver den Nelson. Außerdem befanden sie sich gerade mitten in ihrer eigenen Liebesgeschichte. Aber die war frustrierend. Olivier war immer noch mit Jill Esmond verheiratet und wartete geduldig auf den Tag der Scheidung, um für eine neue Heirat frei zu sein.

Als der Tag kam, bot Ronald Coleman sein Haus in Santa Barbara für die Trauungszeremonie an. Es wurde alles außergewöhnlich hastig und zugleich ruhig arrangiert, um die Reporter auszubooten. Der Schriftsteller George Kanin war einer der wenigen, der davon erfuhr. Er erhielt einen mysteriösen Anruf, in dem vorgeschlagen wurde, er solle als Trauzeuge fungieren und sich um einen zweiten Zeugen kümmern. »Wie wär's mit Kate als Brautjungfer?« fragte er. Das Paar hatte keine Einwände und auch Kate nicht, die sofort bei der Sache war. Sie war nicht nur mit dem Paar befreundet, das bald als »die Oliviers« bekannt sein würde, ihr gefiel es auch, den Reportern und Fotografen ein Schnippchen zu schlagen – egal, wobei. Dies war ein Teil ihres Krieges gegen die Presse, und sie roch einen Kampf, den man gewinnen konnte.

Bald waren die Oliviers das Paar Nummer eins in Theaterkreisen, das die Lunts und Barrymores vom Thron stieß. Aber die Familie, die in Amerika immer noch am meisten zählte, waren die Roosevelts. Als Eleanore Roosevelt, die Gattin des Präsidenten und selbst eine der politisch Einflußreichsten im Lande, Kate um Hilfe bat, war das kein Anliegen, das leichtfertig abgetan werden konnte. Nicht einmal von einer Dame, die zuzeiten sehr wenig Respekt vor Autoritäten hatte.

Amerika war offiziell noch im Frieden, aber Mrs. Roosevelt war genauso entschlossen wie ihr Mann, daß die USA den Kampf gegen den Nationalsozialismus unterstützen sollten. Als die Propagandamaschinerie der Regierung einen Film drehen wollte, der mehr Frauen dazu bringen sollte, ihrem Land zu helfen – das war fast ein Jahr vor Pearl Harbour*–, bot die First Lady all ihre Unterstützung für das Projekt an. Besser: die Hilfe von Leuten, die sie kannte. Eine davon war Katharine Hepburn.

»Ich hätte gerne, daß Sie den Filmtext sprechen«, sagte Mrs. Roosevelt. Kate sagte sofort ja.

Das war etwas völlig anderes als ihre Filmrolle in *Die Nacht*

---

* Anm. d. Übers.: Flottenstützpunkt der USA auf der Hawaii-Insel Oahu, der am 7. 12. 1941 von japanischen Streitkräften angegriffen wurde.

vor der Hochzeit, die ein noch größerer Erfolg als die Bühnenversion war. Kate ließ deswegen keine falsche Bescheidenheit aufkommen. »Ich sah es wie eine Vision«, sagte sie damals. Der Film war vergleichbar mit einem Evergreen. In Hollywood ist man weniger zurückhaltend, dort sagt man Klassiker.

Aber er brachte ihr nicht den Oscar, für den sie nominiert worden war, und den sie liebend gerne gewonnen hätte. Das hätte nämlich bewiesen, daß sie endlich wieder fest im Sattel von Hollywood saß. Statt dessen bekam Ginger Rogers die Trophäe für ihre Titelrolle in *Kitty Foyle* – eine Rolle, die auch Kate angeboten worden war. Wie auch immer, das wurde durch den Kassenerfolg für sie ausgeglichen.

Die Nacht vor der Hochzeit brach alle Rekorde der »Radio City Music Hall«, der Ort, an dem die Hepburn mit *Vier Schwestern* schon Triumphe gefeiert hatte. Aber Kate hob nicht ab. Keine Champagnerparties. Keine neuen Autos. Nur einige Geschenke, wie acht Badeanzüge, von denen sie die meisten ihrer Schwester Peggy schenkte. Einen davon behielt sie für sich selbst. (Der Film wurde fünfzehn Jahre später neu gedreht. Ein Musical mit Grace Kelly in der Hepburn-Rolle, Bing Crosby als Exgatte und Frank Sinatra als Reporter. Dieses Musical hat auch Lorbeeren verdient – allerdings hauptsächlich wegen der Musik von Cole Porter. In diesem neuen Kostüm hieß es *High Society* oder *Die oberen Zehntausend*.)

Diese Geschichte beschäftigte Kate lange Zeit und sie war auch nicht willens, sich davon zu lösen. Als der Film abgedreht war, ging sie mit der Originalfassung des Stücks auf Tournee. Es sah fast so aus, als hielte sie diese Bühnenversion für besser, und als wolle sie deren Geschmack auf der Zunge behalten. Die letzte Vorstellung fand unausweichlich in Philadelphia statt. Nach der letzten Szene dieser Aufführung trat sie an den Rand der Bühne und sagte dem Publikum, es würde nie wieder gespielt. Sie wollte nicht, daß die Bühnenarbeiter den Vorhang runterließen. »Laßt die Leute einfach weggehen«, ordnete sie an. »Der Vorhang ging nie herunter über dem Stück *Die Nacht vor der Hochzeit*.«

Es war auch ihr Klassiker. Und ob mit oder ohne Schuhe, sie ging tatsächlich sehr aufrecht.

7

CLARA SCHUMANNS
GROSSE LIEBE

Spencer Tracy war irisch derb, hatte rote Haare und ein Temperament, das perfekt zu seinem Aussehen paßte. Er war außerdem ein großartiger Schauspieler, mit einer Frau namens Louise verheiratet, hatte einen Sohn, der Johnny hieß, und eine Tochter namens Susie.

Johnny wurde taub geboren und konnte nicht sprechen, bis es ihm Louise beibrachte. Sie wurde eine Kapazität im Umgang mit tauben Kindern. Durch Louises Hilfe konnte Johnny sogar das College besuchen.

Spencer war ein hingebungsvoller Familienmensch mit einigen Problemen. Sein größtes Problem war, daß ihm alles zuviel wurde. Er lebte nicht gerne zu Hause. Außerdem trank er. Kate und Tracy kannten einander seit einiger Zeit. So wie Hollywood-Leute eben diejenigen kennen, die genauso erfolgreich wie sie selbst sind. Sie werden keine Intimfreunde, aber reden übereinander wie andere über ihre Nachbarn, nennen sich beim Vornamen, kennen die Spitz- und Kosenamen (Freddy, Greg, Harry, Kate), sogar wenn sie sich gegenseitig nie zu Hause besuchen.

Die beiden brachte ein Film zusammen, den Garson Kanin plante. Er handelt von einer Frau, die politische Kolumnen schreibt und einen Sportreporter heiratet. Das einzige, was die beiden gemein haben, ist die Liebe zueinander. Kanin dachte dabei sofort an seine beiden engen Freunde, die noch nie zusammengearbeitet hatten. Er glaubte, daß sie sich auf natürliche Weise ergänzen würden.

Kurz nachdem Kanin Kate überzeugt hatte, daß sie die Rolle der Kolumnistin spielen sollte, wurde er zum Militärdienst einberufen. Er gab die Filmidee an seinen Bruder und Ring Lardner Jr. weiter. Bald danach entstand daraus *The Woman of the Year (Die Frau, von der man spricht)*. Wie der Film dann zu MGM gelangte, war selbst eine typische Schwarzweiß-Hepburn-Tracy-Geschichte der frühen 40er Jahre.

Garson Kanin schickte ihr das fertige Drehbuch. Als es ankam, beichtete sie später, hatte sie Angst reinzuschauen. Aber dann las sie es. »Es ist großartig«, sagte sie ihrem Freund am Telefon und schickte es an Joseph L. Mankiewicz weiter, von dem sie wußte, daß er Filmrechte für Metro kaufte. Aber bevor sie das Werk weiterschickte, riß sie die erste Seite ab, auf der die Autorennamen standen. Die beiden Männer hatten die Geschichte selbst geschrieben, und Kate wollte auf keinen Fall riskieren, daß etwas davon bekannt wurde, indem sie es an eine der üblichen Agenturen schickte. Dafür gab es zwei Gründe. Zum einen war sie überzeugt, daß das Studio ein Drehbuch von Autoren, die in Hollywood völlig unbekannt waren, ablehnen oder zumindest den Preis so drücken würde, daß er nicht mehr dem Wert der Arbeit entsprechen würde. Zum anderen gelangte der Klatsch über eine eventuelle Ablehnung wie die Nachricht einer verbotenen Romanze zu den anderen Studios. Wenn die Studios die Namen der Autoren aber nicht kannten... Das war so, als wüßte man die Namen von den Leuten nicht, die an einem saftigen Skandal beteiligt waren.

Kate hat trotz aller Härte, die man ihr zuschreibt, den Ruf, Gutes für Frauen und Männer zu tun, die sie kaum kennt. Die Taten erregen sofort Aufmerksamkeit, auch wenn sie keine

Resultate garantieren kann. Genau wie die Autoren wollte sie in diesem Fall, daß die Geschichte angenommen wird.

Mankiewicz – von dem gesagt wird, daß er sie einmal »Katharine von Arroganz« getauft hatte – war äußerst mißtrauisch.

Vor nur einem Tag hatte Mayer ihr gesagt: »Ich bin enttäuscht, weil wir nichts für Sie gefunden haben. Ich bin sogar noch enttäuschter, weil Sie selbst nichts für sich gefunden haben.« Das hatte sie jetzt. Kate fuhr nach New York, und Mankiewicz versprach, sich dort bei ihr zu melden. Als sie in der 49sten Straße ankam, wartete bereits die Nachricht auf sie, daß er angerufen hatte.

Die erste Frage war unvermeidlich: »Wer hat das geschrieben?« Er glaubte die Antwort zu kennen. Sie hatte ihm bereits gesagt, daß es eine Geschichte von zwei Autoren war. Er vermutete, daß es Ben Hecht und Charles MacArthur waren, die Autoren der klassischen amerikanischen Zeitungsgeschichte *The Front Page*. Außerdem beschlich ihn das Gefühl, daß es teuer sein würde. Er wollte wissen, wie teuer. Kate sagte es immer noch nicht. Sie mußte erst einige Berechnungen anstellen. Aber die Angelegenheit durfte nicht ruhen, nicht einmal für einen Tag. Ein weiterer MGM-Mitarbeiter, Sam Katz, rief sie an und stellte dieselben Fragen. Sie gab immer noch keine Antworten.

An diesem Punkt wurde wieder der Name Spencer Tracy genannt. Mankiewicz übernahm den Hörer und erzählte ihr, er habe die Geschichte Tracy gezeigt, dem sie so sehr gefiel, daß er hoffte, dafür seine Rolle als verarmter Farmer in *Die Wildnis ruft* verschieben zu können.

Jetzt konnte nur Mayer selbst die Verhandlungen zum Abschluß bringen. Es war die typische »L.B.«-Szene: die Botschaft von Vertrauen, seine Bewunderung ihres großen Talents, sogar ihrer Schönheit, seine Aussage, daß es in ihrem

Interesse sei, völliges Vertrauen zu zeigen... Der Kloß in seinem Hals wuchs wie ein Schneeball, der einen Hügel hinunterrollt; die Brille hatte er abgenommen, so daß er die Gläser putzen konnte, während er über die Fernsprechleitung von Culver City nach Manhattan flehte. Sie versprach, zurück an die Westküste zu fliegen, um mit ihm direkt zu verhandeln. Diesmal gebrauchte sie keine Ausflüchte. Sie sagte, daß sie all das wisse, was ihr Mayer am Telefon gesagt hatte. Sie wußte auch, daß sie ein gutes Filmrecht eingekauft hatte, was sie willens war, ihm abzutreten. Sie war immer noch nicht bereit, den Preis zu nennen, aber die Namen der Autoren, wenn er sie unbedingt wissen wollte... Den Rest kann man sich vorstellen. »Katharine, Liebling...« Die »liebe Katharine« nannte einen Preis von 211 000 Dollar. Sie fügte nicht hinzu: »Nehmen Sie an oder lassen Sie es.« Aber darauf lief es hinaus. Es war eine seltsame Summe, der jedoch Berechnungen zugrunde lagen. Sie wollte 100 000 Dollar für die beiden Autoren und 111 000 Dollar für sich selbst und für ihren Einsatz, um alles in Gang zu bringen. Mayer offerierte 175 000 Dollar. Ohne Herumgerede sagte sie nein. Wie im Himmel sie auf diese ausgefallene Summe von 111 000 Dollar gekommen war, wollte er wissen. 5 000 Dollar für jeden ihrer beiden Agenten, erklärte sie. Sie sah nie ein, daß die beiden Provision von ihrem Geld bekamen. Weitere 1 000 Dollar für »Telefonate und Sonstiges«.

Es war abgemacht. Mayer sagte, er würde den geforderten Preis zahlen (zweifellos nicht ohne einige dicke Tränen während der Berechnungen des Filmbudgets zu vergießen), und nun wollte er die Autorennamen wissen. Sie rückte damit heraus, und Mayer zuckte mit seinen hängenden Schultern im Nadelstreifenanzug von Eddie Smith (Hollywoods Schneider Nummer eins).

Außerhalb des Büros küßte Mankiewicz, der alles mitgehört

hatte, den Star seiner nächsten Produktion und sagte: »Ich habe soeben einen Verhandlungskünstler geküßt.« Kate war wie ein Dirigent bei einer Orchesterprobe. Mit den Autoren und George Stevens – er sollte Regie führen – ging sie bis um zwei Uhr morgens Zeile für Zeile das Drehbuch durch.

Es war das erste Mal, soweit sie sich erinnern konnten, daß Kate nach zehn Uhr abends aufblieb. Man untersuchte jedes Detail, so wie man jedes Haar von einem Rassehund untersucht, der für eine Ausstellung hergerichtet wird. Niemals hieß es »yes« (ja) bei Kates Text. Normalerweise sagte sie »yah«. Warum sollte sie sich anders als normal anhören? »Rahly« sprach sie »really« (wirklich) aus, also erschien es so im Drehbuch. George Stevens wollte von Anfang an, daß die Rolle des Sportreporters von Spencer Tracy gespielt wird. Die Kanin-Brüder und Ring Lardner waren derselben Ansicht. MGM, die Kate jetzt einen langfristigen Vertrag gegeben hatten, um all ihren Forderungen nachzukommen, wollten auch niemand anderen. Die einzige, die Zweifel hatte, war Kate selbst. Sie zweifelte noch, als sie sich zum ersten Mal trafen.

»Ich fürchte, Mr. Tracy«, sagte sie höflich, aber bestimmt, »daß ich zu groß für Sie bin.«

»Keine Angst«, antwortete Spencer, »ich werde sie bald auf die richtige Größe zurechtstutzen.«

Beide lachten. Sie standen am Anfang einer Partnerschaft, die niemand vorausgesehen haben konnte. Es war der Beginn einer der größten Liebesgeschichten, und sie war einmalig in der Klatschmetropole Hollywood. Nichts über Gable und Lombard blieb verborgen. Errol Flynns Beziehungen waren so gut dokumentiert, daß sogar Jack Warner von Warner Brothers (die Gerüchte über Damen, die wegen eines guten Vertrages für ihn die Kleider auszogen, waren Legion) darauf bestand, daß er entweder die Beziehungen beende oder eine der betroffenen Damen heirate. Bogarts Affären halfen zahlreichen Skandalblättern und Magazinen, am Leben zu bleiben.

Aber aus Gründen, die nie geklärt wurden, wußten viele Leute von ihrer Beziehung, sagten aber nichts. Natürlich hätten die Einzelheiten genügend Gelegenheiten für die Journalisten geboten, die Kate den »sauren Apfel« für mangelnde Kooperation verliehen hatten, um Rache an ihr zu üben. Aber sie taten es nicht. Vielleicht wußten sie um Spencers häusliche Probleme. Vielleicht hatten sie Respekt vor Louises Arbeit und wollten sie nicht aufregen. Vielleicht waren sie einfach über ein Liebesgeschichte gestolpert, die niemand verderben wollte. Das alles scheint jedoch höchst unwahrscheinlich. Tatsache ist, daß die Presse nichts davon wußte. Der Klatsch verstummte, weil die Filmstadt sich vor die beiden stellte. Aber als man die Einzelheiten für *Die Frau, von der man spricht* besprach, war das noch Zukunftsmusik.

Einige Leute waren jetzt schon richtig glücklich. Besonders Mike Kanin und Ring Lardner Jr. Nachdem alles geklärt war, wurde ein neuer Wagen vor Kates Haus in Hollywood abgestellt. Am Zündschlüssel hing eine Nachricht: »Für die Agentin des Jahres von den Autoren von *Die Frau, von der man spricht.*« Das erleichterte ihr vielleicht ihr liebstes Hobby: Einbrechen.

Kein Dach war ihr zu hoch. Mit Hilfe irgendeines bestürzten Freundes, mit dem sie gerade zusammen war (es kostete viel mehr Mut, sich über Kates Handlungen zu beschweren, als ihr zu helfen und sie zu unterstützen), kletterte sie an der Dachrinne hoch und stieg durch das nächstgelegene Fenster. Sie erzählte ungläubigen Gästen in Hollywood stolz: »Nichts kann mich draußenhalten.« Sie schnüffelte einfach herum, durchquerte ein Zimmer, ging durch eine

Tür und stieg durch das nächste Fenster wieder hinaus, sobald sie genug gesehen hatte.

Aber sie fügte immer hinzu, daß die Anwesenheit eines Freundes erforderlich war, denn sie war – und das muß man ihr einfach abnehmen – »von Natur aus ängstlich«. Sie erklärte: »Ich stieg durch eine Dachluke, warf meiner Freundin ein Seil zu und zog sie hinauf. Ich habe nicht allzuviel Mut, wenn ich alleine bin. Die Leute glauben das immer, aber es stimmt nicht. Doch ich habe große Fähigkeiten, wenn ich angestachelt werde.« Das traf sowohl für ihre Schauspielkunst als auch für ihr Einbrecherdasein zu.

»Ich glaube manchmal, daß unser Gewerbe demütigend ist, weil man letztendlich nichts anderes als eine gewöhnliche Prostituierte ist. Man verkauft sich, und wenn man zu lange dabei war, fangen die Leute an zu sagen, ›Himmel, wir haben genug davon‹.« Sie war inzwischen begeistert, daß Spencer Tracy mit ihr filmen würde. Sie hatte sich einige seiner Arbeiten angesehen und stimmte den Autoren zu, daß einzig er für die Rolle in Frage kam. Er hatte inzwischen schon angefangen, *Die Wildnis ruft* zu drehen, und haßte das Projekt. Es wurde vor Ort gedreht. Das bedeutete Sümpfe und Schwärme von Fliegen. Er verabscheute diese Umgebung. Als der Kameramann ebenfalls beschloß, den Drehort nicht zu mögen, weil er die Fliegen nicht vom Objektiv fernhalten konnte, war das für alle ein Geschenk des Himmels. Spencer konnte sich ruhigen Gewissens verabschieden, weil der Film ohnehin nicht zustande kam, und Kate bekam den Darsteller, den sie wollte. (*Die Wildnis ruft* wurde vier Jahre später mit Gregory Peck in der Hauptrolle gedreht. Er spielte den Farmer mit dem kleinen Jungen, der sich in ein Rehkitz verliebt. Greg erzählte, daß seine Erinnerung an den kleinen Jungen unvergeßlich ist – Claude Jarman Jr. –, der auf Kommando weinen, aber dann nicht mehr aufhören konnte.

Das hätte Spencer auch nicht gefallen.) Das erste Treffen zwischen Kate und Spencer war nicht einfach gewesen. Das war schon vor der Drohung, sie auf die richtige Größe zurechtzustutzen. Er beobachtete, wie sie gekleidet war. »Nicht mit mir, Junge«, sagte er zu Joseph Mankiewicz. »Mit so etwas möchte ich mich nicht einlassen.« Worauf er sich nicht einlassen wollte, waren Kates Hosen. »Sehen Sie«, sagte Mankiewicz zurückhaltend, »Spencer mag keine Frauen, die Hosen tragen.«

Kurz danach erzählte Kate, wie sie aus dieser mißlichen Lage herauskam. »Es war mir völlig egal. Nun, ich habe immer Hosen getragen. Ich habe sie nie nicht getragen. Ich weiß, daß ich schöne Beine habe, aber ich bin der Ansicht, daß die Frauen heiliggesprochen werden sollten, welche die Strumpfmode mitmachen. Diese Mode ist so langweilig. Ich trage kein Make-up, nicht einmal Lippenstift.«

Gleich zu Beginn der ersten Filmszenen zeigte sie offen Zuneigung für Spencer Tracy, die sich zu echter, reiner Liebe entwickelte, noch bevor die letzte Aufnahme im Kasten war. Außerdem hegte sie Bewunderung für seine schauspielerischen Fähigkeiten. Bei einer der ersten Szenen an der Bar verschüttete sie versehentlich ein Glas Wasser, während die Kamera lief. Normalerweise hätte sie abgebrochen, der Regisseur hätte »Schnitt« gerufen, aber Stevens wußte, daß Spencer weiterspielen würde, als sei nichts geschehen, und das tat er. Er zog ein Taschentuch heraus und wischte das Wasser weg, als stünde das im Drehbuch.

Es dauerte eine Zeit, bis sich das Paar beruflich kennenlernte, wirklich kennenlernte. Ganz zu Anfang fragte sie ihn, was er von ihrer »Schauspielkunst« halte. Das beeindruckte ihn überhaupt nicht. »Das ist die seltsamste Frage, die ich je gehört habe«, sagte er. »Was heißt ›Schauspielkunst‹? Meinen Sie die Tricks, die einige Leute auf der Bühne anwenden?

Falls das Schauspielerei sein soll, so gefällt es mir nicht.« Sie fragte ihn so etwas nie wieder.

Die Frau, von der man spricht wurde zum Muster für neun weitere Filme. Sie probten nie. Sie spielten dennoch so, wie es sein mußte. »Wir probten nicht«, pflegte Kate zu sagen, »weil wir nicht mußten. Unsere Filme setzten voraus, daß Spontaneität dasein würde. Abgesehen davon konnte sich Spencer sehr schnell in eine Rolle einleben, also mußte auch ich lernen, schnell zu sein. Wir arbeiteten lange und hart an unseren Drehbüchern. Ich war für die kniffligen Details zuständig. Spencer hatte mehr Sinn für das Ganze.«

Sie wußte, daß Spencer »das Ganze« auf sich zuschneiden wollte. Damit war sie einverstanden. Allerdings könnte man darüber debattieren, ob das auch der Fall gewesen wäre, wenn sie sich nicht in ihn verliebt hätte.

Kate hat immer gesagt, daß sie den gesamten Film »aus seiner Sicht gespielt hat, nicht aus der der Frau – denn ich war der rechthaberische, intellektuelle Dorothy-Parker-Typ« (die beiden Frauen konnten sich immer noch nicht leiden), »der das Publikum aufbringen würde. Ich weiß, daß ich ähnliche Charakterzüge besitze.« Das war ein entmutigendes Eingeständnis. Um sich seinen Bedürfnissen anzupassen, schaute sie sich noch einmal einige seiner alten MGM-Filme an. Sie studierte, was die Frauen in Spencer-Tracy-Filmen anzogen, und trug die ganze Zeit über keine Hosen.

Als die Dreharbeiten für *Die Frau, von der man spricht* begannen, ging im Studio das Gerücht um, Kate und George Stevens wären liiert. Sie mochten sich sehr gerne, obwohl George keine Angst davor hatte, ihr zu sagen, wenn sie nicht in Form war. Sie sahen sich oft außerhalb des Studios. Als der Film abgedreht war, war augenscheinlich, daß sich eine Liebesbeziehung anbahnte, allerdings nicht zwischen Kate und ihrem Regisseur, sondern zwischen ihr und ihrem

Filmpartner. Die Liebe war gekennzeichnet durch die scharf-züngigen Bemerkungen, die sie gegenseitig in der Öffentlichkeit machten. Eine Beleidigung kann viel verlockender sein als ein Kompliment. Bald danach mietete das Paar ein Haus auf George Cukors Besitz im Westen Hollywoods. Es sollte für das nächste Vierteljahrhundert ihr Zuhause bleiben. Spencer besuchte von dort regelmäßig am Wochenende die »Leute auf dem Hügel«, wie er seine Familie nannte, und Kate fuhr immer, wenn sie der Drang überkam, nach Connecticut.

Sie fragte ihn in jeder Beziehung um Rat, egal, ob es die politische Situation oder die Schauspielkunst betraf. Einmal fragte sie ihn, ob er irgendwelche Theorien über die Schauspielkunst habe? »Seinen Text kennen«, antwortete er, »und nicht gegen die Möbel stoßen.« Das schien ihre Beziehung auf den Punkt zu bringen. Sie war die personifizierte verliebte Frau. Was immer er sagte, wie einfach er es auch sagte, war Musik in ihren Ohren. Andere Leute nannten ihn Spence. Sie hingegen verwandte immer seinen vollen Namen, wenn sie gegenüber Freunden oder Schauspielerkollegen von ihm sprach. Er hatte für sie eine ganze Reihe von Namen, wie sich Garson Kanin erinnerte. Er nannte sie Kathy oder Kath, aber auch »Flora Finch, Olive Oyle, Laura La Plante, Madame Curie, Molly Malone, Coo-Coo, das Vogelmädchen, Madame Defarge, Carrie Nation, Dr. Kronkheit, Miss America oder Mrs. Thomas Whiffen«. Manchmal rief er sie »Zasu Pitts« oder »die Madame«.

Noch bevor irgend jemand die Affäre ernstnahm, wurde sie von einem Zeitungsmann gefragt: »Sind Sie in Mr. Tracy verliebt?«

Ausnahmsweise gab sie darauf eine druckbare Antwort: »Selbstverständlich bin ich das«, antwortete sie. »Ist das nicht jeder?«

Ein anderer, dem vielleicht gar nicht bewußt war, was er zwischen den Zeilen aussagte, schrieb: »Wenn man die beiden zusammen sieht, wird man neidisch. Sie sind richtige Unschuldsengel. Man könnte nichts tun, was sie verletzen würde.« Das war der Anfang einer perfekten Ehe ohne amtliches Dokument.

Es ist jedoch ziemlich sicher, daß Louise von der Beziehung wußte und eine Scheidung ablehnte. Tracy, ein gläubiger Katholik, der selbst einmal erwogen hatte, Priester zu werden, den er in *Teufelskerle* und so vielen anderen Filmen gespielt hatte, hatte wohl immer aus Glaubensgründen das Gefühl, sich nicht scheiden lassen zu dürfen. Darüber hatte er schon Jahre vorher, als er in Loretta Young verliebt gewesen war, nachgedacht. Aber wie mir Miss Young selbst erzählte, war sie sogar eine noch gläubigere Katholikin als Spencer. Kate fühlte immer, daß sie das Beste aus zwei Welten hatte. Einen Ehemann, den sie verwöhnen konnte, doch ohne durch das Gesetz an eine Beziehung gebunden zu sein, die sie einzig und alleine für eine Herzensangelegenheit hielt. Aber egal, wie stark sie war, und welch mächtige Figur sie in ihren Hosen abgab, es war Spencer, der in ihrer Beziehung die Hosen anhatte. Sie liebte es, sich um ihn zu kümmern, seine Trinkerei zu zügeln, sagte ihm, er solle sich ausruhen und die Sachen leichter nehmen, wenn er sich krank fühlte – alles Vorboten seiner Alkoholkrankheit, die ihn schließlich umbrachte.

Ihre öffentlichen Äußerungen über ihn beschränkten sich auf ihre Beziehung auf der Leinwand: »Wir haben die Natur des anderen ausgeglichen. Wir waren das perfekte Ebenbild eines amerikanischen Paares. Die Frau ist immer recht scharfzüngig und sticht damit den Mann, ähnlich wie eine Mücke. Der Mann läßt sich einiges gefallen, dann aber holt er langsam mit seiner großen Pranke aus und schlägt die Dame nieder. Das fesselt das amerikanische Publikum. Er ist absolut Herr der Situation und wird von ihr herausgefordert. Für ihn ist es nicht leicht, sein Königreich zu behalten. Das – vereinfacht ausgedrückt – haben wir gespielt.«

Es war noch einfacher. Sie waren verliebt. Freunde, die sie zu Hause besucht hatten, berichteten, wie glücklich sie dabei war, die Fußböden zu schrubben. Bei einer Gelegenheit konnte man sie auf allen vieren sehen, wie sie die Fußbodenfliesen in der Garderobe des Theaters putzte, in dem er auftreten sollte. Ein andermal war sie einfach entzückt davon, zu seinen Füßen zu sitzen und ihm die Hausschuhe zu reichen. Erniedrigend für die befreite Frau, die sie symbolisierte? Für sie war das die Erfüllung all ihrer Träume. Das war wirklich eine perfekte Antwort auf die Frauenbewegung.

Für ihre Rolle in *Die Frau, von der man spricht* wurde sie für den Oscar nominiert, obwohl ihn dann Greer Garson für *Mrs. Miniver* bekam. Die Autoren jedoch erhielten den Preis für das beste Drehbuch, und Kate bekam eine ganz andere Auszeichnung: Im Jahre 1941 ernannte sie das »McCalls Magazine« zur Frau des Jahres. »Wir ehren Katharine Hepburn als eine Frau, nicht als Schauspielerin, obwohl sie viel von beidem in sich hat«, schrieben sie in ihrer Laudatio. »Schönheit, Anmut, Talent und Verehrung – Miss Hepburn besitzt die traditionellen weiblichen Eigenschaften auf untraditionelle Art. Sie ist eine eingefleischte Individualistin. Es sollte mehr wie sie geben.«

George Stevens beschreibt sie wie einen »Baseballwerfer, der einen schnellen Ball hat. Er weiß, der ist so schnell wie irgendeiner in der Mannschaft. Er läßt ihn auf sich zukommen, während er sich überlegt, loszurennen und sich fallen zu lassen. Er lernt, wie er die Ecke des Spielfelds umlaufen kann. Hält immer noch die Geschwindigkeit. Dort steht Kate jetzt.«

Ihre Beziehung zu Stevens blieb perfekt, obwohl jedes romantische Gefühl zwischen ihnen erstarb. Das zeigte sich durch eine absonderliche Art von Kate. Wenn sie Leute anschreit, wissen diese um ihre Zuneigung und können zurückschreien. Bei einer Szene in *Die Frau, von der man spricht* verlangte man von ihr, in der Küche herumzuhantieren und nicht den Anschein zu erwecken, irgend etwas Nützliches zu tun.

»Willst du wirklich von mir verlangen, das zu tun?« schrie sie.

»Ja, das werde ich«, erwiderte Stevens.

»Warum?« fragte sie und gab zu erkennen, daß es dumm sei.

»Weil du eine Schauspielerin bist, und eine Schauspielerin sollte zu allem fähig sein, was Anklang findet.«

»In Ordnung«, erwiderte sie, »ich werde es tun.«

Kaum einer kannte Kate richtig. »Sie ist eine der am härtesten arbeitenden Schauspielerinnen in dem Gewerbe«, berichtete das »Colliers Magazine« im Jahre 1943, »und würde eher jeden im Studio verrückt machen, als eine Szene aufzugeben. Sie hat überhaupt keinen Sinn für Humor, aber sie ist ein sehr kluges Mädchen. Sie beobachtet sehr genau bei einem Gespräch, und wenn der Erzähler durch ein Flackern seiner Augen verrät, daß die Pointe gleich kommt, bricht sie bereits in fröhliches Gelächter aus. Auch wenn es manchmal fehl am Platze ist, ist das doch immer noch besser als gar kein Lachen.«

Wer Tracy und die Hepburn zu Hause erlebte (Spencer bestand darauf, die erste Plazierung in ihren gemeinsamen Filmen zu bekommen; sie sagte immer, es sei ihr egal), sah, daß die beiden viel lachten.

Sie wollten nicht ihre Intimsphäre vor einer sensationslüsternen Öffentlichkeit ausbreiten. Wenn sie zusammen verreisten, buchten sie meist in zwei verschiedenen Hotels oder nahmen zumindest zwei separate Zimmer. Tracy bekam die große Suite, obwohl er immer behauptete, es gefiele ihm nicht, Eigentum zu haben oder teure Sachen zu kaufen. Sie nahm das kleinste Zimmer im Hotel und ging dann von ihrem Zimmer aus (das fast nie benutzt wurde, außer um die Kleider, die vom Pagen und dem Hausmädchen gebracht wurden, im Wandschrank aufzuhängen) über eine Hintertreppe zu seinem. Niemals benutzten sie einen öffentlichen Aufzug. Sogar als sie das Haus im Westen Hollywoods teilten, unterhielt er eine Suite im Beverly Hills Hotel.

Ihre Sorge galt immer seinem Trinken und seinen Freunden, in deren Gesellschaft sie ihn manchmal antraf. Sie bewunderte seine Männlichkeit ebenso wie sein Talent. Sie sagte immer, er sei der beste Schauspieler, den sie kannte. »Es gibt wenig große Schauspieler«, sagte sie einmal. »Spencer war einer davon. Ich habe nicht seine Klasse. Er hatte ein Licht in sich, das vielen armseligen Filmen, die er gemacht hat, einen schlechten Dienst erwiesen hat: Es machte sie um so kitschiger.«

Kate war immer noch wild darauf zu zeigen, daß ihr eigenes schauspielerisches Talent mehr als intakt war, nämlich am Theater. Im April des Jahres 1942 war sie in einem neuen Stück von Philip Barry, das *Without Love* hieß, zu sehen. Es handelte von einer platonischen Ehe zwischen einer Witwe und einem hohen irischen Politiker. Ihr Ehemann wurde von Elliott Nugent gespielt. Ihre Bühnenpartnerschaft war ungefähr so erfolgreich wie die Ehe im Stück selbst. Sie funktionierte nämlich überhaupt nicht. Spencer reiste während eines Teils der Tournee mit, um ein Auge auf Kate zu haben. Er stieg immer in einem anderen Hotel ab, wohin auch immer sie kamen. So ungefähr das einzige, was Kate glücklich machte, während sie *Without Love* spielte, war, daß die Realität dem genauen Gegenteil der Situation in *Without Love* entsprach.

Einer der ersten Orte, an dem das Stück aufgeführt wurde, war das Bushnell Memorial Stadion in Hartford. Zum ersten Mal in all den Jahren ihrer Karriere trat sie in ihrer Heimatstadt auf. Ihre Eltern, ihre Brüder und Schwestern kamen, um sich das Stück anzusehen. Sie überwand sich, eine Rede zu halten. Eigentlich sei es nicht das erste Mal, daß sie in Hartford vor einem Publikum spiele, sagte sie. Zum ersten Mal sei das auf der Schule gewesen. »Ich habe einmal *The Wreck of the Hesperus* öffentlich rezitiert.« Der Gouverneur von Connecticut saß im Publikum bei *Without Love*, wie auch der Bürgermeister von Hartford.

In Pittsburgh liefen die Dinge nicht ganz so gut. Sie hatte eine etwas heftige Konfrontation mit einem Fotografen, der sie fotografieren wollte, als sie vor einer Matinee durch den Bühneneingang ging. Am meisten schienen ihn Miss Hepburns Hosen zu interessieren. Als sie ankam, drängte sich der Fotograf vor sie und schoß los. Sie nahm seine Kamera und zerschmetterte sie auf dem Boden.

Währenddessen dürfte ihre Beziehung zu Spencer Auswirkungen auf ihren ehemaligen Mann gehabt haben. Mit seinem Namen, Odgen Ludlow – der Name, der ihm von Kate aufgezwungen worden war –, brachte er die Scheidungsangelegenheit erneut ans Tageslicht. Er sagte vor dem Gericht in Hartford aus, daß er die Gültigkeit der mexikanischen Scheidung aus dem Jahre 1934 anzweifele und daß er deshalb erneut ein Verfahren beantrage, weil Kate ihn »verlassen« habe. Er sagte dem Richter nicht, daß dieser Fall etwas Besonderes war, und erst als die Anhörung fast vorüber war, wurde klar, daß es sich bei der Beklagten um Katharine Hepburn handelte.

Kate erschien nicht vor Gericht, aber ihr Vater (immer der

besorgte Elternteil), nur um zu bezeugen, daß Connecticut ihr offizieller Wohnsitz war. Ludlow erzählte dem Gericht, daß Kate der Ansicht war, daß sie nicht »ihre Karriere fortsetzen und auch noch eine Ehe führen könne«. Vielleicht war er darüber bestürzt, daß der Titel ihres letzten Stücks genau das ausdrückte, was ihre Ehe immer kennzeichnete. Die »Theatre Guild« brachte das Stück am St. James's Theatre in New York unter. Brooks Atkinson beschrieb, was viele andere vielleicht schon gefühlt hatten, lange bevor das Stück am Broadway lief. In der »New York Times« hieß es: »Sogar in Bestform ist Miss Hepburn keine virtuose Schauspielerin. Aber es ist schwer für sie, eine Szene in einem belanglosen Stück zu bestehen, das insgesamt ereignislos ist.« Sie war politisches Kapital für alle, die sie wollten, aber Kate war sehr wählerisch, was die Angelegenheiten betraf, für die sie eintrat. Eine davon war die öffentliche Gesundheit. Im Dezember des Jahres 1942 wurde eine sehr schlanke Kate für die »New York Times« fotografiert, die Lose für die »Tuberculosis and Health Association« der Stadt kaufte. Zurück in Hollywood hatten sie und Spencer *Keeper of the Flame* gedreht, eine Geschichte mit vielen Ähnlichkeiten zu *Eine Frau, von der man spricht*. Er spielte einen Reporter, sie die Witwe eines Politikers, die ein Geheimnis hatte. Das Drehbuch war von Donald Odgen Stewart nach einem Roman von I. A. R. Whylie geschrieben, und George Cukor führte Regie. Die Geschichte enthielt deutliche Anspielungen auf den Faschismus, was Louis B. Mayer nun als positiven Patriotismus akzeptieren mußte. Die Dreharbeiten begannen sofort nach Pearl Harbour.

Sie war eine von fast fünfzig Künstlern (u. a. Yehudi Menuhin und Helen Hayes, Gracie Fields und Ethel Merman), die ihre Solidarität zu Amerikas Kriegsanstrengungen bekundeten, indem sie im Jahre 1943 Kellner und Kellnerinnen, Barkeeper und Zigarettenverkäuferinnen für die amerikanischen Soldaten in dem Film *Stage Door Canteen* spielten. Der Propagandafilm sollte vor allem so viele bekannte Gesichter wie möglich zeigen.

Im Jahre 1944 spielte Kate in *Dragon Seed* eine Chinesin. Es war ein Film über die Bauern und ihren Krieg gegen die Japaner. Das war zwar gute Kriegspropaganda, aber eine lächerliche Besetzung in einem ziemlich armseligen Film. Das Interessanteste an dem Film, in dem Walter Huston mitspielte, war das Wiedersehen bei MGM von Kate und Pandro S. Berman, ihrem alten Produzenten bei RKO.

Zwei Regisseure führten bei *Dragon Seed* Regie. Jack Conway wurde krank, als der Film halb abgedreht war und mußte von Harold Bucquet ersetzt werden. Das war eines der Beispiele, das zeigte, daß Hollywood sein Herz am rechten Fleck hatte. Berman wußte, daß Conway so schwer tuberkulosekrank war, daß er den Film vielleicht nicht zu Ende machen konnte, aber er wollte ihm die Möglichkeit lassen, es wenigstens zu versuchen. Bucquet war ständig dabei, um ihm zu helfen. Als Conway dann zu krank war, um weiterzumachen, übernahm Bucquet und drehte den Film ohne Unterbrechung zu Ende. »Kein schlechter Film«, sagte mir Pandro Berman. Er wurde vor Ort im San Fernando Valley gedreht, und die Kulisse sah auf der Leinwand imposant aus – viel besser als die üblichen Metro-Kulissen, die immer malerisch und glamourös aussahen, aber eben nicht echt. Es wirkte, wie sich die meisten Leute den Krieg in China vorstellten. Ganz sicher das, was Berman sich erhofft hatte.

»Hauptsächlich ist mir in Erinnerung geblieben, daß wir uns plötzlich mitten im chinesischen Bürgerkrieg befanden. Sowohl die Nationalisten als auch die Kommunisten wollten uns die Uniformen zeigen, die sie trugen, wenn sie gegen die

Japaner kämpften. Mir gefielen beide nicht. Also sah man keine Abzeichen oder Hinweise, die darauf schließen ließen, wer in China auf welcher Seite stand.« Da Hollywood schon große Schwierigkeiten hatte, Chinesen und Japaner auseinanderzuhalten, ist es nicht verwunderlich, daß sie auch große Probleme damit hatten, die beiden chinesischen Parteien auseinanderzuhalten. Das Endergebnis war so, daß weder General Tschiang Kai-schek noch Mao Tse-tung den Film besonders gemocht hätten, wenn sie ihn gesehen hätten – was allerdings sehr unwahrscheinlich ist.

Nun folgte die Filmversion von *Without Love*, was, da es bereits der dritte Tracy-Hepburn-Film war, mehr denn je eine unzutreffende Beschreibung der wahren Situation war. Wieder einmal spielte Kate die Witwe, aber Spencer spielte einen Wissenschaftler und ausnahmsweise keinen Politiker.

Ein junger Schauspieler namens Keenan Wynn spielte eine Nebenrolle. Er ist ein New Yorker, der mir erzählte, er sei »auf Flops spezialisiert. Kate und Spencer kamen häufig nach New York. Ich war innerhalb von acht Jahren in fünfzehn Flops aufgetreten, aber immerhin in Flops von guten Managern. Sie kamen vorbei, um sie sich anzuschauen. Sie gingen hinter die Bühne, um andere Schauspieler aus der Truppe zu begrüßen, aber mich nie. Doch nach einiger Zeit erkannten sie mich. ›Ja, wir erinnern uns an Sie‹, sagten sie immer, ›junger Charakterdarsteller. Möchten Sie nach Kalifornien kommen?‹«

Das, wie mir Wynn sagte, »ist alles, was ein junger Schauspieler hören wollte. Ich war damals siebenundzwanzig, glaube ich.« Etwa zwei Jahre später arrangierte Spencer für Keenan Probeaufnahmen in New York und brachte ihn groß heraus. *Without Love* war sein Durchbruch – und bis heute ein Flop im Sinne von Wynn.

Kate war besorgt, daß Keenan auf seinem Motorrad zum

Drehort von *Without Love* hinausfahren würde. »Tun Sie das nicht«, sagte die achtunddreißigjährige Schauspielerin zu dem neun Jahre jüngeren Mann und klang wie eine besorgte Mutter, »es ist gefährlich. Tun Sie es nicht. Bitte.«

Er fuhr seit fünfzehn Jahren Motorrad und war nicht bereit, es jetzt aufzugeben. Das zahlte sich später aus. Einige Jahre darauf nämlich spielte Katharine in einem Film, in dem eine Szene mit einem besonders ekelhaften Polizisten auf einem Motorrad vorkam. »Lassen Sie uns dafür Keenan holen«, sagte sie. Der Schauspieler erinnert sich: »Es war ein Fest. Die Szene war so gut, daß sie rausgeschnitten wurde. Sie hätte vom Rest des Films abgelenkt. Das wurde damals oft in Hollywood gemacht. Aber es zeigt, wie nett Kate war, an mich zu denken.«

Nach *Without Love* arbeitete Kate wieder für Pandro Berman in *Undercurrent (Die unbekannte Geliebte)* – ein Thriller über eine Professorentochter, die einen Industriellen heiratet. Ihr Gegenspieler war dieses Mal Robert Taylor. Aber es spielte auch ein recht unerfahrener Jugendlicher namens Robert Mitchum in dem Film mit. Regie führte Vincent Minelli, der damals mit Judy Garland verheiratet war, und die zwei Frauen wurden Freundinnen. Kate tat alles, um dem noch sehr jungen Star bei seinen verschiedenen Problemen zu helfen, die alle von der strengen MGM-Zucht herrührten, die ihr erspart geblieben war.

Am erstaunlichsten ist, wie es ihr gelang, sich aus dem normalen Zeitungsgeschmiere herauszuhalten, das über Stars verbreitet wurde – »saurer Apfel« hin oder her. Sidney Skolsky, einer der bekanntesten Kolumnisten der damaligen Zeit, schrieb im Jahre 1945: »Ihre Unverfrorenheit ist eigentlich ein Schutzschild. Tatsächlich ist sie eine sehr scheue Person.« Aber die Leute redeten immer noch über sie, über ihre Kleidung und im September des Jahres 1945 über ihren

Unfall. Sie war eine der Frauen, die von der »New York Times« ausgewählt worden war, weil »ihr Sprechen vielleicht unseren Sprachstandard anheben könnte«. Sie war laut dem Artikel ein »Vorbild für die Frauen mit der Aussprache von der Ostküste und mit einem natürlichen Hang zum affektierten Sprechen. Miss Hepburns Aussprache ist immer klar und deutlich. Sogar wenn sie die Geschwindigkeit auf zweihundert Worte die Minute hochschraubt. Frauen, die murmeln und schlecht artikulieren, sollten ihr zuhören. Wegen ihrer breiten und ausgeprägten nasalen Modulation finden heranwachsende Mädchen Miss Hepburns Aussprache eine der besten, um ›darauf abzufahren‹.«

Sea of Grass (Endlos ist die Prärie) war der vierte Tracy-Hepburn-Film – er handelt von einem Viehbaron, der sich zwischen Arbeit und seiner Familie entscheiden muß. Dabei gab es einen Streit zwischen Pandro Berman und Elia Kazan, dem Regisseur. Er wollte vor Ort drehen, und das Studio lehnte das ab.

8

EIN ZERBRECHLICHES
GLEICHGEWICHT

Das große Geheimnis der Tracy-Hepburn-Romanze hätte auffliegen können, wenn zum Beispiel jemand vom Studio bei ihnen vorbeischaute. Kate empfing die Besucher, und Spencer bot die Drinks an. Tracy spielte den Gastgeber, Kate servierte den Kaffee. Zunächst waren die Besucher erstaunt, die beiden zusammen zu sehen. Trotzdem wurde das »Geheimnis« niemals enthüllt.

Unter diesen Besuchern war der Regisseur und Produzent Richard Quine, der eine Filmidee für Spencer Tracy hatte. Er läutete an der Vordertür, und Kate öffnete ihm. »Wir sprachen dann über das Drehbuch, und sie beriet Spencer laufend, was er sagen sollte und welche Zeilen nicht richtig für ihn waren. Entzückend!«

Cyd Charisse machte fast die gleiche Erfahrung. Sie besuchte das Haus in Westhollywood, um für eine Rolle als Spencers Filmtochter vorzusprechen. Das war noch, bevor diese wunderbar gebaute Schauspielerin als hervorragende Tänzerin in *Du sollst mein Glücksstern sein* und in *Seidenstrümpfe* (mit Fred Astaire) Furore machte. »Kate brachte den Tee herein«, erzählte sie mir. »Die ganze Zeit über bemerkte ich, wie sie im Hintergrund herumlungerte, so daß sie jedes Wort von mir hören konnte, obwohl sie den Raum hätte verlassen sollen.«

Paul Henreid, der deutsche Gentleman aus den Hollywood-Filmen der 40er Jahre, erzählte mir, wie er mit Kate in *Clara Schumanns große Liebe* zusammengearbeitet hat, ein Film, den beide besser vergessen sollten – angeblich die Geschichte des Robert Schumann und seiner Frau Clara.

»Sie tat etwas sehr Hübsches«, erzählte mir Henreid. »Während der Proben verschwand sie für ein paar Minuten, und als sie zurückkam, roch sie wie eine Rose. ›Finden Sie nicht, daß das rücksichtsvoll von mir ist?‹ fragte sie. ›Ich habe ein wenig Parfüm genommen, nur für meine Nase.‹ Spencer kam fast jeden Morgen zum Drehort, um uns Glück zu wünschen. ›Kannst du deinen Text?‹ pflegte Tracy zu sagen. ›nun, dann sag ihn laut und deutlich.‹ Niemand, nicht einmal Cukor oder Stevens, hätte je gewagt, so mit ihr zu sprechen. Und dann«, sagte Henreid, »drehte er sich zu mir um und sagte: ›Paß auf sie auf! Sie fängt immer zur falschen Zeit an zu lächeln.‹ Sie stand ganz bestimmt unter seiner Fuchtel, und ich habe nie ganz verstanden, wie die Hollywood-Gemeinde die beiden so akzeptieren konnte.«

Der Film hat etwas Interessantes zur Geschichte der Hepburn beizutragen. Für den Film nämlich lernte sie vier Monate lang, richtig Klavier zu spielen. Es genügte ihr nicht, das Spielen einfach vorzutäuschen. Sie wollte, daß ihr Fingerspiel korrekt war. Keenan Wynn sagte: »Ich war damals dabei und erinnere mich, wie sie darauf bestand, es zu ›fühlen‹. Sie ist eine vollkommene Schauspielerin. Sie weiß es.«

Aber Wynn verwies darauf, daß es auch noch eine andere Seite bei diesem Spiel gab. »Ich weiß, daß wenn man nichts bringen, nicht schauspielern konnte – was sehr oft vorkommt; schauspielern ist ein Wort, das heutzutage zu häufig gebraucht wird, weil es viele Darsteller gibt, aber nicht viele Schauspieler –, sie nicht mitmachte. Sie zog sich zurück. Sie versuchte es nicht einmal. Sie ging einfach weg, und nichts passierte. Sie wußte, es würde nichts passieren. Sie verließ den Drehort, ohne mit einem gesprochen zu haben.

Die Leute fragen: ›Warum werden heute nicht mehr solche Filme wie früher gedreht?‹ Darauf antworte ich: ›Gott sei Dank, daß das nicht mehr getan wird.‹ Es wurden so viele Filme gedreht, die scheußlich waren – obwohl Leute wie Kate und Spencer eine Ausnahme waren. Robert Taylor, ein reizender Mann, war kein Schauspieler. Aber Spencer und Kate waren Schauspieler. Und bei ihnen dachte man niemals unbedingt an große Stars. Stars sind Fünfjahresleute, gewöhnliche Leute. Das Startum ist Mist.«

Paul Henreid und Tracy wurden enge Freunde, sie spielten zusammen Schach – ihr Spiel wurde häufig von Spencers rauhem Schrei, »Katie, wo bist du?« unterbrochen. »Sie lief immer, wenn er rief«, sagte Henreid. »›Hol uns einen Scotch‹, sagte er, und sie brachte zwei Gläser, obwohl ihr anzusehen war, daß ihr das eigentlich nicht recht war. Sie schenkte sehr spärlich ein – zwei sehr kleine Gläser!« Am liebsten hätte sie ihn zu den »Anonymen Alkoholikern« gebracht, aber Spencer wollte nicht hingehen.

Auf sichererem Boden befand sie sich mit den Problemen der Geburtenkontrolle, für die sie genauso eifrig eintrat wie ihre Mutter. Sie half der »Planned Parent Group«, gegen einen Bundesgesetzvorschlag über das menschliche Leben zu kämpfen. Im Jahre 1947 war sie eine der ersten, die sich für den unabhängigen Präsidentschaftskandidaten des linken Flügels einsetzte, Henry Wallace – ehemals Roosevelts Vizepräsident.

Auf einer Wahlversammlung für Wallace brach sie einmal mehr damit, keine Reden zu halten. Das war zu einer Zeit, als die »Motion Picture Alliance for the Preservation of American Ideals« (Filmallianz zur Erhaltung der amerikanischen Ideale) langsam an Bedeutung in der Filmbranche gewann. »Für mich selbst«, erklärte sie, »bedeuten diese Ideale nichts.«

Spencer hatte einen Vertrag mit Frank Capra unterschrieben, um einen Film mit dem Titel *State of the Union (Der beste Mann)* zu drehen. Eine unabhängige Produktion, die bei MGM gedreht werden sollte. Louis B. Mayer stimmte unter der Bedingung zu, daß der Filmverleih der »Loew's theatre circuit« sein würde. In diesem Film sollte Tracy einen Tycoon spielen, der nicht nur aus persönlichem Ehrgeiz für das Präsidentschaftsamt kandidiert, sondern auch weil er es für seine patriotische Pflicht hält. Es hieß, dieser Charakter solle Wendell Willkie darstellen, der im Jahre 1940 für die Republikaner gegen Roosevelt kandidierte. Capra sagte mir, das wäre nie beabsichtigt gewesen. Es war eine großartige Rolle, und er sowie Louis B. Mayer glaubten, daß Tracy die Idealbesetzung sei. Für die Rolle der unterstützenden, liebenden Ehefrau wurde Kate nicht einmal in Erwägung gezogen. Capra wollte Claudette Colbert, und Mayer war einverstanden.

Es dauerte Wochen, um die notwendigen Verhandlungen abzuschließen, die Kulisse aufzubauen, die Drehbücher zu drucken und zu verarbeiten, die ersten Konferenzen zwischen Regisseur, Stars und den anderen Schauspielern abzuhalten. Außerdem mußten Kostüme gemacht werden. Was Spencers Filmgarderobe betraf, war das kein Problem. Ein paar Anzüge mußten geschneidert werden, einige neue Hüte, einige Paar Schuhe angeschafft werden. Aber Claudette Colbert war eine Lady mit Stil. Ihre Kostüme mußten von den feinsten Couturiers, mit denen Culver City aufwarten konnte, entworfen werden – natürlich aus den feinsten Materialien, von den besten Schneidern und Näherinnen angefertigt. Genau das hatte MGM verlangt. Miss Colberts Kostüme hatten bis zu dem Tag, an dem sie diese in den Studios inspizieren konnte – alle nach ihren Maßen und Anweisungen gemacht –, 15000 Dollar gekostet, und weil sie der damaligen Mode entsprachen, war es üblich, daß Miss Colbert sie mit nach Hause nehmen durfte, sobald der Film abgedreht war.

Dann passierte etwas Entscheidendes. Capra und die Colbert schrien sich lautstark an, und er stellte ein Ultimatum. »Wir wollten am Montag morgen mit den Dreharbeiten beginnen«, erzählte mir Capra. »Spät am vorangegangenen Freitag abend spazierte Claudette in mein Büro. Sie sah wunderschön aus, und das sagte ich ihr auch. Dann erklärte sie mir, daß sie jeden Abend um fünf Uhr mit den Dreharbeiten aufhören müsse, weil der Arzt das angeordnet hätte. ›Nun‹, antwortete ich, ›das ist unmöglich.‹ Und sie sagte: ›Das muß aber sein.‹«

Solche Geschichten verursachen Produzenten und Regisseuren Alpträume. Capra erklärte: »Sie war für die erste Szene am Montag morgen vorgesehen. Sie überließ mir die Entscheidung.« Kein Regisseur hört so etwas gerne. Die Alternativen können zwar unangenehm sein, aber trotzdem zeigt er gerne, daß er der Boß ist. Als er bei dieser Gelegenheit vor die Wahl gestellt wurde, entweder den schwer erfüllbaren Forderungen seines Stars nachzukommen oder eine neue Schauspielerin für die Hauptrolle zu finden, entschied Capras Stolz: »Geben Sie Ihre Garderobe beim Hinausgehen ab«, sagte er.

»Meine gesamte Garderobe?« fragte sie ungläubig, ob Capra, der so beliebt war und im Ruf stand, weichherzig zu sein, das tun würde.

»Ihre gesamte Garderobe«, antwortete er.

»Ich weiß wirklich nicht, was passiert ist«, erzählte mir Capra fünfunddreißig Jahre später. »Sie ist in Wirklichkeit eine wunderbare Person. Normalerweise ist sie gar nicht so und hat das hinterher auch bewiesen. Ich mußte mich für das eine oder andere entscheiden. Ich habe einen Entschluß gefaßt. « Einen Moment lang war er stolz, und dann erfaßte ihn Panik. Wie sollte er bis Montag eine neue Hauptdarstellerin finden, der auch noch all diese Kleider passen würden? Er mußte einem der Metro-Bosse Bescheid geben, die normalerweise nichts mit solch einer unabhängigen Produktion zu tun hatten. Aber da der Film auf ihrem Gelände gedreht wurde, mußte er vielleicht eine MGM-Schauspielerin als Ersatz für Miss Colbert engagieren. Er war kurz davor, alles abzusagen. Louis B. Mayer war wütend und zitierte Capra in sein schneeweißes Büro. Dem Regisseur stand nicht der Sinn nach Freundlichkeiten. »Es geht Sie nichts an«, beschied er den Mogul. »Wir mieten nur Ihr Studio. Es ist unser Film. « Als sich die Stimmung abkühlte, sagte Mayer erstaunlich ruhig und ohne eine Träne in den Augen: »Nein. Ich wollte Ihnen nur sagen, lassen Sie das Tracy nicht zu Ohren kommen. Er reagiert manchmal seltsam. «

Capra rief Tracy an. »Wie viele Freundinnen haben Sie?« fragte er ihn.

Spencer lachte. »Warum, Sie verflixter kleiner Spitzel«, antwortete er, »das werde ich der Gewerkschaft melden... Das können Sie mit einem Schauspieler nicht machen. «

Capra erklärte ihm die Gründe für seine ungehörige Frage, und Spencer schien irgendwie erleichtert.

»Wissen Sie«, sagte er, »die Madame hat mit mir geprobt, sie kennt meine Rolle und hat mir die Stichworte gegeben. Sie kennt Claudettes gesamten Text, und sie ist großartig. « Capra war begeistert. »Glauben Sie, sie wird diese Rolle übernehmen? Soll ich sie anrufen?«

Tracy zweifelte nicht daran und sagte ihm das. »Das ist genau die Art von Szenerie, die sie mag«, sagte er. »Junge, so ist sie. Madame wird uns bestimmt helfen. «

Frank Capra rief sie an. »Ich komme gleich zu Ihnen«, antwortete sie und fuhr Freitag spätabends durch die Tore von MGM, mit flatternden Haaren, ohne Make-up, in schlampigen Hosen und erschreckend flachen Schuhen. »Wir haben nicht einmal ihre Gage erwähnt oder die Konditionen besprochen – das war sehr, sehr ungewöhnlich. Sie wollte nur über den Film reden.«

Am nächsten Tag besprachen sie die Filmpläne im Haus von Tracy und Hepburn weiter. Kate und Franks Frau unterhielten sich über die Garderobe, die sie tragen sollte. Kate rief ihren Designer an, der sich sofort an die Arbeit machte. »An den ersten beiden Tagen können wir dasselbe Kleid benutzen«, meinte der Regisseur. »Bitte überreden Sie ihn, daß er bis dahin eins fertig hat.«

Am Montag morgen war Kate um sechs Uhr bei der Metro und ihr Kleid auch.

»Wir haben sofort gedreht, ohne Probleme. Als wenn sie für sich selbst bereits an der Rolle gearbeitet hätte. Ich bin sicher, daß sie für die Rolle viel geeigneter war als die Colbert. Mich berührte, daß sie uns bei unseren Schwierigkeiten sofort half. Wir brauchten ihre Hilfe, und das war alles. Sie machte keine Schwierigkeiten, weil sie wußte, daß wir auf ihre Hilfe angewiesen waren. Ich hatte großen Respekt vor ihr.«

Tracy überraschte das nicht. »Natürlich nicht«, sagte er zu Capra. »Wenn sie sieht, daß jemand in Schwierigkeiten ist, kommt sie gerannt.«

Während des ganzen Films sprach Tracy von ihr nur als »die Madame«. Heute erinnert sich Capra: »Das mochte sie überhaupt nicht. Es war dennoch deutlich zu sehen, daß diese beiden wunderbaren Menschen sehr verliebt ineinander waren. Was ihr Handwerk anbelangt, so habe ich nie jemanden gefunden, der es besser beherrschte. Ich saß nur in meinem Stuhl und hörte zu. Ich hatte sonst fast nichts zu tun. Sie interpretierte die Rolle genauso wie ich – eine Frau, die versucht, ihren Mann zu beschützen und die erkennt, wie die Leute hinter ihm her sind, und daß er früher oder später aufwachen und erkennen würde, daß sie ihn nur benutzten. Ich mußte nie Regieanweisungen geben. Sie wußten, worum es sich bei der Geschichte drehte, und sie hatten die Bühnenfassung gesehen. Aber sie spielte die Rolle so hervorragend, daß ich zusätzliche Szenen für sie schrieb. Ich sah, wie sich alles entwickelte, wie dieses Mädchen hart arbeitete, um ihren albernen, wunderbaren Mann zu retten.« Er *war* ihr »alberner, wunderbarer Mann«, auch im richtigen Leben, und das sah man bei den Dreharbeiten. »Aber ja«, erinnert sich Frank Capra, »man sah es. Sie lachte zu allem, was er sagte. Das ist das größte Kompliment, das eine Frau einem Mann machen kann. Sie hielten Händchen. Man sah, wie gerne der eine in Gesellschaft des anderen war.« Der Mann, der in Hollywood als Kopf der irischen Mafia bekannt war, schmolz in ihrer Gegenwart dahin.

»Beide waren ganz große Klasse in ihrem Geschäft, und es gibt heute nur sehr wenige Leute, die so gut sind. Sie liebten ihre Arbeit einfach. Es war eine großartige Sache zuzusehen, wie die beiden eine Szene drehten. Sie wußten, wer sie waren. Sie spielten gar nicht. Sie lebten das.« Privat sah man beide nie auf einer Hollywood-Party. Das war ihnen wahrscheinlich zu öffentlich.

Es war erstaunlich, wie Kates plötzliche Ankunft am Drehort von *Der beste Mann* aufgenommen wurde. Capra sagte: »Es kam mir seltsam vor, aber es war auch typisch für Hollywood, daß es niemand befremdlich fand, Kate anstatt Claudette Colbert am Drehort zu sehen, als wir am Montag morgen anfingen zu arbeiten. Niemand äußerte Überraschung. Ich erwartete tausend Fragen. Ich muß sagen, ich fühlte mich sehr schlecht. Niemand fragte mich etwas. Es schien, als ob es ihnen völlig egal wäre. Außerdem war das ein typisches Beispiel dafür, wie MGM damals Hollywood verkörperte. Sie waren die Olympier und scherten sich um niemanden sonst.«

Worüber sie sich vielleicht Sorgen machen mußten, erinnerte sich Capra, war der Eindruck, den der Film auf das »UnAmerican Activities Committee« (Komitee gegen unamerikanische Aktivitäten) machte. Der Präsident nämlich, den Tracy spielte, schien ausgesprochen links. Es war ein Wunder, daß der Film selbst nicht als ein Stück aufwieglerischer Propaganda angesehen wurde. »Ich machte mir darüber Sorgen«, sagte Capra. »Und dann erfuhren wir, daß sich Präsident Truman ständig auf seiner Präsidentenjacht den Film ansah. Ich glaube, deshalb erhielten wir die Freigabe.« Während die Stars des Films unzweifelhaft »progressiv« waren, war eine weitere tragende Rolle mit dem fehlerlosen und adretten Adolphe Menjou besetzt, der als extrem »rechts« in der Filmhauptstadt bekannt war. Er rannte zu Senator McCarthy und schwärzte Leute als Kommunisten an, weil er es als seine patriotische Pflicht ansah.

»Er und Kate haßten sich«, sagte Capra, »haßten sich. Am Abend ging er in die eine Richtung davon und sie in die andere. Sie sprachen nie miteinander.« Menjou war wahrscheinlich zufrieden, daß der Film kein Kassenerfolg war. Vielleicht war er ein wenig zu intellektuell für Amerika, und politisch wohl problematischer, als vom Regisseur dargestellt. Der Film lief nicht annähernd so gut, wie die meisten Leute bei MGM vorausgesagt hatten. Aber er zeigte Tracy und Hepburn in Bestform.

Sie wußten alles, was man voneinander wissen kann. Spencer sagte zu Garson Kanin: »Das Blöde an Kate ist... sie versteht mich.« Spencer kommentierte ihre Schauspielerei, und sie machte sich Sorgen um seinen Fahrstil. »Völlig hoffnungslos«, sagte sie. »Nicht der leiseste Orientierungssinn.«

Bei seiner Schauspielerei jedoch hatte er Orientierungssinn. »Er sagte immer, daß die ersten zwei Aufnahmen die besten seien, und ich glaube, bei ihm war das auch so. Aber ich meine, ich kann auch die dreiundzwanzigste noch gut machen... Und... als Spencer und ich zusammenarbeiteten, haben wir vorm Drehen nie miteinander geprobt. Niemals. Nein, nie.« Jahre später sagte sie: »Wenn die Leute fragen, warum unsere Partnerschaft so erfolgreich war... sie basierte auf einer natürlichen und ehrlichen Ergänzung unserer Bedürfnisse.«

Manchmal sahen die Dinge zwischen ihnen so großartig aus, als könne ihnen nichts Schlechtes zustoßen. Aber ganz so einfach war es nicht. Er litt unter den Folgen seines Trinkens, und sie litt mit ihm. Er trank so viel, daß man ihn ungeschminkt als Alkoholiker bezeichnen konnte, und Kate durchlitt mehr als einmal alle damit verbundenen Traumata – das Delirium, die Schmerzen der Entziehung, die sie mit den Augen einer liebenden Tochter beobachtete, die außerdem eine ausgebildete Krankenschwester war. Da sie jedoch in Wirklichkeit keines von beidem war, erschwerte ihre Pflege für ihn sehr.

9

EHEKRIEG

Sie waren jetzt die ganze Zeit zusammen. In London spielte Spencer in *Edward My Son*, Kate kam mit. Sie drehten in Hollywood noch einen Film zusammen. Dies war eine Entscheidung, die eigentlich Louis B. Mayer für sie traf, der der Meinung war, sie seien das einträglichste Paar seit Judy Garland und Mickey Rooney, die zuletzt einen Andy-Hardy-Film gedreht hatten.

Es gab aber auch Enttäuschungen. Kate wollte in *Dr. Jeckyll and Mr. Hyde* die Rolle des schlechten und die des guten Mädchens spielen, aber das Studio war dagegen. Es war Garson Kanin, der mit der richtigen Idee für ihren nächsten Film ankam. Es handelte sich um ein Drama im Gerichtssaal, wie es bisher noch nicht gedreht worden war. Darin gab es einen Richter, Geschworene, einen Staatsanwalt und eine Rechtsanwältin der Verteidigung. Natürlich war diese Art von Geschichte früher schon einmal verfilmt worden. Was allerdings neu war, war der witzige und geistreiche Kampf zwischen der Rechtsanwältin und dem harten Staatsanwalt, der ihr Ehemann ist.

Kate schien nicht nur die perfekte Besetzung als Verteidigerin zu sein; es schien auch, daß sie alle Ungerechtigkeiten aus einer Welt hinausschrie, die sie selbst nie gekannt hatte. Die Frauen in Fenwick gingen nicht herum und ermordeten ihre

Ehemänner, wenn sie betrogen wurden – falls das der Fall gewesen wäre, hätte man sich darüber vor Dr. Hepburns Kamin unterhalten.

Natürlich waren Tracy und Hepburn Profi genug, um die Schwierigkeiten, die der Handlungsstrang mit sich brachte, zu sehen. Sie begriffen, wie Konflikte durch berufliches Interesse in einer sonst idyllischen Beziehung auftraten – und das sah man.

Dadurch, daß der Regisseur George Cukor Tage in Gerichtssälen zugebracht hatte, nicht nur, um dort die Inneneinrichtung zu studieren, sondern auch die Art und Weise, wie Richter und Rechtsanwälte ihre Arbeit ausführten, machte die Handlung noch runder. Der Kinofilm war herrlich. Aber die an den Dreharbeiten Beteiligten erinnerten sich am besten an die Beziehung, die Kate zu dem Mädchen hatte, daß in dem Film die Angeklagte spielte – eine junge Blondine, mit einer hohen Stimme, voller Ambitionen und mit ein wenig zuviel Gewicht. Kate erkannte, daß sie mit ebensoviel Talent gesegnet war, wie sie selbst. Ihr Name war Judy Holliday.

Während der Dreharbeiten von *Adam's Rib (Ehekrieg)* tat Kate das, was sie seitdem einige Male gemacht hat: junge Schauspieler unterrichten, ihnen weiterhelfen, Ideen vorschlagen, auf die nicht einmal der Regisseur gekommen wäre. Doch ihre Fürsorge hatte einen besonderen Grund. Ihr war zu Ohren gekommen, daß Judy für eine Rolle in einem Film in Erwägung gezogen wurde, der versprach, einer der aufregendsten des Jahres 1950 zu werden, *Die ist nicht von gestern*, mit Broderick Crawford und William Holden. Das Drehbuch war von Garson Kanin, der auch *Ehekrieg* geschrieben hat. Er wollte Judy Holliday für die Rolle der Nicht-ganz-so-dummen-Blonden in *Die ist nicht von gestern*, aber Harry Cohn war noch nicht überzeugt. Deshalb wurde eine Verschwörung angezettelt. Kate stimmte zu, daß die

Kamera während einer siebenminütigen Szene im Gerichtssaal nur auf Judy Holliday fixiert wird. Wenn sie in dieser Szene einen Eindruck hinterließ, ohne daß man Kate sah, die sie währenddessen befragte, konnte man Cohn vielleicht überzeugen, ihr die Rolle zu geben. Die Großzügigkeit und Fürsorge zahlte sich aus. Judy Holliday bekam die Rolle und erhielt dafür einen Oscar. Wenn man jedoch Kate danach gefragt hätte, was ihr am besten an *Ehekrieg* gefallen habe, hätte sie wahrscheinlich geantwortet, daß er in New York gedreht wurde und nicht in der verrückt machenden Atmosphäre der Culver City Studios, und daß sie ihren engen Freund Cole Porter überzeugt hatte, den Song »Farewell Amanda« für den Film zu schreiben. Es war auch ihr Abschied von MGM. Das Studio brach zusammen. Man sagte einem Star nach dem anderen, daß es ihm wohl besser ginge, wenn er unabhängig wäre. Kate verstand den Wink und beschloß, zurück zur Bühne zu gehen.

Aber nun wollte sie etwas anderes. Seit sie damals mit Douglas Fairbanks in *Morgenrot des Ruhms* bei der Romeo-und-Julia-Szene auf den Geschmack gekommen war, wollte sie Shakespeare spielen. Sie wollte eine Shakespeare-Rolle so spielen, daß sie dem Publikum als klassisch in Erinnerung bliebe. Wenigen Amerikanern war das gelungen. John Barrymore als Hamlet war einer davon. Die weiblichen Rollen bei Shakespeare sind nicht so ausgearbeitet wie die für Männer, und nur wenige Amerikanerinnen hatten sie deswegen gut gespielt.

Kate dachte, sie könne den Geist Hamlets wiedererwecken. Sie suchte sich dafür *Wie es euch gefällt* aus. Sie spielte die Rosalinde, war der inoffizielle Produzent, der Regisseur im Hintergrund und der ungenannte Besetzungsberater. Sie setzte sich für das Stück mit gleicher Liebe und Zuneigung wie bei den Filmen mit Spencer ein. Er reiste ihr nach und blieb diskret im Hintergrund, während das Stück im Court

Theatre am Broadway oder in einer anderen Stadt lief, in der es vor der offiziellen Premiere getestet wurde.

Den Zeitungen machte es einen Riesenspaß, das Stück mit großen Fotoserien zu lancieren. Die meisten berichteten über das »viele Bein«, das von einer Schauspielerin gezeigt wurde, die man sonst fast nur in Hosen kannte. Die Beine fanden auch bei den Kritikern Beachtung. Das »Life Magazine« schrieb im Februar 1959: »Nach sieben Jahren kehrte Katharine Hepburn letzten Monat an den Broadway zurück, um die Verse aus *Wie es euch gefällt* zu rezitieren, und zeigte zu jedermanns Überraschung, daß ihre Beine so gut wie ihre Jamben sind.« John Chapman schrieb: »Diese Beine sind beredt.«

Neben Sex-Appeal verlangte ihre Rolle totales Engagement. Kate spielte sie mit einer königlichen Haltung, die sie zu haben schien, seit Spencer in ihr Leben getreten war. Aber das Urteil der Kritiker fiel nicht immer so befriedigend aus, wie es die viele Arbeit und der Enthusiasmus erhoffen ließen. Brooks Atkinson schrieb in »The New York Times«, daß Kate als Rosalinde eine Fehlbesetzung sei. »Katharine Hepburns elektrisierende und kultivierte Persönlichkeit ist eine Fehlbesetzung für eine rustikale Rolle«, sagte er. Weil das Stück bis dahin in Amerika noch nie länger als zweieinhalb Wochen gespielt worden war, waren alle gespannt, ob es nun länger laufen würde. George Jean Nathan war nicht so sicher: »Wie Orlando Miss Hepburns Rosalinde als Rosalinde erkennen soll, auch wenn sie mit einem Rock bekleidet ist, werde ich nie begreifen.« Als das Stück seinen Weg durch die Staaten antrat, sah man das als eine Verrücktheit der Hepburn an. »Warum wurde es überhaupt gespielt?« wollte William F. McDermott vom »Cleveland Plain Dealer« wissen. »Ich habe mich davor gefürchtet«, gab Kate zu. »Aber gute neue Stücke sind schwer zu finden.« Der Interviewer beschrieb, wie er sie in der Gouverneurssuite des Carter Hotels traf, »bequem an einem Schreibtisch sitzend und sich mit offensichtlichem Genuß einem formidablen Steak widmend, medium gebraten, ihre Haare auf Lockenwickler gedreht und den Körper in einen Bademantel aus türkischem Frottee gehüllt. Sie sah gar nicht wie die schlanke und graziöse Rosalinde aus, die das örtliche Publikum entzückt hatte. Aber die formlose Aufmachung verbarg nicht die Vitalität, die schnellen, graziösen Bewegungen, das Gefühl von Lebendigkeit, die ihre Vorstellung beseelt. Ihre Füße, locker mit Stoffhausschuhen bekleidet, lagen auf dem Schreibtisch, und während des Sprechens unterstrich sie ihre Aussagen mit Händen, Armen und Zehen.«

Trotz aller Zweifel und Kritik, füllte das Stück eine ganze Anzahl von Theatern bis zum letzten Platz, wie ein Lokalreporter bemerkte. Die Aufführung brach alle bisherigen Zuschauerrekorde von *Wie es euch gefällt*.

Kate sprach gerne über ihre Theaterarbeit und sagte Louella Parson, sie sei davon begeistert, wie viele Teenager den Zauber eines Bühnenstücks entdeckten »und so leise wie Mäuse sind«. Sie selbst liebe das Theater, sagte sie, »aber kein bißchen mehr als den Film«, was sich allerdings eher nach Louella Parson als nach Katharine Hepburn anhört. »Was ich am Film nicht mag, ist die lange Wartezeit zwischen den Filmen, das sollte nicht so sein.« Dann ergänzte sie in einem ehrlichen Statement: »Ich weigere mich, irgend etwas zu machen, an das ich nicht wirklich glaube. Ich muß begeistert sein.«

Die Tournee verlief nicht ohne Zwischenfälle. In Blackwell, Ohio, wurde sie wegen Geschwindigkeitsüberschreitung verhaftet. Sie fuhr mit 80 Meilen die Stunde an einem Polizisten vorbei auf dem Weg nach Witchita, Kansas. Sie antwortete dem Polizisten mit weiblicher Logik, die schon einige

Hollywood-Regisseure in Rage gebracht hatte. »Wir wären gerne langsamer gefahren, wenn Sie uns nur gewarnt hätten«, sagte sie beleidigt zu ihm, weil er die Frechheit besaß, sie wegen einer Straftat zu belästigen. Sie mußte trotzdem mit zur Polizeiwache. Dort wurde sie noch direkter: »Sie haben nicht genügend Grips, um Polizist zu sein.« Bei dieser Bemerkung trat sie drei Schritte zurück und stieß an einen heißen Ofen. Dabei versengte sie ihren Nerzmantel. Das war nur eines von vielen Problemen. Sie verlor nicht nur an Gewicht nach dem Stück, sondern sagte auch, sie sei größer geworden, auch nach *Die Nacht vor der Hochzeit* sei sie gewachsen. Das war ein recht ungewöhnliches Phänomen. »Meine Ärzte sagen, ich habe eine Schilddrüsenüberfunktion«, erklärte sie.

Das könnte auch erklären, weshalb sie sich über so manche Dinge aufregte – Dinge, die ihr keinerlei emotionale Beunruhigung hätten verursachen sollen. Zu dieser Zeit aß sie in New York mit der gefeierten amerikanischen Filmschauspielerin Nina Foch zu Mittag, die auch erst kurz zuvor in einem Shakespeare-Stück aufgetreten war. Bei diesem Mittagessen war auch Kates Mutter anwesend. Nina erzählte beiden von ihrer augenblicklichen Rolle in *John Loves Mary*, das von Rodgers und Hammerstein produziert wurde, die sich gerade einen ihrer regelmäßigen Urlaube vom Musicalschreiben gönnten. Obwohl sie einer der Stars des Musicals war, wurde sie auf dem Plakat nicht an entsprechender Stelle genannt. Kate machte das wütend, als sie es hörte, obwohl es Nina selbst nicht so störte.

»Ich hatte es akzeptiert«, erzählte sie mir. »Aber Kate wurde sehr, sehr wütend. Sie sagte, sie hielte das für unmöglich. Dann schlug sie immer wieder auf den Tisch.« Bestimmt sagte Kate: »Weißt du was, ich werde mit Dick Rodgers deswegen sprechen.«

Die ganze Zeit über war Mrs. Hepburn senior eine etwas amüsierte, aber desinteressierte Zuschauerin. Aber nun schritt sie ein. »Katharine«, sagte sie wie die Mutter eines widerspenstigen Schulmädchens. »Reg dich nicht so auf. Vielleicht will Nina gar keine entsprechende Plakatierung.« Während all der Jahre, in denen sie ein internationaler Star wurde, hatte ihre Mutter starken Einfluß auf sie. Ihr Vater war eine Quelle der Stärke für sie, und Katharine Houghton Hepburn sen. brauchte sie, wenn eben nur eine Frau ihr raten konnte. Im März 1951 änderte sich das für immer. Die Familie hatte sich zum Tee versammelt. Das taten sie immer, wenn »die Kinder« da waren. Wie gewöhnlich war an dem Tag der Tee aufgebrüht und der Tisch gedeckt. Zum ersten Mal fehlte Mrs. Hepburn, um »die Zeremonie« zu leiten. »Wir sahen uns nur an«, erinnerte sich Kate Jahre später, »und rannten ohne ein Wort nach oben. Wir wußten, was wir finden würden. Meine Mutter war tot.« Kate war durch den Tod ihrer Mutter völlig erschüttert. Aber sie versuchte, es nicht zu zeigen. Wie auf der Leinwand spielte sie die völlig Unbeteiligte. Spencer spendete ihr Trost, und ihr Vater, ihre Brüder und Schwestern verhielten sich so, wie es nur die engste Familie in solch einer Situation konnte. Bald darauf schon heiratete Doktor Hepburn wieder – eine Frau, die als seine Krankenschwester gearbeitet hatte. Kate war nicht sehr glücklich darüber.

Sie wurde jedoch bereits von einer neuen Rolle beansprucht in einem Film, der sich in der Geschichte von Katharine Hepburn als sehr wichtig erwies. Er hieß *The African Queen (African Queen)*.

10

AFRICAN QUEEN

John Huston hatte sie darauf aufmerksam gemacht. Der Film basiert auf einer Geschichte von C. S. Forester, bekannt durch seine Bücher über Captain Horatio Hornblower. Sie handelt von einer Missionarin in Afrika, die durch widrige Umstände gezwungen ist, auf einem altersschwachen Dampfschiff mit einem ungehobelten Seemann, den sie unter anderen Umständen sicher nicht kennengelernt hätte, durch Flüsse und Sümpfe zu schippern.

Die Geschichte war genau auf Kate zugeschnitten. Sie spielte eine ernsthafte Frau, die durch die Arbeit in einer ostafrikanischen Mission mit ihrem einfachen Bruder (der von Robert Morley gespielt werden sollte) um Jahre gealtert war, eine Frau von außerordentlicher Stärke. Der Seemann, ein rülpsender, unrasierter Mann, der trotzdem viel Würde besaß – und einen großen Respekt vor Frauen – war die Art Mann, mit der sie gerne spielte. Huston sagte ihr, wen er für die Rolle haben wollte, und sie war überglücklich: Humphrey Bogart.

Der erste Gedankenaustausch fand in New York statt, als beide Stars zustimmten, den Film zu drehen. Das einzige Problem war der Drehort. Huston verließ sie und sagte: »Findet einen pechschwarzen Fluß für mich.« Sie fanden ihn in Tanganjika, dem Ort, an dem die ursprüngliche Geschichte von Forester spielt. Sie handelt von einer guten britischen

Lady und ihrem neuentdeckten Cockney-Freund – im Film ein Kanadier –, der vor den bösen Deutschen aus deren ostafrikanischer Kolonie flüchtet (die eines Tages ein Teil der Republik Tansania sein würde). Der Fluß, den sie wählten, war der Rukki, der durch die verwitterten Bäume und Pflanzen schwarz geworden war, die seit Tausenden von Jahren in sein Flußbett fielen.

London war die Basis des Unternehmens. Von hier kamen die Crew und ihr gesamtes Gerät. Kate fuhr auf dem wenig beeindruckenden Frachter »The Media« nach Großbritannien, wo sie sich vielleicht schon gegen die Gefahren, die ihr bei *African Queen* begegnen würden, abhärtete. Kate sprach ausnahmsweise mit der Presse und erklärte, sie habe »versiegelte Lippen«, als Fragen zu ihrem Privatleben kamen. Bezeichnenderweise fragte niemand nach Spencer Tracy. Nur die Standardfrage, wann sie den nächsten Film zusammen drehen würden, wurde ihr gestellt.

»Ich weiß, ich bin geradeheraus und dürr«, erzählte sie Donald Zec vom »Daily Mirror«. »Knochig, aber sehr bestimmt.«

»Nehmen Sie davon keine Notiz«, unterbrach Bogart. »In unserem Film badet sie nackt, wunderbare Geschichte. Ich hoffe, sie fällt nicht der Zensur zum Opfer.« (Das Publikum durfte nichts sehen, woran ein Zensor auch nur den geringsten Anstoß hätte nehmen können.)

Kate war von der Bedeutung der Liebe in dem Film sehr beeindruckt. »Nur die sehr einfachen Leute wissen von der Liebe«, sagte sie. »Die anderen versuchen so hart, den Eindruck zu erwecken, daß sie ihre Talente bald erschöpfen.«

Kate versuchte nicht, Eindrücke zu erwecken, kreierte aber ein Image für sich selbst. Als sie zum ersten Mal das Drehbuch las, trug diese missionarische Dame, die sie spielen sollte, in ihren Augen ihr Haar hochgesteckt. So stellte sie diese dann auch dar, und so trug sie ihr Haar danach für immer. Die ersten Gespräche über den Film fanden in der wohltuenden Umgebung des »Calridges« statt. Dort mußte sie durch eine Seitentür hereinschlüpfen, weil das Etablissement den Anblick von Damen in Hosen nicht duldete. Der Kolumnist Ward Morehouse berichtete, wie er im Hotel eine Katharine Hepburn traf, die »im beigen Pullover und Hosen vor einem lodernden Kaminfeuer saß und sagte, ›Es ist schon ein Abenteuer, dieser afrikanische Ausflug, und Gott sei Dank kommt Lauren Bacall mit. Wir werden Wochen auf einem neun Meter langen Boot verbringen und viele Meilen einen Fluß hinunterfahren. Ich spiele nicht die ›African Queen‹ (Afrikanische Königin). Ich spiele eine Missionarin, und ich bin sehr angespannt. Falls mich jemand sucht, der Name ist Kate Hepburn. Belgischer Kongo.‹«

Bogart und Lauren Bacall flogen für die Gespräche von Paris nach London, und ein paar Wochen später setzten alle zusammen ihre Reise nach Afrika fort. Kate und Bogie kamen wunderbar miteinander aus, obwohl das anfangs nicht der Eindruck war, den sie vermittelten. Er mußte erst verstehen lernen, was er die »närrische« Seite von ihr nannte – so zum Beispiel die fünf Bäder, die sie pro Tag nahm, wie sie ihm erzählte. Das war ziemlich unmöglich in Afrika, wo der Schweiß, der ihr über das Gesicht lief und ihr schlampiges Kattunkleid befleckte, echt aussehen mußte. Nein, erzählte sie ihm, sie bade, weil sie dann leichter denken könne.

Er war erstaunt, wie sie ihren Tee mit Erdbeermarmelade süßte, Alkohol in ihr Gesicht rieb, abgesehen von etwas Lippenstift niemals Make-up verwendete, Schmuck trug oder Parfüm benutzte. John Huston fand sie genauso närrisch. Aber das war genau das, wonach er suchte. Und als er es Kate am Telefon erklärte, gab sie zu, daß sie selbst auch nach so etwas gesucht hätte.

Warum sie vorher niemand wegen dieser Rolle angesprochen hatte, ist eine weitere dieser geheimnisvollen Hollywood-Geschichten. Warner gehörten die Rechte des Forester-Romans seit den 30ern. Damals gab es Pläne, den Film mit Bette Davis zu drehen. »Wie wir die jemals aus unseren Händen geben konnten, werde ich nie verstehen«, sagte Bill Orr, der frühere Produktionschef bei Warner. »Sie setzten Staub auf unseren Regalen an. Warum ist niemand an Katharine Hepburn herangetreten?« Es ist einer dieser Fälle, wo alle im nachhinein genau wissen, was sie hätten tun sollen. Denn auch Twentieth Century Fox[*] hatten die Rechte schon gehört, die sie dann an Sam Spiegel weitergaben, der sie wiederum an John Huston gegeben hat. Ausnahmsweise war Spencer Tracy nicht dabei, weder in London noch während der Produktion in Afrika. Er mußte in Hollywood bleiben und *Ein Geschenk des Himmels* drehen, den Nachfolgefilm von *Vater der Braut*. Es war der erste Film der erwachsenen Elizabeth Taylor, der irgendeine Wirkung hinterließ.

Bogart haßte die feuchte Pein des Kongos sowie all das Viehzeug, das um ihn herumflog oder -kroch und hätte *African Queen* lieber dort gedreht, wo jeder andere Film in den fünfziger Jahren in Hollywood gemacht wurde: in einem guten, ehrlichen Studio, mit einem Tank als Double für den Fluß und einem gut gemachten Spielzeugschiff als Ersatz für das dreckige, lecke Boot, das sie benutzten. Ein Boot, das bequem entzweibrechen und umfallen würde, wenn es erforderlich war, wie es die Studioschiffe schon in den letzten fast fünfzig Jahren getan hatten. (Tatsächlich gab es so ein Schiff in den »Shepperton Studios« in der Nähe von London, mit dem die endgültige Untergangsszene gedreht wurde.)

---

[*] Anm. d. Übers.: Amerikanische Filmgesellschaft, die das Cinemascope-Filmverfahren entwickelte.

Er war jede Nacht sturzbetrunken. Wenn das nicht bewußt ein Versuch war zu vergessen, wo er war, bewirkte es das sicherlich. Auch John Huston verschmähte nicht, ein zwei Flaschen mit ihm zu teilen. Aber er hielt seinen Co-Star, der genügend Alkoholprobleme mit Spencer hatte, von dieser Seite der Arbeit weit entfernt.

»Ihr Jungs glaubt wohl, ihr seid schrecklich ungezogen, nicht wahr?« sagte sie eines Abends, als sie an ihrer Bar vorbeikam. »Nun, ihr wißt nicht, was das Wort ungezogen bedeutet.«

»Worauf zum Teufel will sie mit dieser Bemerkung hinaus?« fragte Bogie.

»Ich weiß es nicht«, sagte Huston. »Aber ich glaube, sie ist eine von uns.«

Als sie die Arbeit im Dschungel begannen, kamen sie und Huston nicht so gut miteinander aus. »Sieh mal, Kate«, sagte er nach drei besorgniserregenden Tagen, »du spielst diese Missionarslady, als wäre sie jemand, der pervers ist. Du wirst den Film totmachen, wenn du so weitermachst. Sie ist nicht pervertiert. Sie ist eine jungfräuliche Dame, deren langsam erwachende Liebe wir sehen müssen.«

Bogart schrieb, als diese Episode sicher hinter ihm lag: »Während ich herummeckerte, war Kate in ihrem Element. Sie ging an keinem Farn oder keiner Beere vorbei, ohne ihre Herkunft wissen zu wollen, und bestand darauf, die lateinischen Namen von allem, was da ging, schwamm, flog oder kroch zu erfahren. Ich wollte unseren Drehplan auf zehn Wochen herunterschrauben, aber so wie sie in dem stinkenden Loch schwelgte, würden wir Jahre dort sein.« Über Kate sagte er: »Hier ist eine vierundzwanzigkarätige Verrückte oder eine großartige Schauspielerin, die hart daran arbeitet, wie eine Verrückte zu sein.«

Es war kaum überraschend, daß es Kate gefiel. »Himm-

Kates Hollywood-Debüt.
(National Film Archive)

Ihr erster Film. Mit John Barrymore in
EINE SCHEIDUNG. *(RKO)*

Kates erster Oscar wurde ihr für MORGENROT
DES RUHMS verliehen. In dieser Szene steht
sie zwischen Adolphe Menjou und Douglas
Fairbanks Jr., der zugab, sich damals unsterb-
lich in sie verliebt zu haben. *(RKO)*

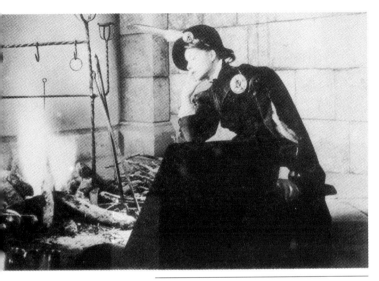

Kate sieht viel schöner aus, als die wahre MARY
OF SCOTLAND je ausgesehen haben kann. *(RKO)*

In QUALITY STREET mit Franchot Tone.
(RKO)

Das Leben verlangt einem viele Rollen ab.
In DRAGON SEED sollte Kate chinesisch aussehen.
Ebenso wie Walter Huston und Turhan Bey.
(MGM)

Die große Liebe ihres Lebens –
Spencer Tracy. *(MGM)*

DIE NACHT VOR DER HOCHZEIT paßte zu
Kate wie das Kleid und der Hut, die sie in dem
Film trug. Hier mit James Stewart und
Cary Grant. *(MGM)*

LEOPARDEN KÜSST MAN NICHT machte
Cary Grant zu einem Star. *(RKO)*

Spencer und Kate in ihrem ersten gemeinsamen
Film DIE FRAU, VON DER MAN SPRICHT. *(MGM)*

Kate und Spencer in ihrem letzten gemeinsamen
Film RAT MAL, WER ZUM ESSEN KOMMT.
(Columbia)

Kate auf ihrem Fahrrad. Rechts: Robert Morley.
(National Film Archive)

Mit Spencer in EHEKRIEG. *(MGM)*

Mit George Cukor bei den Dreharbeiten von
EHEKRIEG. *(MGM)*

Sie war begeistert, mit Humphrey Bogart
in AFRICAN QUEEN zu arbeiten.
(National Film Archive)

RAT MAL, WER ZUM ESSEN KOMMT.
(Columbia)

Die Sportskanone Kate in PAT UND MIKE.
(MGM)

Bei ihrem Sturz in den Kanal in TRAUM MEINES
LEBENS. Sie erholte sich nie von der Augeninfek-
tion, die sie sich in dieser Szene zuzog.
(National Film Archive)

So sah Kate in MIT DYNAMIT UND
FROMMEN SPRÜCHEN aus. *(Universal)*

Sie liebt starke Männer – und keinen mehr als
John Wayne, mit dem sie MIT DYNAMIT UND
FROMMEN SPRÜCHEN drehte. Sie bat Hal Wallis um
die Chance, mit dem »Duke« arbeiten zu dürfen.
(Universal)

Mit ihrer Nichte Katherine
Houghton, die sie bei
Rat mal, wer zum Essen kommt
anleitete. *(Columbia)*

In Der Löwe im Winter rückte sie Peter O'Toole
den Kopf zurecht. *(Avco Embassy)*

Ihre goldene Stunde – mit Henry Fonda in
AM ENDE DES WEGES. *(ITC/IPC)*

In DAS KORN IST GRÜN. Das Foto machte die
Schauspielerin Patricia Hayes.

lisch«, sagte sie immer wieder. Als die Studiohandwerker ihr ein eigenes Badezimmer – Ölfässer und Palmblätter – und eine Dusche gebaut hatten und ihr einen langen Spiegel gaben, war sie so glücklich wie... nun, ein Flußmädchen. Aber nach ein paar Tagen stürzte alles zusammen, und Kate mußte sich im Busch umkleiden und ihre Toilette machen, wie alle anderen auch. Es schien ihr nichts auszumachen, und zusammen mit Lauren Bacall verbrachte sie viel Zeit damit, jeden zu ermahnen, sich so gut wie möglich zu waschen und die nötige Menge an Chinin einzunehmen.

Ihr Schiff wurde von einem anderen Schiff über den Fluß gezogen, und die Ausrüstung folgte nach – einschließlich eines Floßes für die Kameras.

Wenn es das Filmteam nicht gewußt hätte – und zu diesem Zeitpunkt taten das nicht viele –, hätte es ausgesehen, als würden sich die beiden Stars – so wie Bogie den Drehort – hassen. Er sagte ihr dauernd, daß er sie lächerlich fände, weil ihr das alles so gefallen würde. »Du mußt wieder zurück auf die Erde kommen«, meinte er. Worauf sie erwiderte: »Du meinst dorthin, wo du kriechst?« Sie nannte ihn dann einen »häßlichen Sack voll Knochen«.

Damals sagte Bogie: »Sie läßt niemanden zu Wort kommen und wiederholt ständig, wie überlegen sie ist. Später sah man sie dann wie ein Baby durch den afrikanischen Dschungel stapfen, als wäre sie Livingston zuvorgekommen. Ihr Hemdzipfel ist wegen des saloppen Effekts vorsichtig zerrissen und hängt aus ihrer Jeans raus. Sie richtet die Laienkamera auf Flora und Fauna wie ein Kind sein Auge auf den ersten Weihnachtsbaum und tappt zehn Fuß vor dem Stoßzahn eines wilden Ebers herum, um eine Nahaufnahme von dem Biest zu bekommen.

Ein ums andere Mal ringt sie ekstatisch die Hände und sagt, ›Was für göttliche Eingeborene! Welch himmlische Morgende.« O Mann, deine Augenbrauen ziehen sich hoch – ist das irgendwas aus *Die Nacht vor der Hochzeit?*«

Solche Bemerkungen riefen entweder ein heiseres Lachen bei Kate hervor oder machten den Sprecher zu einem Außenseiter. Kate lachte in den richtigen Momenten. Sie und Bogie kamen wirklich sehr gut miteinander aus. John Huston gab hinterher zu, daß ihn das überrascht hatte. Damals verstand er die unerwartete Zuneigung zwischen einer »kultivierten Dame« und einem rauh daherredenden und schwer trinkenden Mann wie Bogie nicht.

»Der eine zapfte beim anderen die humorvolle Ader an«, sagte er später. »Und diese Komik, die weder im Buch noch im Drehbuch vorhanden war, entstand durch die täglichen Dreharbeiten. Natürlich liegt in der Geschichte und in der Handlung Humor, aber es war die ausgefallene Kombination von Bogart und Hepburn, die dieses Element besonders hervortreten ließ.«

Einmal bat Kate Bogart, ihr zu helfen, einen Bambuswald zu finden. »Warum, zum Teufel?« fragte er.

»Um darin zu sitzen und nachzudenken, Humphrey«, antwortete sie, als wäre es die natürlichste Sache der Welt. Kate stapfte durch den Dschungel, bewaffnet mit einer Filmkamera und einem Tonbandgerät (vor der Zeit der Miniaturkassettenrekorder ein gar nicht so leichtes Gerät zum Herumschleppen), Fliegenklatsche und Schmetterlingsnetz. Bogie sah sie und nützte die Situation aus. »Kannst du mir helfen?« fragte er sie.

»Was denn?« erkundigte sie sich.

»Meinen Make-up-Koffer tragen«, erwiderte er.

Während der Dreharbeiten mußten sie sich einmal Gedanken darüber machen, das Camp zu verlegen, weil sie von riesigen giftigen Ameisen umgeben waren. Blutegel waren auch so eine Sache. Huston bestand darauf, daß sowohl Bogie als auch Kate von richtigen Egeln »angezapft« wurden, die er aus Gläsern holte. Nur so konnte er sicher sein, daß Kate richtig schauderte, wenn Bogie sie mit einem brennenden Zigarettenende tötete. Aber es kam noch schlimmer. Neun Mitglieder des Teams bekamen die Ruhr und mußten zurück nach London geschickt werden.

Kate bekam auch einen ernsten Anfall der Krankheit. Wie sie zugab, lag das zum Teil auch daran, daß sie nicht die Annehmlichkeiten der Flasche mit »den Jungs« teilte. Sie versuchte sie auf dem Schiff – das inzwischen ihr schwimmendes Hauptquartier und Hotel geworden war; keine Ameisen an Bord, so weit man sehen konnte – zu beschämen, indem sie Wasser statt Alkohol zum Essen trank. Der Alkohol war sauber, das Wasser verunreinigt. Einmal mußten sie das Filmen fast zwei Wochen unterbrechen.

Es gab noch andere Sachen, die Kate mißbilligte. Als sie hörte, daß Huston versucht hatte, einen Elefanten zu schießen, sagte sie, in dem Moment, wo er das tun würde, würde sie streiken. »Du Mörder«, rief sie. Eines Tages gab er ihr ein leichtes Gewehr und bestand darauf, daß sie ihn auf die Elefantenjagd begleitete. Sie nahm es zum Schutz mit, sie wollte ihn bekehren. Unerwartet fanden sie sich inmitten einer Elefantenherde, die von einem schwerfälligen männlichen Tier angeführt wurde. Huston sprang auf einen Baum, Kate blieb, wo sie war, das Gewehr auf den Elefanten gerichtet, obwohl es ihm nicht viel mehr als ein Stechen beigebracht hätte.

»Katie hielt mir danach keine Moralpredigten mehr«, erinnerte er sich später. »Ihr gefiel mein Jagen, und mir gefiel ihr Schauspielen. Sie stellte sich als eine einfache, fröhliche und eher scheue Frau heraus, die liebend gerne gemocht wird.« Sie war nicht die harte, emanzipierte Frau, mit der er zu arbeiten erwartet hatte.

Manchmal legten wolkenbruchartige Regenfälle die Produktion tagelang lahm. Bogie war dafür dankbar, bis ihm aufging, daß sie die Drehzeit an diesem gottverlassenen Fleck verlängern würden.

Kate sagte später über Bogie, daß er ein »sehr interessanter Schauspieler war. Er war einer der wenigen Männer, die ich je gekannt habe, der stolz darauf war, Schauspieler zu sein. Er dachte, daß die Schauspielerei ein guter Beruf sei. Seine Arbeit basierte ein wenig auf seiner Persönlichkeit. Ich meine nicht in einer scharfsinnigen oder affektierten Art. Er war ein Schauspieler, der funktionierte. Er war auch ein sehr interessanter Mann. Er paßte auf mich auf wie ein Vater... Ein totaler Gentleman.«

Schließlich dauerte das Filmen drei Tage länger als geplant, und der Stab reiste zurück nach London, um die Schlußszenen in den Shepperton Studios zu drehen – sehr zur Freude Bogies. Auch das Wasser bekam Kate dort besser.

African Queen war aus fast jedermanns Sicht jede Minute der Unbequemlichkeiten, jedes Jucken, jedes Niesen und all die unaussprechlichen Dinge, weswegen die Mitglieder der gutbezahlten Crew nach Hause mußten, wert. Bogart gewann einen Oscar. Kate erhielt nur eine Nominierung. Dem Publikum auf der ganzen Welt gefiel die hervorragende Geschichte, die es sich immer wieder anschaut, wenn sie auf den Fernsehschirmen gezeigt wird.

»Ausnahmsweise (schrieb ein nicht genannter Autor von »The Times«) hat das Kino eine Geschichte gut erzählt. Es ist sogar ein Stück weiter gegangen, es hat eine vernünftige und einigermaßen akkurate Übersetzung der Arbeit eines geborenen Geschichtenerzählers produziert... Die Schauspielerei von Miss Hepburn in der Rolle der Schwester des Missionars ist eine Tour de force.«

Es war ihre schönste Stunde.

11

WIE ES EUCH GEFÄLLT

African Queen war nicht nur ein Triumph bei den Kritikern und ein Erfolg in beruflicher Hinsicht, sondern auch ein Wendepunkt in Kates Leben. Im Jahre 1952 spielte sie eine Frau, die mindestens zehn Jahre älter war und so endlich mündig.

Von dieser Zeit an lästerte man nicht mehr über sie. Andere wurden nun unter Beschuß genommen. Diejenigen, die sich fast zwanzig Jahre über ihr Verhalten beschwert hatten, dachten noch einmal nach. Sie hatte sich nicht geändert, obwohl die Leute das glaubten. Sie wollte wie eine eigenständige Person akzeptiert werden und sich ihre Maßstäbe nicht von anderen aufzwingen lassen. Aber deswegen war sie nicht – um Humphrey Bogarts Bezeichnung zu gebrauchen – weniger närrisch oder aufreizend exzentrisch, noch akzeptierte sie das Hollywood-Sprichwort, ohne Publikum ein Niemand zu sein.

Als eine Kollegin sagte, es sei das Publikum gewesen, das sie dorthin gebracht hatte, wo sie war, antwortete sie in entsprechend kryptischer Form: »Zum Teufel hat es das.« Wenn sich Fans mit Autogrammwünschen näherten, gab sie ihnen selten nach. Und wenn sie es tat, tat sie es fast sich selbst zum Trotz. Mehr als einmal ohrfeigte sie einen Hepburn-Enthusiasten, von dem sie meinte, er bedränge sie zu sehr. Dabei diente ihr der Tennisschläger als nützliche Waffe. Bei einigen

Gelegenheiten schrieb sie ihren Namen direkt in die Mitte ihres Gesichts auf dem Foto und gab es somit praktisch unbrauchbar zurück. Manchmal schrieb sie ihren Namen mit Tinte in ein Buch und schloß es dann schnell, so daß alles andere auf der gegenüberliegenden Seite bis zur Unkenntlichkeit verschmiert war.

Das war nicht nur eine verschrobene Antwort kleinen, wehrlosen Leuten gegenüber, in der Hoffnung, sie würden ihre Zeit nicht verschwenden. Sie wollte auch ihre Privatsphäre schützen, und die Fans mußten vor sich selbst geschützt werden, vor einem ungesunden Persönlichkeitskult.

Elizabeth Taylor hat eine bekannte Autogrammsammlung. Sie bat Kate, dazu beizutragen. Sie hat kategorisch abgelehnt. »Ich gebe keine Autogramme«, sagte sie barsch, und das war alles.

Es gab sehr unangenehme Szenen, als Kate mit Spencer nach London kam, um im Kielwasser des *African-Queen*-Triumphs zum ersten Mal auf der »West End«-Bühne zu spielen. Spencer prügelte sich fast mit einem Londoner Fan, der nicht begreifen konnte, warum das Idol, das er aus der Ferne verehrt hatte, nicht einfach seinen Namen hinschrieb. Aber trotzdem schenkte sie dem Publikum ihr Talent, und es gab nichts Wichtigeres für sie – außer Spencer weiter zu lieben. Im »Caldridges« spielte sich wieder das gleiche ab: Er bewohnte die große Suite, sie die kleine.

Ihr Talent zeigte sie dem britischen Publikum in einer Wiederaufführung eines vormals vernachlässigten Stücks von Bernard Shaw: *The Millionairess*. Jahre vorher hatte sie das Stück verfilmen wollen, wurde aber durch andere Arbeit davon abgehalten. Nach der Erfahrung mit *Wie es euch gefällt* wollte sie es nun auf der Bühne spielen. Und sie dachte, Großbritannien sei der richtige Ort dafür. Sie ging mit allem Enthusiasmus und der Zielstrebigkeit eines Windhunds, der

166

einen Hasen jagt, daran. Angefangen bei ihren detaillierten Nachforschungen, was Shaw zu der Zeit tat, als er das Stück schrieb, bis hin zum Anpassen der Kostüme. Katharine Hepburn war vielleicht am glücklichsten in salopper Garderobe, aber die Millionärin auf der Bühne mußte sich wie eine anziehen. Also reiste sie wegen ihrer Kostüme nach Paris, zum Hause Balmain. Ginette Spanier, die Directrice des Couture-Hauses, war eine enge Freundin von »Binky« Beaumont, der das Stück produzierte. Bald stand sie Kate und Spencer ebenso nahe.

»Wenn sie die reichste Frau der Welt wäre, dann müßte sie die schönsten Kleider der Welt tragen«, sagte Madame Spanier, die es gewohnt war, sich mit solch einfachen Gleichungen zu befassen. »Aber ich muß sagen, wir amüsierten uns, daß gerade Katharine Hepburn zur bestangezogensten Frau der Welt gemacht werden sollte.« Das muß eine ziemliche Arbeit gewesen sein. »Nein, gar keine Arbeit«, erzählte mir Ginette. Sie kam nach Paris, um zu besprechen, welche Kleider sie brauchen würde, und wie üblich traf sie sich zunächst mit M. Balmin selbst. Bei dem Treffen machte er die ersten Skizzen und stellte einige Fragen. »Über wie viele Szenen sprechen wir? Was müssen Sie in den jeweiligen Szenen tun? Gehen Sie viele Treppen hoch? Sind die Treppenaufgänge breit oder eng?«

»Ich erinnere mich an ihre erste Szene«, sagte Ginette. »Wir machten ihr einen schwarzen Samtmantel, sehr weit, gefüttert mit plissiertem Taft. Sie mußte ein Abendkleid haben, daß wir für sie aus strohfarbenem Organza schneiderten, bis zur Wadenmitte und überall bestickt. Sie sah wunderschön darin aus. Es war einfach göttlich, und sie liebte es.«

Es gab nur eine Schwierigkeit. In dem Stück mußte sie einen schweren elektrischen Ofen hochheben. Michael Benthall, ihr Regisseur, sagte, er würde einen besonders leichten für sie anfertigen lassen. Aber davon wollte sie nichts wissen. »Nein«, antwortete sie. »Wenn es aussehen muß, als würde ich etwas Schweres hochheben, muß ich es auch so aussehen lassen, als wäre es schwer.«

Deshalb mußten die Arme dieses exquisit gemachten, außerordentlich teuren Kleides, das schon damals etliche tausend Pfund gekostet hatte, besonders verstärkt werden. Couture-Kleider werden meist nur einige Male getragen. Es mußte die ganze Spielzeit über halten – hoffentlich Monate lang –, und wer weiß, vielleicht Jahre? »Ich sagte, ›Kate. Ein Organza-Kleid! Es wird nicht halten.‹ Kate antwortete: ›Nun, Sie werden sich etwas einfallen lassen müssen.‹ Sie ist keine einfache Dame. Aber verglichen mit einigen der Leute, die wir sonst noch ankleiden, war sie großartig.«

Ginette Spanier kam nach London, um bei den ersten Proben zuzuschauen. Sie bemerkte, daß die geknöpften Manschetten des Kleides ständig aufgingen. »Ich sagte ihr: ›Das ist einfach unmöglich! So kann das nicht bleiben. Ich werde Ihnen zwei winzige Reißverschlüsse in die Ärmel einsetzen, die man nicht sieht.‹«

Kate war nicht beeindruckt. »Sie schrie!« erinnerte sich Ginette. »›Ich soll irgendwas aus Zinn dort tragen? Etwas an meinem Handgelenk? Tragödie!‹ Das war das einzige Mal, als sie fast hysterisch wurde.«

Kate reiste nach Paris zur Anprobe. Vor ihrer Ankunft bestand sie darauf, daß es keine Publicity zu geben hätte. Robert Helpmann, ihr Bühnenpartner, und Michael Benthall flogen an einem Sonntag mit und erwarteten, Paris verlassen vorzufinden. Statt dessen war die Straße vor dem Balmain-Gebäude gesteckt voll mit Leuten, von denen die meisten eine Kamera zu tragen schienen.

»Die Nachricht war durchgesickert, daß Katharine Hepburn dasei, und sie war noch niemals in Couture-Kleidern fotografiert worden. Sie veranstaltete ein Drama. Bobbie Helpmann und Michael Benthall diskutierten mit ihr, ob es nicht höflich von ihr wäre, wenn sie zustimmen würde, daß wenigstens zwei Aufnahmen von ihr gemacht würden. Das genüge.« Sie stimmte zu. Aber nur unter der Bedingung, daß es ihr erlaubt war, ihre eigenen Kleider zu tragen. Niemand erhob einen Einwand, obwohl das Balmain-Team nicht besonders erfreut schaute, als sie hinausging in ihren viel zu weiten braunen Hosen und einem T-Shirt, das hinten von einer Sicherheitsnadel zusammengehalten wurde, damit es enger um ihren Hals lag. »Ich erinnere mich, daß sie mich mit Noël Coward einmal in meinem Pariser Haus besuchte. Noël sagte, ›Kate, deine Hosen sind zu weit!‹« Als das Kleid nach einigen Monaten Gebrauch zu reißen begann, flogen Ginette Spanier und ihre Chefzuschneiderin nach London, um sofortige Ausbesserungsarbeiten vorzunehmen. Diese Lösung war Kate im Grunde nicht fremd. Sie flickten das Kleid, das Flicken war ein Kunstwerk. Zwei Tage lang nur Flicken, doch Kate würdigte es. Es gibt nicht viele Balmain-Kleider, die geflickt sind. »Kate schrieb einen sehr charmanten Brief an die Zuschneiderin, in dem sie ihr sagte, wie freundlich sie sei. Es gibt nur wenige Leute, die so etwas tun.«

Ginette und die Zuschneiderin machten für weitere Reparaturen noch einige Reisen nach London. Manchmal trafen sich die Designerin und Kate auch privat in Paris. »Sie und Spencer besuchten uns zu Hause. Aber weil damals niemand von ihrer Beziehung wußte, erschienen sie immer getrennt.«

Das Stück wurde nicht zuerst in London aufgeführt. Bevor es die Hauptstadt erreichte, machte es seinen Weg durch die Provinz. Der »Manchester Guardian« war von dem Ergebnis nur mäßig angetan. »Katharine Hepburn hat gestern abend wohl die meisten ihres Publikums aus Manchester davon überzeugt, die endgültige Version von Shaws feuriger Heldin in *The Millionairess* gespielt zu haben. Sie war der natürliche Boß in diesem Stück über Bosse, und es war immer eine große Freude, ihre Ausbrüche anzuschauen. Man muß zugeben, daß über den lebhaften Erwartungen, mit denen man ins Opernhaus ging, ein beklemmendes Fragezeichen hing. Es war nicht die Furcht, daß sich der Wein als zu stark für die Flasche erweisen würde. *The Millionairess* mag kein großartiges Stück sein, aber es ist robust genug, diese eher alarmierend vitale Schauspielerin zu fesseln.

Es war eher eine Frage von Miss Hepburns Stimme. Ihre ergebensten Bewunderer würden nicht gerade die musikalische Qualität ihrer Stimme zu ihren Tugenden zählen; es ist keine Stimme, die bezaubert, obwohl sie bei Gelegenheit einen Vogel von einem Baum aufschrecken könnte. Es gab soviel für sie zu sprechen; würde es sich nicht lange vor dem Ende wie der Wind, verloren in den trockenen Zweigen eines uralten Waldes anhören?

Wie sich herausstellte, war die Stimme der Hepburn gut auf die Erfordernisse des unterhaltsamen Stücks abgestimmt, in dem sie einen der Charaktere einige Male durch den Raum und dann die Treppe herunterwirft, mit den Worten: ›Das ist dafür, daß Sie meinen Vater einen Langweiler genannt haben.‹ Einem anderen sagt sie, er sei ein Fisch mit der Seele eines schwarzen Käfers, und beklagt sich bitterlich, daß ihr nur siebenhunderttausend pro Jahr nach Erbschaftssteuer übrigbleiben. Solch ein Text erfordert keine große Fülle vokaler Instrumentierung. Es war eine Vorstellung mit großem Charme, geschärft wie eine Schwertspitze, die immer wieder durch die plötzliche Weichheit, die Miss Hepburn gekonnt beherrscht, in die Scheide gesteckt wird. Das alles«, sagte der Kritiker »N. S.«, war »eine engagierte Mischung aus persönlicher Bescheidenheit und künstlerischer Arroganz, die dem Herzen der Heldin teuer sein muß.«

Michael Benthall erhielt von den Londoner Kritikern mehr Lob, als das Stück im Juni 1952 im »New Theatre« eröffnete. Es war das erste Mal, daß es in London aufgeführt wurde. (Das Stück wurde zum ersten Mal im Jahre 1936 in Wien aufgeführt. Dame Edith Evans ging damit durch Großbritannien auf Tournee, aber bevor sie es im »Queens Theatre« spielen konnte, wurde die Vorstellung wegen des deutschen Bombardements auf London abgesagt.) Es hieß, Shaw habe das Stück aufgrund von Lenins Lehren geschrieben, als Angriff auf die unwürdigen Reichen. Die Londoner Kritiker brauchten dieses Adjektiv nicht, um Kates donnernde Vorstellung zu beschreiben. »The Times« schrieb:

»Nachdem die Millionärin den unwilligen ägyptischen Doktor zur Heirat gezwungen hat, versöhnt sie ihn mit der Niederlage, indem sie ihm ›die rhythmische Schönheit ihrer Pulsschläge, die denen eines Vorschlaghammers ähneln‹, enthüllt. Katharine Hepburn macht es ebenso. Sie erfüllt die scheußliche Epiphania mit solch unbändiger, roher, knochiger, stringenter Vitalität, daß sie die Neigungen und Abneigungen hinwegfegt und diese Kreatur als eine Naturgewalt erscheinen läßt. Es ist ein Zwang, der den Frieden von jedermann in ihrer Umgebung bedroht... Sie ist tatsächlich so lebhaft in ihrer unmoralischen Arroganz, daß sie uns fast so nah heranbringt, wie wir herankommen wollen, um dieselbe schreckliche Faszination zu fühlen, die Shaw in den Dreißigern für charakterlose Männer und Frauen empfand, die nur aufgrund der Gewalt ihrer Persönlichkeit die Welt herumkommandieren können.«

W. A. Darlington vom »Daily Telegraph« schrieb, daß Kate wie ein Tornado war. Die Vitalität »bricht aus ihr heraus, treibt sie über die Bühne, hier- und dorthin, und zwingt sie zu seltsamem, angespanntem Verhalten. Es könnte sein, daß sich einige Schauspielerinnen schlau über Epiphanias absolute Humorlosigkeit lustig machen würden, aber Miss Hepburn ist damit zufrieden, die formidablen Qualitäten einer Frau herauszustreichen, die die Natur gestiefelt und gespornt hat, um rücksichtslos über ihre Mitmenschen hinwegzureiten. Wir können vernünftigerweise nicht mehr verlangen. Die Rolle ist keine besonders lohnende. Miss Hepburn erfüllt sie mit Leben, und so ausgerüstet versöhnt uns die Rolle mit den Unzulänglichkeiten des Stücks als Ganzem.«

In der »Sunday Times« schrieb Harold Hobson: »Den Bewohnern der Tropen, den Leuten also, die es gewohnt sind, daß ihre Häuser durch Erdbeben verschlungen und von Hurrikanen entzweigerissen werden, muß Miss Hepburn als sehr naturalistische Schauspielerin erscheinen. Um ihren überwältigenden Bühneneffekt zu erzielen, ist Miss Hepburn mit herausragenden Eigenschaften gesegnet. Sie ist hübsch in dem Sinne, daß es keine exzellente Schönheit ohne leicht verschobene Proportionen gibt, ja bemerkenswert hübsch, denn ihre Proportionen sind sehr verschoben. Ihre Stimme ist musikalisch im Sinne von Dr. Johnsons Definition der Musik: ein unangenehmer Krach, der absichtlich gemacht wird... Ich hoffe, ich habe genug gesagt, um zu zeigen, daß ihre Vorstellung, gleich dem Grand Canyon, dem Tadsch Mahal und einem zweiköpfigen Schwein, etwas Außergewöhnliches ist... Tatsächlich gibt uns Miss Hepburn eine Vorstellung, die in diesem Land niemals übertroffen werden dürfte, außer Miss Hermione Gingold beschließt wider Erwarten, ihr großes Genie der ernsthaften Schauspielerei zuzuwenden.« Kate erledigte ihren Job so gründlich, daß Cyril Ritchard, ihr Gatte auf der Bühne, klagte, er sei sogar während der Proben blaugeschlagen worden, weil Kate ihn durch die Gegend schubsen mußte. Und doch tat sie ein übriges um zu zeigen, daß sie wirklich eine sehr nette Dame war. »Ich bin eine Romantikerin«, sagte sie im Londoner »News Chronicle«. »Ich soll das kaltherzige Mädchen sein, mager, lang-weilig. Was bin ich wirklich? Nun, jedermann denkt, er sei im Grunde seines Herzens süß.«

Sie erzählte dem »Time Magazine«, daß sie glaube, das Stück sei in London solch ein Erfolg, weil »amerikanische Vitalität für die Briten eine große Anziehungskraft besitzt. Man kann das an der Popularität von Judy Garland, Danny Kaye und anderen in England sehen. Aber zu Hause ist Vitalität nicht so verdammt einmalig.« Das waren Worte, die sich noch be-wahrheiten sollten. Aber darüber machte sie sich keine Sor-gen. Leben, sagte sie, sehe sie als eine »Komödie« an. »Wenn Leute über Sie so reden würden, wie über mich, würden Sie das auch denken.« Als sie das sagte, rauchte sie Kette. »Ja«, gab sie zu. »Ich bin eine starke Raucherin. Manchmal höre ich auf.«

Es schien, daß sie wirklich Eindruck auf London gemacht hatte. Trotzdem wurde nur einige Monate später ihr letzter Film mit Spencer, *Pat and Mike*, nach nur elf Tagen im »Empire Theatre« am Leicester Square abgesetzt. Das »Kas-sengift« hatte nicht wieder zugeschlagen. Es lag einfach an der Handlung. Ein Sportpromoter betreut eine Athletin, die er in jedem Sport, den sie betreibt, an die Spitze bringt. Die Briten sahen weder die Sportler noch die Sportlerinnen, die von ihnen geformt wurden, so.

Aber als ein Stück der Tracy-Hepburn-Ära war der Film gut und lief zu Hause viel besser. Bosley Crowther erzählte seinen »New York Times«-Lesern: »Katharine Hepburn und Spencer Tracy, die bezüglich ihrer Popularität als Kinounter-halter ihren Amateurstatus schon vor Jahren abgelegt haben, zeigen sich beide gleich fähig als Paar des professionellen Sports in *Pat and Mike*.«

George Cukor war selten glücklicher mit einem Film, und der ganze Text von Garson Kanins Drehbuch war so schwungvoll wie Kates Tennisschlag. Sie war in der Stimmung, *The Millionairess* am Broadway zu spielen. Und wie auf alle Hepburn-Stimmungen und -Inspirationen mußte sie auch darauf eingehen. Aber es wurde weder ein Kritiker- noch ein kommerzieller Erfolg, als es am »Shubert Theatre« lief. Alles schien weniger sicher als am »New Theatre« in London. Der Kritiker Walter Kerr schrieb in »The New York Herald Tribune«: »Katharine Hepburn ist schön, strahlend, vital und nicht sehr gut. Manchmal klingt sie wie ein Wecker, den niemand abstellen kann... Sie geht nicht, sie marschiert. Sie spricht nicht zu den anderen Charakteren, sie umklammert sie mit einem schraubstockähnlichen Griff... Wenn sie von einem Sofa aufsteht, wirft sie einfach ihre Beine in die Luft und landet darauf.«

Und William Hawkins schrieb im »New York World Telegram«, das Stück sei weit davon entfernt, die Bombe zu sein, die alle erwartet hatten, es »zischt und grollt, aber explodiert nie«. John McClaim vom »Journal American's« sagte darüber, daß es eine Tour de force sein solle: »Ich krieg die Gewalt [force] mit, aber ich entdecke die Tour nicht.«

Aber es gehörte zu der neuen Katharine Hepburn, daß ihr das nichts ausmachte. Sie mochte das Stück und ihre Vorstellung. Tatsächlich sagte sie, daß sie so glücklich damit sei, daß es die Logik gebiete, nun einen Film daraus zu machen. Wieder ging sie nach London, und im Jahre 1954 schien ihr alles zu gehören, was sie um sich herum sah. Sie liebte London. Und London tat sein Bestes, auch sie zu lieben. Sie ging daran, zahlreiche Filmverhandlungen abzuhalten. Preston Sturges stimmte zu, Regie zu führen, und man ersann ein perfektes Drehbuch. Aber es gab finanzielle Probleme. Kein Studio wollte den Film herausbringen, obwohl es einen Produzenten gab, der bereit war, die Räder sofort anzukurbeln, sobald der Finanzierungsschalter umgelegt war. Kate verkündete, daß Lester Cowan der Produzent sein würde. »Ich habe zum ersten Mal davon gehört, daß ich den Film produzieren soll, als Kate mich anrief, um es mir zu sagen«, sagte er damals. »Also bin ich hier in England, um ihn zu produzieren.« Das war leichter gesagt, als getan. »Ich mag vielleicht Produzent genannt werden, aber produzieren tut hauptsächlich Miss Hepburn. Das ist bei all ihren Filmen so.«

Es gab sehr viel mehr Aufregung bei den Vorbesprechungen zu diesem Film als bei allen bisherigen Filmen. Eigentlich hätte jeder, der Kate kannte, den Braten riechen müssen. Alle dachten, das seien Maßnahmen, um Kapital zu beschaffen. Geld wurde nur unter der Bedingung angeboten, wenn Kates und Preston Sturges' Arbeit völlig kastriert werden konnte, damit es für die Filmindustrie zu keinem kommerziellen Risiko wurde. Nach Monaten des Hin-und-her-Geredes waren sich alle Beteiligten einig, daß die ursprüngliche Idee gut gewesen sei. Jetzt war es nicht einmal den Einsatz wert, die Angelegenheit weiterzutreiben. Es wäre viel befriedigender und beglückender, einen Film zu produzieren, den auch andere Leute mochten, ohne irgendwelche Prinzipien dafür zu opfern.

Kates Prinzipien ihr Privatleben betreffend waren die letzten, die sie opfern würde. Es ging so weit, daß ihr sehr freundlich gesagt wurde, ihre Weigerung, auch Interviews zu geben, wenn sie nicht etwas für einen Film oder eine Bühnenproduktion verkaufen mußte, sei wirklich recht unhöflich. »Um ganz offen zu sein, Miss Hepburn (schrieb Moore Raymond in der »London Sunday Dispatch« in einem dieser Artikel, in dem ein Journalist hofft, daß die Leser mit seiner Zwangslage sympathisieren), Sie sind eine verdammt aufreizende Frau. Sie sind verschiedentlich als temperamentvoll, dornig, stürmisch und unberechenbar beschrieben worden. Die Leute haben Sie seither scheu, zurückgezogen, ängstlich und von

Herzen freundlich genannt. Tatsache ist, daß Sie keiner kennt, außer vielleicht Ihre wirklich engen Freunde oder vielleicht diejenigen Leute, die mit Ihnen und Ihrer Arbeit verbunden sind. Aber ich würde Sie gerne besser kennenlernen. Und ich bin sehr sicher, daß das auch viele meiner Leser möchten.«

Wenn Miss Hepburn an dem Tag den »Sunday Dispatch« gelesen hat – sie hat immer behauptet, niemals irgend etwas über sich selbst zu lesen –, hatte es einen geringen Effekt auf ihre Haltung gegenüber Reportern oder auf den Erfolg des Filmprojekts *The Millionairess*. Sophia Loren und Peter Sellers drehten den Film sechs Jahre später, und er gefiel niemandem.

Aber der Klassikfloh hatte sie gebissen – der britische. Im Januar des Jahres 1955 war Kate ein Vollmitglied der angesehensten Theatertruppe der Welt, des Londoner »Old Vic«, nicht, um an seinem jahrhundertealten Theater an der Waterloo Road zu spielen, sondern um mit der Truppe auf Australientournee zu gehen. Sie spielte die Portia in *Der Kaufmann von Venedig*, die Katharina in *Der Widerspenstigen Zähmung* und die Isabella in *Maß für Maß*.

Ihr Partner aus *The Millionairess*, der in Australien geborene Schauspieler und Ballettänzer Robert Helpmann, leitete die Truppe. Michael Benthall führte wieder Regie. Der »Sydney Morning Herald« war erfreut, sie dabeizuhaben. Sie lobten ihre »Eignung und Sicherheit« in der Rolle der Widerspenstigen – niemand kommentierte den treffenden Namen der Rolle, die sie spielte – und sagten: »Wenn es eine seltsame Falschheit oder einen merkwürdigen Gefühlsausdruck im stimmlichen Zittern gab, das Miss Hepburn in ihre ärgerlicheren und sentimentaleren Texte legte, so gab es keinen Zweifel an der Ernsthaftigkeit und dem Wert des explosiven, komischen Geistes, den sie in Hunderten von Momenten in diesem klassischen Stück gegenseitiger Beschimpfungen brachte.« Es war ein Erfolg, wo immer sie hinkamen, nicht nur in Sydney, auch in Adelaide, Brisbane und Perth. Die einzige dunkle Wolke am Horizont zog in Melbourne auf, als ein Lokaljournalist fast jeden verärgerte. Robert Helpman, indem er ihn darauf hinwies, daß seine Tage als Tänzer vorüber seien, und Kate, indem er ihr klarmachte, daß sie aufs Tourneetheater »abgesunken« sei, einfach weil ihre Tage als Filmstar vorüber seien.

Kate sah das keineswegs so. Sie glaubte einfach, daß es ihre Aufgabe als Schauspielerin sei, ihr Handwerk auf der Bühne und im Film auszuüben. Enttäuschend an dieser sechsmonatigen Saison war nur, daß Spencer sie nicht begleiten konnte. Er filmte in Kalifornien und mußte noch immer Besuche bei seiner Familie machen.

Als sie nach dem Shakespeare-Ausflug wieder in New York war, tauschte sie noch einmal ihre Eindrücke mit Nina Foch aus. Nina hatte *Der Widerspenstigen Zähmung* und *Maß für Maß* in Stratford, Connecticut, gespielt. »Sie sagte, ›Ich liebte einfach die *Widerspenstige*, haßte *Maß*‹. Ich sagte, ich fühlte genauso. Dann meinte Kate, sie wolle mich bei ihrer Truppe dabeihaben, der ›Katharine Hepburn Productions‹. Die erste Regel der Truppe sei, niemand dürfe *Maß für Maß* spielen. Wir lachten schallend.« Für die Theaterszene wäre die »Katharine Hepburn Productions« tatsächlich eine sehr interessante Erscheinung gewesen. Aber daraus wurde nie etwas. Die Reise nach Australien war damals nicht Kates einzige Überseeunternehmung. Sie arbeitete auch in Italien, filmte dort *Summer Time (Traum meines Lebens)*. Das ist die Geschichte einer einsamen alten Jungfer, die vorgibt, ganz selbstbeherrscht und immun gegen den Zwang der Natur sowie gegen Signore Rossano Brazzi zu sein. Er spielt einen Antiquitätenhändler aus

Venedig, der sich in Kate mit all ihren zickigen Eigenheiten verliebt. Regie führte David Lean.

»The New York Times Magazine« schrieb: »Eine wundersame Kreatur von einem Planeten namens Hollywood ist ins alte Venedig hinabgestiegen.«

Der Film basierte auf Arthur Laurents' Stück *The Time of the Cuckoo*. Er wurde in Zusammenarbeit von David Lean und H. E. Bates hergestellt. In London kam er besser an als in New York. Dilys Powell schrieb in der »Sunday Times«, daß er »zwei Vorzüge hat. Er hat Katharine Hepburn und Venedig.« Es war »mit Liebe und Leidenschaft« Regie geführt worden. »Doch«, schrieb sie, »ohne Katharine Hepburn, stelle ich mir vor, hätten wir einen Kitschroman im Rahmen einer Dokumentation anschauen müssen. Miss Hepburn fügt den Szenen Menschlichkeit hinzu; und das nicht nur durch die nervöse Vitalität ihres Spiels, sondern auch durch ihre eigene physische Schönheit. Während des ganzen Films besteht sie darauf, alt und verblüht zu sein, und die ganze Zeit sehen wir eine Frau mit einem strengen Profil, einer extrem zähen und schönen Eleganz, die sie auch noch anschauenswert macht, wenn sie hundert Jahre alt sein wird.«

»The Times« schrieb kurz: »Eine ganze Zeitlang... verwandelt sich der Film in einen Meisterschaftskampf mit Venedig in der einen Ecke und Miss Katharine Hepburn in der anderen. Nur dank Mr. Jack Hildyards Kameraführung gelingt es Venedig so lange zu bestehen. Denn Venedig ist gegen einen wahren Meister angetreten, einen Meister, der von Mr. Lean überzeugt wurde, den Kampf in Hochform auszutragen. Miss Hepburn kann sich trotz des Farbenzaubers und der natürlichen Schönheit von Venedig halten. Sie ist passiv, umgibt sich mit Einsamkeit und unausgesprochenen Sehnsüchten und überredet zum Schluß, was sicherlich im

Sinne des Drehbuchs war, Venedig, den vitalen Teil beim Erzählen der Geschichte zu spielen.«

Es gab für Kate zahlreiche Gelegenheiten, Hosen auf der Leinwand zu tragen – natürlich auch beim Mittagessen, bei Besichtigungen und beim Abendessen. Außerdem trug sie, was von einem Schreiber »der schlappste Hut von Venedig« genannt wurde. Selbstverständlich übernahm sie überall die Kontrolle. Als sie eine Gondelfahrt machte, war sie überzeugt davon, mehr über die Navigation des Bootes zu wissen als der Gondoliere, und sagte es ihm auch. In dem Film will sie, daß keiner der Gäste eines am Kanal gelegenen Cafés denkt, sie sei allein. Deshalb dreht sie den Stuhl zur Seite, als würde sie auf einen Besucher warten. Als sie den Mann, den sie als Liebhaber begehrt, näher kommen sieht, versucht sie, die Situation zu rechtfertigen. Aber Brazzi, der zuerst begeistert war, sie zu sehen, bemerkt den Stuhl und geht traurig weg. Keiner von beiden ist glücklich. Wahrlich kein neues oder gar aufsehenerregendes Thema!

In England hieß der Film *Summer Madness*. Campell Dixon vom Londoner »Daily Telegraph« verstand nicht, warum Mr. Lean den Film nicht bei den Filmfestspielen in Venedig eingereicht hatte. »Trotz aller Fehler«, sagte Mr. Dixon, »wird er als einer der Filme des Jahres 1955 in Erinnerung bleiben.« Was man so oder so interpretieren konnte. 1955 war besonders bemerkenswert, daß Kate in einen Kanal von Venedig fiel. Es war die Szene, wo sie am Wasser steht, rückwärts tritt, um ein typisches Touristenfoto zu machen, und ins Wasser fällt. Jack Hildyard, der brillante Kameramann, dessen Arbeit perfekt die wohlbekannte Schönheit von Venedig einfängt, erzählte mir, daß jeder Schritt genau ausgemessen wurde. »Bevor wir mit dem Filmen begannen, sollte sie die Anzahl der Schritte bis zum Fall ausmessen. Sie tat es immer wieder, bis sie perfekt war. Sonst hätte es einen bösen Unfall gegeben. Sie sorgte sich nicht im geringsten wegen des Sturzes. Kein Vorschlag, ein Double zu nehmen, oder so was. Sie war eine großartige Schwimmerin, obwohl solche Kanäle nicht gerade dazu einladen.«

Sie hatte großartig Vorsorge getroffen: besondere Schuhe, um sicherzugehen, daß sie nicht vom Wasser hinuntergezogen wurde; enge Kleidung; antiseptisches Mittel für ihr Haar; aber sie hatte vergessen, etwas für ihre Augen zu tun. Mit dem Ergebnis, daß sie von dem schmutzigen, modderigen Wasser eine Augeninfektion bekam, die nie mehr abklang. Heute denkt sie stoisch darüber. »Nur durch den Kanal von Venedig«, sagt sie, wenn die Leute sie fragen, warum sie so viele Schwierigkeiten mit den Augen hat.

Die Stadt war nicht gerade der geeignetste Drehort, erinnerte sich Hildyard. »Es war Hochsommer, und Venezianer wie Touristen standen die ganze Zeit um uns herum. Aber Katharine zeigte keine Anzeichen von Besorgnis, weil sie da waren.«

Trotz des Kanalbades gefiel Kate Venedig sogar so gut, daß sie ihre Zähne für Art Buchwald süß entblößte, der bemerkte, sie seien »die größte Calciumablagerung seit den weißen Felsen von Dover«.

Kates Zurückgezogenheit wurde auch oft mißverstanden. Obwohl sie nicht mit jedem Fremden über den Film reden wollte oder wegging, um ihre nächste Szene in einer Art selbstauferlegtem Purdah zu planen, hätte sie sehr gerne mit denjenigen Kontakt gehabt, von denen sie glaubte, daß sie Gemeinsamkeiten mit ihr hätten. Aber man verstand sie nicht. Sie wäre gerne gelegentlich von David Lean oder Signore Brazzi zum Abendessen eingeladen worden.

»Ich war darüber eher verärgert«, sagte sie hinterher. »Ich ging oft ganz allein durch Venedig, fühlte mich einsam und vernachlässigt, setzte mich an einen Kanal und schaute auf das Wasser. Während ich so dasaß, kam ein Mann zu mir und sagte, ›Darf ich mich mit Ihnen unterhalten?‹« Der gesprächige Mensch war ein französischer Klempner, und beide hatten offensichtlich einen angenehmen Abend. »Ich war froh, mit irgend jemandem reden zu können, der einigermaßen vernünftig zu sein schien, also spazierten wir zusammen durch Venedig.« Sie wunderte sich jahrelang darüber, warum man sie damals alleingelassen hatte. »Ich nehme an, alle dachten, ich hätte unheimlich aufregende Sachen zu erledigen, und wollten mich deswegen nicht stören. Das passiert mir überall.«

Aber sie forderte es auch heraus. Ein britisches Filmangebot folgte dem anderen, und ihr gefiel die Atmosphäre der Londoner Studios, die entspannter zu sein schien und weniger »showbusineßhaft« als Hollywood. Einige Sachen paßten gar nicht zu ihrem veränderten Verhalten.

»Draußen bleiben«, befahl ein Schild an ihrer Tür im Pinewood Studio, wo sie *The Iron Petticoat (Der eiserne Unterrock)* drehte – eine weitere Bearbeitung des *Ninotschka*-Themas. Sie spielte eine sowjetische Pilotin, die in den Westen fliegt und feststellt, daß es angenehmere Dinge im Leben gibt als den nächsten Fünfjahresplan. Kates Botschaft an ihrer Garderobentür vermittelte nicht automatisch diesen Eindruck, obwohl eine Erklärung in großen roten Buchstaben die Aufforderung leicht abmilderte: »Ersparen Sie sich Verlegenheiten und bleiben Sie draußen, außer Sie kommen zu einem offiziellen Besuch.«

Sie aß nicht mit dem übrigen Stab oder den Technikern. Sie ließ sich eine Flasche Mineralwasser mit einem leichten Imbiß in ihrer Garderobe servieren, begleitet von der unvermeidlichen Zigarette. Das war keine Hochnäsigkeit oder Gesellschaftsunfähigkeit von ihrer Seite, denn in einem Filmstudio ist jeder Schauspieler für den anderen ein Vorbild an Gesellschaftsfähigkeit. Sie konnte einfach damals nicht im

Restaurant essen, sie war in ihrem ganzen Leben vielleicht in fünf oder sechs gewesen. »Es führt bei mir zu Magenverstimmungen«, erklärte sie. »Es ist eine ganz unnatürliche Art zu essen... wenn Leute einen anstarren.« Wenn es Besuchern doch gelang, die Sicherheitsbarrieren zu durchbrechen, begrüßte sie diese mit den Füßen auf dem Frisiertisch.

»Ja«, erzählte sie dem Schriftsteller Thomas Wiseman, »es ist meine eigene Schuld.« Ihr Verhalten mußte den Eindruck vermitteln, daß sie eine schwer umgängliche Person sei. »Ich habe es mir selbst zuzuschreiben. Ich bin eine eher kantige Persönlichkeit. Ich habe ein kantiges Gesicht und eine scharfe Stimme. Wenn ich am Telefon spreche, schnarre ich hinein. Ich nehme an, daß das die Leute abhält. Ich bin glücklich, einige gute Freunde zu haben, aber ich mache mir nicht viel aus Bekannten.« In einem sehr aufschlußreichen Moment gab sie zu: »Ich bin böse. Ich bin wirklich böse zu Reportern. Sie fragen mich Sachen, die sie nichts angehen, zum Beispiel warum ich Hosen trage.«

Das war eine der Fragen, die viele Leute im Stab von *Der eiserne Unterrock* – er hieß zuerst *Not for Monday* – beantwortet haben wollten. Aber sie wurden nicht zufriedengestellt. Sie antwortete wahrscheinlich wieder, daß sie sich mehr um den Film sorgt, und verschwieg, was ihr mehr als alles andere Sorgen machte: der Zustand von Spencer Tracy. Er führte noch immer in Hollywood einen Kampf gegen Depressionen, Alkoholismus und körperliche Gebrechen, die viele verschiedene Ursachen hatten. Eine Ursache war wohl, daß er während einer Skiszene hoch oben in einer defekten Gondel gelassen wurde. Das strapazierte seine Nerven und schmerzte Kate, als sie davon hörte.

Glücklicherweise drehte sie einen großartigen Film und konnte so ihre Gedanken von häuslichen Angelegenheiten fernhalten. Ben Hecht war mit einem Drehbuch zu ihr gekommen, das sie für superb hielt. Sie wollte die Pilotin spielen. William Holden stand zur Verfügung, um den Reporter zu spielen, und die Geschichte mußte einfach hervorragend laufen.

Spontan entschied sie sich für den Regisseur. Sie hatte gerade den Film *Doctor in the House* mit Dirk Bogarde und Kenneth More gesehen. Der Film war für sie der witzigste, den sie je gesehen hatte. Als Tochter eines Arztes, die mit Streichen von Medizinstudenten aufgewachsen war, konnte sie alles nachvollziehen. Ralph Thomas führte in dem Film Regie, und sie glaubte, er sei auch der Richtige für ihren Film. Er drehte gerade den Nachfolgefilm, *Doctor at Sea*, mit Brigitte Bardot und segelte auf einem Schiff zwischen Alexandria und Piräus, als ihn der Anruf von Kate erreichte.

»Ich dachte, jemand wollte mich auf den Arm nehmen«, erzählte er. »Ihre Stimme war einfach nachzumachen, und ich glaubte nicht eine Minute an ihre Echtheit.« »Ich möchte, daß Sie bei meinem nächsten Film Regie führen«, sagte sie zu ihm. »Kann ich Ihnen das Drehbuch schicken?« Er hätte normalerweise alles fallen lassen, um anzunehmen, aber er zweifelte an der Echtheit des Angebots. »Ich hätte sogar zugesagt, das Londoner Telefonbuch zu verfilmen.« Die mysteriöse Stimme fragte, wohin sie das Drehbuch schicken solle, und er sagte ihr, daß er als nächstes Piräus anlaufen würde.

»Richtig«, sagte die Stimme. »Ich schicke es dorthin.« Er hielt das Ganze für einen guten Witz, doch die Arbeit wartete, und deshalb dachte er nicht weiter darüber nach. Als das Schiff an dem griechischen Hafen anlegte, wartete ein Drehbuch auf ihn. »Und es war die köstlichste Geschichte von Ben Hecht, die ich je gelesen hatte. Ich wollte es sehr gerne machen.« Und nach ihrem nächsten Gespräch war klar, daß Kate genauso dachte. Man führte die ersten Gespräche in Amerika und setzte sie einige Wochen später im »Connaught

Hotel« fort. Kate, Thomas, Hecht, alle schlossen sich zusammen. Man einigte sich, den Film in den Pinewood Studios von Buckinghamshire zu drehen, und daß es (für damalige britische Verhältnisse) eine Huge-Budget-Production* werden solle. Aber der Film entwickelte sich nicht so, wie sie es wollten. Thomas sagt, daß er eher Schiedsrichter als Regisseur war.

Kaum hatte Harry Salzman die Produktion übernommen, änderte er das Drehbuch, das Konzept und die Besetzung des Films. Holden war draußen. Statt dessen wurde Bob Hope verpflichtet, um den amerikanischen Luftwaffenoffizier zu spielen, der zum Schluß den Osten genauso liebt wie die Russen den Westen.

Es war eine neue Idee, daß Kate die Rolle an der Seite von Amerikas bestem Komiker spielen sollte. Anfangs dachte sie, es würde ihr die Möglichkeit zu einer brillanten »Tour de force« bezüglich ihrer eigenen Rolle geboten. Für Bob Hope war es so, als würde er mit der Garbo spielen, sagte Ralph Thomas. Sobald die Einzelheiten beschlossen und die Verträge unterschrieben waren, schickte Hope Kate Dutzende von roten Rosen. Aber die strenge Schauspielerin mit dem beliebtesten Komödianten in der Geschichte des Kinos zusammenzubringen, war, wie Öl mit Wasser zu vermischen. Salzman und Hope bestanden darauf, die Geschichte bis zur Unkenntlichkeit zu verändern, um Hopes Persönlichkeit und seinen Durst nach Witzen zu befriedigen, die für ihn in der Geschwindigkeit einer Detroiter Automobilfließbandanlage produziert wurden.

Zuerst konnte Thomas nur darauf hoffen, daß sie gegenseitig die Arbeit des anderen respektierten. »Bevor sie anfingen zu drehen, bemerkte ich aber, daß sie beide an völlig verschiede-

---

* Anm. d. Übers.: Verfilmung mit hohem finanziellen Aufwand.

nen Drehbüchern arbeiteten.« Kate arbeitete mit dem Drehbuch, dem sie zuerst zugestimmt hatte. Währenddessen fügte Bob Hope, von seinem eigenen Schreiberteam verhätschelt, die ganze Zeit kryptische Einzeiler hinzu, und ließ sie während des Dialogs fallen wie Konfetti während einer Silvesterparty.

»Ich stand die ganze Zeit auf Kates Seite«, erzählte mir Thomas. »Aber es war sehr deutlich, daß sie nicht dieselbe Sprache sprachen.«

Kate ärgerte sich so über Bobs ständige Textänderungen, daß sie einen jungen Bekannten engagierte, um zum Drehort zu kommen und vorzugeben, er wäre einer von ihren Textern. Alles nur um die Hope-Mannschaft zu enervieren. Hopes Team steigerte sich daraufhin und fügte noch mehr Gags ein.

»Nach nur zwei Tagen wurde mir klar, daß es zwischen den beiden keinen Berührungspunkt gab. Es war wie eine Feuertaufe für mich, das kann ich Ihnen sagen. Da war Bob, der seine Einzeiler einfügte, und sie, die ihm sehr deutlich und frostig sagte, was sie von seiner mangelnden Professionalität hielt.«

Einmal protestierte Kate, daß Hope eine perfekte Szene ruiniert hätte, indem er Witze über »Yogi Bear« einfügte. Also saß der Regisseur bis drei oder vier Uhr morgens beim Umschreiben in seinem Wohnwagen. Nicht, daß Bob Hope nicht selbst seinen Beitrag zu dem Film leistete. Er organisierte mit Freunden auf dem »United States Third Airforce Base« in Northolt, etwas außerhalb Londons, die in dem Film als Double für den Moskauer Flughafen diente, nicht weniger als fünf Militärflugzeuge mit »Hammer und Sichel«. Das war eine reife Leistung vor allem im Jahr 1955, als jedem loyalen Amerikaner eingetrichtert wurde: »Lieber tot als rot«.

Kate kam mit Ralph Thomas ausgesprochen gut aus. Sie sagte, er sei »wie ein Hamster«. Ebenso mit James Robertson

Justice, der eine Nebenrolle in diesem Film hatte. »Man muß sich einfach in sie verlieben«, erzählte mir Thomas.

Aber man mußte ihre Art kennen. An einem Wochenende war sie mittags zu Gast im Haus von Thomas und seiner Frau Betty Box, die die Produzentin des Films war. Sie hatten kleine Kinder. »Nach der Hälfte«, erinnerte er sich, »hörte sie auf zu essen und ordnete an, daß die ganze Familie einen Dauerlauf machen sollte. Sie sagte, es sei nicht gut, ein schweres Mahl ohne eine Pause einzunehmen.«

Thomas beeindruckte am meisten an ihr, daß sie trotz ihrer eindrucksvollen Art und ihrer Abneigung den Bedürfnissen der Publicity-Maschinerie gegenüber »nichts von einem großen Star an sich hatte«. Einmal mußte Ausrüstung von einem Geschäft abgeholt werden, das weit entfernt war. »Ihr seid alle zu beschäftigt, um zu gehen«, sagte sie mit dem für sie typischen Befehlston. »Aber ich habe im Moment nichts zu tun. Haben Sie ein Auto?« Thomas sagte, es stünde eines draußen. »Gut, dann sagt mir, was ich tun soll, und ich hole es selbst ab.« Und das tat sie.

Sie fand das nicht unangenehmer, als dekadente Kleider und Unterwäsche anzuprobieren, die vom Hause Balmain in Paris eingeflogen wurden, um das Image der Kommunistin, die sich an den Kapitalismus verkauft hatte, zu vervollständigen. Huntsman schneiderte ihre Uniform, obwohl man noch von keinem Offizier der Roten Armee gehört hatte, der je etwas in dieser Qualität getragen hatte. Unter dem Khaki... ein schwarzes Wespentaillenkorsett mit Rüschen, das für sie von Balmain entworfen und angefertigt wurde.

Ginette Spanier kam wieder aus Paris, um Kates Garderobe anzupassen, und Monsieur Balmain konnte der Versuchung nicht widerstehen, die großartige Kate zu treffen. Dennoch war sie viel glücklicher in ihren Hosen, die sie unter einem langen Mackintosh-Regenmantel verbarg, um im »Connaught Hotel« ein und aus gehen zu können. Manchmal benutzte sie den Personalaufzug, um in ihr Zimmer zu gelangen.

Während dieses Films, wie bei so vielen anderen auch, war sie von einer natürlichen Freundlichkeit. Das zeigte sich in ihrem Umgang mit den weniger bekannten Schauspielern und Technikern. Fast am Ende des Films hörte sie die Geschichte eines Toningenieurs, der sich gerade sein eigenes Haus baute und feststellte, daß er nicht genügend Geld hatte, um ein Bad einzubauen. Im Jahre 1955 war es noch manchmal üblich, daß Häuser ohne Badezimmer gebaut wurden, also fand er sich zunächst mit einer Zinkwanne in der Küche ab.

»Kate hörte davon«, erzählte Ralph Thomas, »nicht von dem Mann selbst, sondern weil wir alle darüber redeten. Sie beschloß, etwas zu tun.« Als der Ingenieur sein Haus wieder besuchte, kam er gerade, als eine komplette Badezimmereinrichtung angeliefert wurde. An die Verpackung war eine Karte geheftet, auf der einfach stand: »Ein Geschenk zum Ende des Filmens. In Liebe, Kate.«

Der britische Charakterschauspieler David Kossoff, der einen KGB-Agenten in dem Film spielte, machte eine ähnliche Erfahrung. »Ich war sehr ehrgeizig, als ich den Film drehte«, erzählte er mir, »und sie erfuhr, daß ich ein berufliches Problem hatte, das ich sehr gerne gelöst haben wollte. ›Machen Sie sich darüber keine Sorgen‹, sagte sie. ›Ich kenne jemanden, der jemand anderen in Amerika anrufen wird. Wir haben die Antwort wahrscheinlich bis, na sagen wir, Mittwoch.‹« Am Mittwoch war eine Antwort da, und genau die, die Kossoff hören wollte.

Der Eindruck, den er von Hepburn und Hope hatte, war etwas anders als der des Regisseurs. »In unseren Kreisen hieß es gleich zu Anfang, daß da diesen beiden großen Stars waren und daß sie nicht miteinander auskamen. James Robertson Justice – der groß war, bluffte und nicht ganz so sicher war, wie er uns in den Tagen glauben machte – und all die anderen Leute, die an dem Film mitarbeiteten, wurden zusammengerufen am, ich glaube, ersten Drehtag. Es war ein sehr großes Bühnenbild, ein witziges KGB-Büro. Wir kamen auf dieser Bühne zusammen, und ich spürte bei Ralph Thomas eine gewisse Nervosität, die es immer am ersten Tag gibt. Aber in diesem Fall war ausschließlich Katharine Hepburn die Ursache. Und dann ganz plötzlich stand sie bei uns. Sie kam herein, trug eine Safarijacke und weite, wenig kleidsame Safarihosen. Ich glaube, sie trug keine Schuhe. Sie war noch nicht geschminkt, geschweige denn frisiert, und ich erinnere mich, sie verwundert angeschaut zu haben, weil sie zwar wie Katharine Hepburn aussah, aber wie eine außergewöhnlich schlampige, ungekämmte Version von ihr.

Ich konnte ihre ungesunde Haut, ihre rotumrandeten Augen und ihren sehr kümmerlichen Haarwuchs sehen. Keine Figur, die der Rede wert war, und nicht besonders schöne, lange Hände. Aber ich war sofort irgendwie verzaubert von ihr. Ich weiß nicht, ob mich ihre latente Schönheit verzaubert hatte. Sie strahlte eine sehr große Natürlichkeit aus. Sie war überhaupt nicht affektiert und sprach genau mit dem Akzent wie in ihren Filmen, der das Produkt der sehr guten Schule war, die sie besucht hatte.«

Fast alles an ihr war ungewöhnlich, auch das, was sie als erstes tat, sie setzte sich nämlich auf den Boden. »Sie dominierte, obwohl sie auf einer niedrigeren Ebene als wir war. So etwas war noch nie vorgekommen. Sie setzte sich, soweit ich mich erinnere, deswegen auf den Boden, weil ihr niemand einen Stuhl anbot. Sie besprach verschiedene Sachen mit uns und wir standen in einem engen Kreis um sie herum.

Dann verschwand sie, und wir sahen sie erst später wieder in der Uniform einer russischen Pilotin. Und mit diesem eigentümlichen Tonfall, den große Schauspieler haben und der nichts mit Make-up zu tun hat; das ist wie ein Zauber, und sie können sich in jedermann verwandeln.

Während der Dreharbeiten war ich voller Bewunderung für sie. Kate war in jeder Hinsicht Gold wert. So jemanden findet man nicht oft in der Filmbranche. Ich fühle mich ihr ergeben.«

Ihm war nie bewußt, daß zwischen Hepburn und Hope ein Schiedsrichter nötig gewesen wäre. Hope hielt er für einen der nettesten Männer. »Wir hatten alle Angst vor den unterschiedlichen Temperamenten und eventuell daraus resultierenden Schwierigkeiten. Aber nicht die Spur davon. Das war für jedermann Unterricht in Studiobenehmen. Auf der einen Seite sahen wir diesem Meister der schöpferischen Komik zu, wie er seine Stückchen ausarbeitete, und auf der anderen sahen wir sie, wie immer vollkommen in ihrer eigenen Rolle aufgehend. Am Ende des Tages gingen sie in verschiedene Richtungen davon.

Es gab keine überflüssigen Witze. Bob Hope machte Witze für uns, aber nicht für sie. Er schien sie mit einer bemerkenswerten Feinfühligkeit zu behandeln. Wie andere gute Komiker besaß er die Sensibilität einer Katze.« Mit anderen Worten, sie hemmte ihn. Einzig das Essen ließ sie Kossoff als eigenwillig erscheinen. Als er sie alleine essen sah (nicht viele hatten dazu Gelegenheit), hatte sie sich Weizenkeimbrot und anderes Gesundheitsessen bestellt.

Eines beeindruckte David Kossoff und die anderen Schauspieler besonders. »Katharine Hepburn wußte immer über die Tagesarbeit Bescheid. Sie arbeitete daran. Sie kannte jedes Wort. Sie gab Anweisungen, ohne zu diskutieren. Wenn sie einen Vorschlag zu machen hatte, wurde er ohne Argumentation vorgebracht. Alle hörten mit großem Respekt zu. Ich wußte auch, daß Ralph Thomas, ein sehr bekannter Regisseur für Komödien, sie für bestens geeignet hielt.«

Aber es gab auch schwierige Momente. »Sie hatte einen klaren Verstand, keine Zeit für Klatsch. Ich nehme an, in der damals parasitären Welt des Films konnte das beleidigend wirken.«

Sie mied nicht nur die übrige Truppe beim Essen, sondern, was in den Augen einiger noch schlimmer war, trank auch nicht mit ihnen. David Kossoff erinnert sich, als der Wagen mit dem Kaffee einmal vorbeikam. »Eine Tasse Kaffee, Miss Hepburn?« rief der Kaffeejunge. »Schwarzen Tee«, antwortete sie. »Schwach, lauwarm, mit einem winzigen Stückchen Zitrone«, wie James Bond, der einen Geschüttelten-nicht-gerührten-Martini ordert. Obwohl sie es nicht sagte, wußte man, daß sie hinzufügen wollte: »... und in einem makellos sauberen Glas.«

An der wichtigen Schlüsselszene arbeiteten sie gemeinsam. »Die Scheinwerfer waren hoch oben an der Decke angebracht, weil man sicher sein mußte, daß sie nicht gesehen werden. Es war eine gefühlvolle Szene, die mit einer Nahaufnahme von ihr, in Tränen aufgelöst, endete. Sie arbeitete bei der Probe genauso perfekt wie bei der Aufnahme. Als sie die Szene drehten, nahmen ihre Füße fast den gleichen Platz ein. Sie waren auf genau derselben Markierung, so perfekt war sie.

Der Regisseur rief: ›Schnitt‹, und unter Tränen hörte man sie sagen: ›Eine Lampe ist ausgefallen, mein Lieber.‹ Es war eine gefühlvolle Szene, in der sie nur in die Kamera hätte schauen sollen. Trotzdem war ihr eine von fünfzig Lampen aufgefallen, die ausgegangen war.

›Meinst du, wir sollen noch mal drehen?‹ fragte Ralph Thomas. ›Nur, wenn du das für richtig hältst‹, sagte sie. Natürlich wurde die Szene mit reparierter Lampe noch einmal gedreht. Und wieder stand sie perfekt auf ihrem Platz. Sie war einfach eine großartige Filmschauspielerin, die professionell arbeitete. Ich bewunderte Katharine Hepburn.«

David Kossoff hat nicht die leisesten Zweifel, daß Kate damals genau wußte, welchen Eindruck sie auf die kleinen Leute machte, die sie umgaben und niemals an sie heranreichen würden. »Ich erinnere mich an eine Szene im Ballsaal, in der sie ihr KGB-Taschengeld für dieses großartige Ballkleid ausgegeben hatte. Sie war auf einmal da. Sie war plötzlich auf der Bildfläche erschienen, und ich erinnere mich sehr deutlich an die eintretende Stille. Plötzlich war da diese hagere Dame, die wir morgens gesehen hatten, aber alles an ihr war jetzt glamourös. Alles an ihr war schön. Sie glitzerte. Ihre Stimme war wie eine Glocke. Es war ein Moment, den ich nie vergessen habe.«

Leider blieb der Film nicht allen Beteiligten in so guter Erinnerung, obwohl die Kritiker insgesamt der Ansicht waren, daß sich »Ninotschka« hervorragend geschlagen hatte.

In London schrieb der Kritiker von »The Times«: »Ihr Spiel schlägt ein wie ein Blitz, sie arbeitet mit einer Präzision, wie man sie bei Militärparaden beobachten kann. Wenn sie mit absurder Frivolität vor dem eleganten Flitterkram des Westens dahinschmilzt, schmilzt sie hinreißend, und sie verschmilzt mit Miss Garbo während der Szene, in der sie vor einem geheimen sowjetischen Gericht in London verurteilt wird, in Habachtstellung, während ihre Rangabzeichen entfernt werden. Sie verwandelt die Szene in eine Tragödie...«

Das fanden auch eine Menge Leute, die mit ihr arbeiteten. David Kossoff erinnert sich, daß sie scharf sein konnte, ohne zu beleidigen. »Ich glaube, es lag an einer Ökonomie der Worte. Sie sah keinen großen Sinn darin, in einem Satz mehr als einmal ›bitte‹ oder ›danke‹ zu sagen. Man wußte genau, was sie wollte, und normalerweise bekam sie es. Wenn sie innehielt und einen Vorschlag machte, tat sie das nicht wegen ihres Egos. Sie wollte die Szene verbessern. Sie bemerkte wirklich, wenn eine Lampe ausging.«

12

DIE GANZE
WAHRHEIT

Im Jahre 1957 war Katharine Hepburn erst achtundvierzig. Aber schon wurde die Frage gestellt: »Werden Sie sich zur Ruhe setzen?«

»Zur Ruhe setzen«, antwortete sie in einem Tonfall, als hätte man ihr gesagt, das Mineralwasser, das sie den ganzen Tag über trank, sei verseucht. »Zur Ruhe setzen? Nicht einmal, wenn Sie mich dazu zwingen. Mein Vater ist über siebzig. Er ist immer noch praktizierender Arzt. Er ist robust, gesund, munter und unermüdlich.«

Dazu gab es nicht viel zu sagen. Auch jetzt argumentierte man nicht mit Katharine Hepburn. Sie hatte gesprochen. Sie zog das Zur-Ruhe-Setzen nicht einmal in Betracht – und das war's. Niemand wollte das ernsthaft. Die Generation der Filmstars war weitgehend von der Bildfläche verschwunden, und grundehrliche Individualisten wie Kate mußten deshalb und auch wegen ihres gottgegebenen Talents erhalten bleiben.

In diesem Jahr wurde sich auch Kate der Zerbrechlichkeit des menschlichen Lebens schmerzhaft bewußt. Humphrey Bogart, ein gerade gewonnener und doch so enger Freund, verlor seinen tapferen Kampf gegen den Krebs. Immer noch rauchend, immer noch hustend, immer noch trinkend, immer noch würgend, immer noch scherzend, immer noch lachend. Doch mit jeder Nacht wurde die verfallende Gestalt des ehemals dominierenden, harten Typen (der vor nur fünf Jahren einen Oscar dafür gewonnen hatte und Kraft zu tyrannisieren und wiederum von ihr in *African Queen* tyrannisiert zu werden) schwächer.

Er war dennoch in erstaunlich guter Verfassung. Als ihm Gregory Peck eine besonders lange, weitschweifige Geschichte erzählte, sagte er: »Wenn du nicht bald auf den Punkt kommst, Greg, werde ich die Schlußpointe versäumen.«

Kate und Spencer besuchten ihn täglich. Als sie ihn das letzte Mal besuchten, wußte Bogie, daß es zu Ende gehen würde. Aber weder Kate noch Spencer ließen sich etwas anmerken, um ihn nicht unnötig aufzuregen. Sie erteilte weiterhin gute Ratschläge; er schlug seinem Gastgeber freundschaftlich auf die Schulter, als dieser einen weiteren Witz erzählte. Als sie gingen, faßte Bogie sie so fest bei den Händen wie möglich. Das hatte er vorher noch nie gemacht. Kate weinte, als sie ging. Das hatte sie vorher auch noch nie gemacht.

Als Bogart starb, umgab Kate eine große Traurigkeit. Einige in ihrer Nähe beobachteten, daß sie Spencer jetzt nur um so mehr schätzte; sie betonte ständig, wie dankbar sie sei, sein nun weißes Haar und sein zerfurchtes Gesicht, wann immer möglich, an ihrer Seite zu haben.

Kate wollte sich auf besondere Art an Bogie erinnern. Sie bat Lauren Bacall – sie wurde Bogies Baby genannt – um einen seiner Pullover. 1957 begann sie ihn zu tragen, und sie tut es bis heute. Seine »närrische« Kollegin bewies ihre tiefe Liebe.

Spencer arbeitete weiter, allerdings machten ihm Krankheit und vorzeitiges Altern jeden Tag mehr Probleme vor der Kamera. Er suchte immer Trost bei Kate und allzu regelmäßig bei der Flasche.

Er drehte *Der alte Mann und das Meer* sowohl auf Kuba als auch in den Warner-Brothers-Studios von Burbank. Kate war überall dabei, nur um ihm zuzulächeln, wenn sie sich danach fühlte, oder um ihm Trost zu spenden, wenn erforderlich.

Milton Sperling, ein Produzent der Studios und Schwiegersohn des Präsidenten Harry Warner, erinnert sich an den Tag, an dem sie einen SOS-Ruf beantwortete. »Spencer war mitten in einer seiner heftigsten Trinkphasen«, erzählte er. »Das einzige, was wir tun konnten, war, Katharine Hepburn anzurufen und um Hilfe zu bitten. Liebevoll gelang es ihr, ihn für diesen Tag vom Alkohol wegzubringen.«

Sie ging mit dem Warner-Studio, für das sie selbst niemals gearbeitet hat, genauso hart um wie mit ihren Filmstudios. Jack Warner Jr., der Sohn des Produktionsleiters, erinnert sich, wie sein Vater sie gebührend empfing. Jack Junior war damals selbst schon Produzent in dem Studio. »Könnten Sie mir ein paar Zigaretten holen?« fragte Kate ihn, als sei er ein Laufbursche.

Der eiserne Unterrock war ein Kassenflop, aber deshalb war sie nicht weniger enthusiastisch in bezug auf ihren nächsten Film. Wie immer kamen die Angebote hereingeflattert. Die Drehbücher türmten sich täglich in ihrem Postfach, und die Produzenten baten sie während schmeichelnder Anrufe, ihren letzten Fund wohlwollend und schnell zu begutachten.

1957 antwortete Kate wenig begeistert nur einem Gentleman aus Stratford on Avon, Conneticut. Er lud sie ein, eine Saison lang die Portia in *Der Kaufmann von Venedig* zu spielen. Sie nahm trotz der geringen Gage an, mit viel größerer Begeisterung als Jahre vorher die zusätzlichen 10 000 Dollar von RKO.

Der »New-York-Times«-Kritiker Lewis Funke schrieb über diese Rolle: »Sie zeichnet ein heiteres, leichtherziges, mädchenhaftes Porträt dieser Dame… eine hübsche, muntere Art, die Rolle zu spielen.« Als sie die Beatrice in *Viel Lärm um nichts* spielte, schrieb Brooks Atkinson: »Miss Hepburn ist eine sehr moderne Schauspielerin; der Verstand, die spröden Bemerkungen, die kultivierten Augen stehen ihr.«

In seinem Buch über Tracy und Hepburn erinnert sich George Kanin, daß sie besonders glücklich war, in einem ehemaligen Bootshaus eines Fischers zu leben. »Es ist perfekt«, sagte sie. »Natürlich gibt es einige Unbequemlichkeiten. Manchmal, wenn die Flut wirklich hoch ist, dringt Wasser durch den Fußboden.«

Dann mußte Kate auf Händen und Knien schöpfen. Mehr als einmal wurde einem völlig Fremden ein Schrubber und ein Wischtuch in die Hand gedrückt, und er wurde angewiesen, ihr zu helfen. Die Bude bedeutete ihr »verdammt viel«. Aber sie kehrte immer wieder nach Hollywood zurück. Und selten war sie begeisterter als damals, als ihr der Produzent Hal Wallis die Rechte von *The Rainmaker (Der Regenmacher)* anbot.

Hal Wallis ist zweifellos einer der großen Namen Hollywoods. Er war der Genius, der hinter vielen Erfolgen der Warner Brothers steckte, angefangen bei Al Jolsons *Der Jazzsänger* bis hin zu *Casablanca*. Ähnlich erfolgreich war er anschließend bei Paramount. Wenn er eine Filmidee hatte und einen passenden Star, war ein Erfolg so gut wie vorprogrammiert, was alle Studios wußten.

Der Regenmacher ist die Geschichte von einer schlampigen alten Jungfer namens Lizzie (alle bemerkten damals, wie ähnlich die Rolle der von Kate in *Traum meines Lebens* war), die auf einen Hochstapler hereinfällt. Sie spielt im ländlichen Amerika. Kate ist die einzige Frau in einer Familie, die sonst noch aus ihrem Vater und ihren Brüdern besteht. Diese würden sie liebend gerne verheiraten. Dabei geraten sie an den Hochstapler Starbuck, der behauptet, er könne inmitten einer tödlichen Dürre Regen machen.

Die Story basiert auf dem New Yorker Stück von N. Richard Nash. »Ich kaufte es extra für sie«, erzählte Wallis. Er erinnert sich gerne daran. Sie kamen gut miteinander aus, weil sie sich gegenseitig respektierten. Er respektierte sie wegen ihrer Leistungen; sie respektierte ihn, weil er als Prophet in der Filmwelt galt.

Burt Lancaster wollte die Rolle des Starbuck sehr gerne spielen. Er war dafür bereit, mit Wallis ein Geschäft zu machen. Der Produzent hatte versucht, ihn zu überreden, mit Kirk Douglas in *Zwei rechnen ab* die Geschichte von Wyatt Earp zu spielen. Lancaster, der einen berechtigten Ruf als Darsteller hatte, den er nicht zuletzt seinem trainierten Körper verdankte, war sich nicht sicher, ob ihm die Rolle genügend Spielraum für sein, wie er glaubte, unzweifelhaft vorhandenes dramatisches Talent ließ. Sie unterhielten sich über das Projekt und schienen nicht weiterzukommen. Doch dann hörte Lancaster, daß Wallis *Der Regenmacher* gekauft hatte und daß die Hepburn darin spielen sollte.

»Es war seine Ambition«, sagte Wallis, »als Partner der Hepburn zu spielen, deshalb war das für ihn die einmalige Gelegenheit, sich diesen Wunsch zu erfüllen.«

»Ich höre, Ihnen gehören die Rechte von *Der Regenmacher*?« fragte Lancaster.

»Das stimmt, sie gehören mir«, erwiderte Wallis.

»Und Katharine Hepburn spielt mit?«

»Richtig«, antwortete der Produzent.

»Nun dann«, sagte Lancaster, »wenn Sie immer noch wollen, daß ich in *Zwei rechnen ab* spiele, mache ich das, vorausgesetzt Sie lassen mich mit Kate in *Der Regenmacher* spielen.«

(Der Regisseur Joseph Anthony behauptete Charles Higham gegenüber, Lancaster sei nicht so begeistert gewesen. Er nannte die Geschichte »Schund« und weigerte sich, den Text für mehr als einen Tag im voraus zu lernen, ganz im Gegensatz zur Hepburnschen Angewohnheit, den ganzen Text bereits zu beherrschen, bevor die Dreharbeiten beginnen.)

Lancaster, der gerade auf dem Gipfel seines Ruhms stand und vielleicht der populärste Schauspieler des Jahres 1957 war, bot einen Kompromiß an, den der Mann, der diese Kunst besser als sonst jemand in Hollywood beherrschte, nicht zurückweisen wollte.

»Einverstanden«, sagte Wallis.

»So wurden zwei Fliegen mit einer Klappe geschlagen«, erzählte er mir. Er hatte Grund genug, dankbar zu sein. »Es war eine Freude, mit Kate zu arbeiten«, erinnerte er sich. »Sie war so professionell.« Was ihrer Beziehung zu Lancaster auch nicht zuträglich war. Am ersten Drehtag waren alle pünktlich. Kate stand um 9.30 Uhr in Kostüm und Make-up da. Burt Lancaster kam erst zwanzig oder fünfundzwanzig Minuten später. Als er am Drehort erschien, stellte sich Kate in die Mitte der Truppe und hielt eine Ansprache: »Mr. Lancaster«, deklamierte sie, »wir waren alle hier, aber Sie waren nicht hier. Wenn das auch Ihr künftiges Verhalten sein wird, lassen Sie es uns bitte wissen, und wir werden alle erst um 9.55 Uhr eintreffen. Andernfalls erwarten wir, daß Sie pünktlich hier sind.« – »Von da an war er pünktlich«, erinnerte sich Wallis. »Es geschah vor der ganzen Crew, so etwas hatte ich noch nie erlebt. Sie machte ihren Standpunkt sehr deutlich, sie würde nicht irgendwelchen Allüren nachgeben. Sie ist professionell, und das erwartet sie auch von allen anderen. Von dem Moment an kamen sie und Lancaster sehr gut miteinander aus.«

Als die Dreharbeiten vorüber waren, schenkte sie Wallis ein Gemälde – ein Selbstporträt. Das war für sie eine Form von Erholung und Stimulation. Jemand fragte sie damals, was sie im Jahre 1999 tragen werde. »Das gleiche alte Kostüm«, sagte sie. »Und ich werde immer noch malen.«

Ihr gefiel der Film so gut, daß man sie ernst nahm, als sie nach Beendigung der Dreharbeiten sagte, was die meisten Filmleute als Floskel abtun: Sie wolle noch einmal mit dem Produzenten arbeiten.

Sie sagte zu Wallis: »Wissen Sie, ich würde gerne mit John Wayne arbeiten.«

Wallis versprach, darüber nachzudenken. Dann dauerte es fast fünfundzwanzig Jahre, bis das Versprechen Früchte trug. Kate unterhielt sich aber über ein anderes Projekt mit Wallis. Doch dafür verlangte sie mehr Geld. Alles, was sie von dem Produzenten als Antwort bekam, war... Schweigen. Wie ein Granit hätte er geschwiegen, schrieb sie in ihrem Vorwort zu Wallis' Autobiographie »Starmaker« (Co-Autor: Charles Highham). Sie sagte, daß sie so etwas nie wieder von ihm gefordert hatte.

Währenddessen lernten Kate und Spencer für ihren nächsten gemeinsamen Film *Desk Set (Die Frau, die alles weiß)* mit dem Computerzeitalter zu kämpfen. Der Film handelt von der Bibliothekarin einer Fernsehstation, die zu ihrem Bedauern feststellen muß, daß eine Maschine in der Lage ist, in Windeseile Antworten auf Fragen zu liefern, für die bisher nur sie, als langjährige Mitarbeiterin, schnelle Lösungen finden konnte. Eine Woche lang saß Kate in einem richtigen Büro und wollte den Umgang mit der Technik erlernen. Doch sah sie nur eine Herde herumlungernder Mädchen, die Katharine Hepburn studierten. Der Film war eine hervorragende Wiedergabe der Welt der Wissenschaft. Kate als Bibliothekarin und Spencer als Ingenieur, der ihr die Grundlagen erklärt, im gewohnten Geplänkel miteinander. Sie spielten sich tatsächlich zu jeder Zeit selbst. Man wußte, daß die liebevollen, zynischen Kommentare, die auf der Leinwand abgegeben wurden, diejenigen in ihrem Wohnzimmer in Hollywood widerspiegelten. Jahre später erzählte sie dem Filmkritiker des Londoner

»Evening Standard«, Alexander Walker: »Unsere Filme fußten auf Spontaneität, vorausgesetzt, daß die Beziehung zwischen uns funktionierte. Abgesehen davon, schaffte es Spencer sehr schnell, sich wirkungsvoll zu präsentieren.« Deshalb probten sie nie zusammen. Wenn sie in Gesellschaft des anderen einen Text durchgingen, war es gewöhnlich für einen Film oder ein Stück, in dem nur einer von beiden auftrat.

»Leute fragen, warum unsere Partnerschaft so erfolgreich war«, sagte sie. »Sie basierte auf einer natürlichen und ehrlichen Erfüllung der Bedürfnisse.« In späteren Jahren gab sie zu, daß ihnen der Gedanke an Heirat durch den Kopf gegangen war. »Aber«, sagte sie, »ich wußte, daß Spencer die Antwort kannte. Ich habe ihn nie unter Druck gesetzt. Ich wußte immer, daß er das tun würde, was das Beste für uns beide sein würde.« Im Rückblick betrachtete sie ihr Leben. »Ich habe all diese Jahre der Kameradschaft mit einem Mann unter Männern gehabt. Er ist ein Fels und Beschützer. Ich habe es nie bereut.« Auch das »American Shakespeare Festival Theatre« war von ihr begeistert. Als im Jahre 1958 die Auszeichnungen vergeben wurden, war sie eine der wenigen Schauspieler – Laurence Olivier war ein anderer –, der einen Preis erhielt. Sie bekam ihn für ihre Darstellung der Portia. Kate war sich klar über ihren Erfolg und wußte, was dazu beigetragen hatte. »Ganz nüchtern gesagt«, reflektierte sie eines Tages, das was sie erreicht hatte, »ich fand mich absolut faszinierend!« Es hat sogar in ihren Tagen als »Kassengift« immer Leute gegeben, die der gleichen Ansicht waren.

13

EINES LANGEN TAGES REISE
IN DIE NACHT

In den 60er Jahren hatte Kate Sorgen. Bereits als junge Frau hatte sie schon mittelalte Charaktere gespielt, und nun war sie selbst im mittleren Alters. Sie wollte es zwar nicht zugeben, aber als sie Anfang Fünfzig war, hatte sie Probleme.

Sie spielte immer noch Tennis und Golf, fuhr mit dem Rad und ging schwimmen. Sie war Spencer immer noch durch und durch ergeben. Doch physisch war er nun ein alter Mann. Sie war zwar noch nicht alt, stolperte aber schon mal, was ihr früher nicht passiert wäre. Wenn ihr jemand gesagt hätte, das seien Alterssymptome, hätte sie ihm wahrscheinlich ihren Tennisschläger über den Kopf gehauen.

Sie wählte auch nicht die richtigen Rollen für sich aus. In Stratford spielte sie die Viola in *Die zwölfte Nacht*. Obwohl ihre Darstellung kompetent war, war das keine Rolle für eine Frau ihres Alters. Das gleiche galt für die Rolle der Cleopatra in *Antonius und Cleopatra*.

Dennoch schrieb Garson Kanin in seinem Buch, daß zwar andere gute Schauspielerinnen diese Rolle gespielt hätten, nur Kate aber die Aussage von Enobarbus bestätigte:

Nicht kann sie Alter
Hinwelken, täglich Seh'n an ihr nicht stumpfen
Die immer neue Reizung; andre Weiber
Sätt'gen die Lust gewährend: denn das Gemeinste
Wird so geadelt, daß die heil'gen Priester
Sie segnen, wenn sie buhlt.*

Sie war deshalb so gut, weil sie die Rolle gerne spielen wollte.
Als man nach Worten suchte, um ihr zu erklären, man könne
nicht ihre gewohnte Gage zahlen, sagte sie, Geld sei nicht das
Wichtigste – und übernahm die Rolle für eine Ehrengage von
300 Dollar die Woche. Zum ersten Mal in ihrem Leben
passierte dieser Professionellen unter Professionellen ein
Ausrutscher. Während sie eines Nachmittags angeln ging,
fiel ihr plötzlich ein, daß sie in einer Matinee spielen mußte.
So etwas war ihr noch nie passiert. Tatsächlich war der bloße
Gedanke daran, eine Vorstellung zu verpassen, ihrer Natur so
fremd, daß sie es wahrscheinlich vorgezogen hätte, ernsthaft
krank zu werden.
Kate schreckte im wahrsten Sinne des Wortes aus ihrer
Anglerpose auf und fiel in den Matsch. Sie versuchte, sich zu
säubern, was allerdings nicht so einfach war. Sie rannte zum
Theater, vor dem eine Menschenschlange stand, die eingelas-
sen werden wollte. Sie muß ein wenig wie ein schwarzge-
sichtiger Barde ausgesehen haben, als sie sich durch die
Menschenmenge ihren Weg ins Theater erkämpfte. Die Ma-
tinee fand selbstverständlich statt.
Dieser Zwischenfall war bezeichnend für ihre berufliche
Entwicklung. Damals schrieb das »Life Magazine« über
Kate: »Sie läßt den Dialog besser klingen, als er ist, durch

* Zitat aus: William Shakespeare, Werke in zwei Bänden. Band 1. Hg. v. L. L.
  Schücking. Knaur Verlag/München ²1958, S. 833.

unvergleichliche Schönheit und Klarheit der Sprache und durch Intelligenz sowie Sensibilität, die jede Nuance in jeder Zeile, die sie spricht, erhellt. Sie stattet jede Szene, jedes Detail mit der Intuition eines Künstlers aus, der in seine Kunst hineingeboren ist. Sie wird nur durch ihre damenhafte Stimme und durch dauerhafte Manieren eingeschränkt. Miss Hepburn könnte nie eine Landstreicherin oder eine Hausfrau aus einer Mietskaserne spielen. Das macht nichts. Es wird immer Rollen für ›Damen‹ geben, und dafür brauchen wir Katharine Hepburn.«

Sie spielte viele schwermütige, nach innen gekehrte Rollen. Eine davon haßte sie bereits, nachdem sie den Vertrag unterschrieben hatte. Sie war Mrs. Venables in *Suddenly Last Summer (Plötzlich im letzten Sommer)*. Sie spielte die Rolle so ernsthaft wie jede andere auch, aber sie enttäuschte fast jeden, der sie als die grausame, dominierende Mutter sah. Ihre Partner in dem Film waren Elizabeth Taylor und Montgomery Clift. Clift hatte sich noch nicht von einem ernsten Autounfall erholt, bei dem sein Gesicht zerquetscht worden war. Kate verbrachte viel Zeit als Psychiater und Sozialarbeiter und half ihm, nicht nur seinen Text zu lernen, sondern sich auch den Problemen seines Lebens zu stellen.

Kate und Elizabeth Taylor harmonierten nicht gerade miteinander. Es entstand ein Konkurrenzkampf zwischen ihnen. Beide waren – um einen Ausdruck zu gebrauchen, der erst fünfzehn Jahre später Eingang in die Sprache fand, aber viel über die beiden aussagt – Megastars, und es ist nicht leicht für Frauen dieser Kategorie, miteinander zu arbeiten und nicht nur die Leinwand, sondern auch die Filmplakate zu teilen.

Kate war sehr mißtrauisch gegenüber der viel jüngeren Elizabeth, deren Schauspielkunst sie nicht so ganz respektierte. Sie fürchtete, in den Hintergrund zu geraten. Die Taylor wiederum fürchtete, von der sehr viel älteren Schauspielerin verdrängt zu werden. Es geschah nichts, was diese Vermutungen gerechtfertigt hätte. Aber die Furcht war da.

Plötzlich im letzten Sommer mag für den Autor, Tennessee Williams, ein finanzieller Erfolg gewesen sein, aber es ist kein Film, den die Hepburn oder ihre Fans in guter Erinnerung haben. Kate hätte die Rolle sicher mit der Begründung gerechtfertigt, sie spiele eine Antiheldin, die sich über die Leute lustig mache, über den ganzen »verdammten Starrummel«. Aber dem Publikum gefiel der Film nicht.

Zum zweiten Mal während ihrer Karriere arbeitete Kate mit Jack Hildyard hinter der Kamera. Es mag kein brillantes Beispiel filmischer Logik gewesen sein, aber er war von dem Star genauso begeistert wie zuvor. »Sie war sehr, sehr freundlich. Sie versuchte nie, irgendwelche Dinge zu tun, die ihr die Leute nachsagen, wie zum Beispiel selbst die Kamera führen zu wollen. Und sie war sehr großzügig.«

Die Dreharbeiten trafen mit der Taufe von Hildyards Tochter Janine zusammen. Als Kate davon hörte, schickte sie einen Silberbecher als Geschenk. Er trug die Inschrift: »Für Janine von einer großen Verehrerin Deines Vaters.« Am Fuße der Inschrift standen die zwei Filmtitel, die sie zusammen gedreht hatten, *Traum meines Lebens* und *Plötzlich im letzten Sommer*.

Doch nicht jeder, der sie kennenlernte, war von ihr überwältigt. Wilfrid Hyde White, der sich einen Namen dadurch gemacht hatte, daß er distinguierte englische Offiziere und liebenswerte grauhaarige Hochstapler gespielt hatte, traf sie auf einer Party in George Cukors Haus. »Ich mochte sie überhaupt nicht«, erzählte er mir. »Nach dem Abendessen stand sie mit dreister Selbstverständlichkeit mitten im Zimmer, biß ihre Fingernägel ab und spuckte sie anschließend auf den Fußboden.«

Sie mag gerade bei der Vorbereitung der Rolle für eine

weitere gequälte Frauengestalt gewesen sein. Sie probte vielleicht für die Rolle von Mary Tyrone, einer drogenabhängigen Mutter aus Eugene O'Neills Stück *Long Day's Journey into Night*. Kate sagte gleich zu Anfang der Dreharbeiten, sie würde keinen Rat an die Regie erteilen oder sich am Drehbuch zu schaffen machen. Sie sah sich nicht einmal den Rohschnitt an. »Das Stück ist so brillant«, sagte sie, »ich wollte es wirklich ohne zu schauspielern spielen. Ich wollte nicht faszinierend, beschönigend, oder aufregend sein. [Obwohl sie all das in der Rolle war.] Ich wollte mich nur abseits halten und mich nicht einmischen.«

Sie unterschrieb einen Vertrag für die Gage von 25 000 Pfund, ein Zehntel von dem, was sie für *Plötzlich im letzten Sommer* bekommen hatte. Das Gesamtbudget des Films betrug nur 400 000 Dollar. Sie sagte, ihr sei Geld immer »verdammt egal gewesen«, was nur bedingt stimmte. Denn sie nutzte es sehr wohl als Statussymbol oder zweckdienliche Waffe, um damit Produzenten einzuschüchtern. »Ich mache mir nichts aus Kleidern, und Besitz ist mir egal. Ich bekam riesige Gagen, wenn der Stoff langweilig war, und ich habe mich nur ein einziges Mal geärgert, als ich etwas, das ich nicht machen wollte, nur des Geldes wegen getan habe.« Über ihre Rolle sagte sie: »Es ist bei weitem das verdammt Beste, was ich gemacht habe. Es gab nie wieder in meinem Leben eine so interessante Zeit. Wir mochten einander ungeheuer gerne. In dieser Rolle passierte es einfach. Ich mußte es nicht lenken.«

Sie wurde für einen Oscar nominiert, bekam ihn aber nicht. Der Film wurde als offizieller Beitrag der Vereinigten Staaten bei den Filmfestspielen von Cannes gezeigt. Dort gewann er einige Auszeichnungen.

Mit der Besetzung war Kate sehr zufrieden – Sir Ralph Richardson (sie hatte gehofft, daß Spencer die Rolle ihres

Ehemannes, die von Richardson gespielt wurde, übernehmen würde, aber ihm gefiel die Geschichte überhaupt nicht) und Jason Robards Jr. (Damals das Rätsel der amerikanischen Kinowelt, weil man sich nicht sicher war, ob er wirklich ein so großes Schauspieltalent war oder nur deshalb erfolgreich war, weil er Lauren Bacall geheiratet hatte. Es hieß, sie habe ihn wegen seiner Ähnlichkeit mit Humphrey Bogart geheiratet.) Kate war beeindruckt von seiner Darbietung in der Rolle ihres Sohnes James Tyrone Jr.

Am meisten jedoch befriedigte sie, zum ersten Mal in einem Stück von O'Neill zu spielen; ein Schriftsteller, den sie seit ihrer Kindheit bewunderte. Sie hatte einmal versucht, Louis B. Mayer dazu zu überreden, *Mourning Becomes Electra* zu verfilmen. Der bloße Gedanke daran ließ das Wasser in seinen Augen zu Eis erstarren, er weigerte sich, die Angelegenheit ernsthaft zu besprechen. Kate war auch von O'Neills Vita bewegt; einer seiner Söhne hatte Selbstmord begangen, ein anderer wurde drogenabhängig.

Große Künstler, behauptete sie – und sie meinte damit auch sich selbst –, »sollten sterilisiert werden. Man sollte Kinder nicht aus Egoismus in die Welt setzen. Ich glaube, es ist sehr schwierig, Karriere zu machen und gleichzeitig eine Familie zu haben. Angenommen, ich hätte ein Kind, und Johnny bekäme am Eröffnungsabend Mumps oder so was. Ich glaube, ich wäre versucht, ihn zu erwürgen.«

Wieder war die Reaktion der Kritiker nicht wie erhofft. Im Londoner »Daily Express« schrieb Leonard Mosley: »Wenn ich behaupte, daß Miss Hepburn, ganz Tränen, flatternde Hände, qualvoller Gesichtsausdruck, die ganze Szenerie erfüllt, so hat sie dafür gute Gründe. Die anderen Darsteller sind nämlich so unbedeutend, daß sie das einfach tun muß, um die Aufmerksamkeit des Publikums zu erhalten. Sie werden dem entnehmen, daß *Long Day's Journey into Night* mich nicht beeindruckt hat, lediglich als eine Übung in Pyrotechnik. «

»The Times« beurteilte den Film freundlicher. »Miss Katharine Hepburn ... legt in der Rolle als drogenabhängige Mutter natürlich nicht ihren gewohnten Manierismus ab, sondern läßt ihn für sich arbeiten, so daß er zum überzeugenden Teil des Charakters wird, den sie verkörpert, zu etwas, das eine Schauspielerin zufällig mitbringt. «

Sie beschäftigte sich intensiv mit der Rolle. Sie besuchte Sanatorien und studierte die Behandlung von Drogenabhängigen und deren Reaktion auf die Therapie. Gedreht wurde in Neuengland, und jeder Wellenschlag, jeder Windstoß, jedes Nebelpartikelchen waren ihr so vertraut wie ihr eigenes Blut oder ihr Herzschlag. Regie führte Sidney Lumet. »Er war so begeistert«, erinnert sich Jason Robards. »Er glaubt an alles, was er macht. Sogar wenn es der schlechteste Film ist, der je gedreht wurde, denken derartige Leute, es ist der größte. «

Lumet sagte, er erkannte die Tragödie der Geschichte, als er der Hepburn zuschaute, wie sie eine gebrochene, ruinierte Frau spielte. Er sagte, sie benutze Technik nur an problematischen Stellen. »Wenn es läuft, fliegt die Technik aus dem Fenster. Sie ist völlig intuitiv.« Das stammte aus ihrer Kindheit, aus einer Zeit, in der ihre Eltern ihr erlaubten, sich eine eigene Meinung zu bilden.

Dean Stockwell, der auch zu der Besetzung gehörte, erinnert sich gerne an ihre damalige Unterstützung. Er sagte: »Es war großartig, mit ihr zu arbeiten, und großartig, sie zu kennen. Ich mochte sie sehr. Ich probte ausführlich mit ihr, was für mich ungewöhnlich war. Normalerweise wartete ich einfach, bis die Kamera lief, und fing an, aber sie beherrschte die Szene schon vorher und probte vorher. Das dürfte der einzige Fall während meiner Karriere gewesen sein, wo auch ich vorher probte.

Sowohl Jason als auch mir gegenüber benahm sie sich ein wenig wie eine Mutter. Sie mochte nicht, daß wir tranken, sie versuchte immer, uns dafür ›zahlen‹ zu lassen, als ob wir unartige Jungen wären. Ich erinnere mich, es war Winter und kalt, und sie kaufte mir einen Mantel. Ich mochte ihren Sinn für Humor. Sie und Ralph Richardson – sie hatte eine wunderbare Betrachtungsweise des Lebens und einen großartigen Humor. Bei einem so schwierigen Stoff war das wichtig. Ich erinnere mich, daß sie am Anfang des Projekts einige Schwierigkeiten damit hatte, überzeugend eine Morphiumsüchtige zu verkörpern. Ich war mit Drogenabhängigen schon in Berührung gekommen und konnte ihr deswegen ein paar Tips für ihre Darstellung geben. Sie nahm das sofort an und arbeitete damit.
Seitdem habe ich sie einige Male gesehen. Ich mag sie wirklich und respektiere sie sehr.«
Sie hatte *Long Day's Journey into Night* gerade beendet, als die Kindheit sie wieder einholte, und sie hatte allen Grund, noch einmal über einen ihrer Texte aus dem O'Neill-Stück nachzudenken: »What is it, something I'm looking for? It's something I lost... something I need terribly... I can't have lost it forever.« (Was ist es, etwas wonach ich suche? Es ist etwas, das ich verloren habe... etwas, das ich schrecklich brauche... Ich kann es nicht für immer verloren haben.)
Kurz zuvor war sie mit ihrem achtzigjährigen Vater nach Athen gereist. Kate traf sich mit dem Doktor auf dem Athener Flughafen. »Wo ist der Parthenon?« fragte er sofort. Ob er nicht zuerst ins Hotel gehen, sich ausruhen und sich vielleicht frisch machen wolle? Auf gar keinen Fall, sagte der alte Mann. Er sei nach Griechenland gekommen, um die Sehenswürdigkeiten zu besuchen. Sich waschen und ausruhen könne er zu Hause. Er war ein außergewöhnlicher Mann. Aber jetzt, nach schmerzvoller, entkräftender Krankheit, war

Dr. Thomas Norval Hepburn, Inspiration, Berater und Vater dieser bemerkenswerten Schauspielerin, tot. Kate trauerte nicht öffentlich um ihn. Andere Leute hatten von gnädiger Erlösung gesprochen, als ihre Angehörigen starben. Kate hörte sich direkter, fast brutal an – außer man verstand, was sie wirklich meinte. In einer Nachricht an Leland Hayward schrieb sie: »Daddy völlig ausgemergelt – wir waren wirklich froh, ihn ins ›Was auch immer‹ hinübergleiten zu sehen.« »Was auch immer« schien auch viel über Kates eigene Zukunftsprognosen auszusagen. Sie war sich nicht sicher, ob sie je wieder arbeiten wollte. Als sie hörte, daß Spencer durch eine Infektion der Atmungsorgane zusammengebrochen war, beschloß sie zu pausieren. Spencer wurde aus dem Krankenhaus entlassen und ging nach Hause, damit sich Kate um ihn kümmern konnte, alles wohl mit Billigung von Mrs. Tracy.

Es war fast das Ende des langen, steilen physischen Abstiegs des Mannes, den sie liebte.

14

RAT MAL,
WER ZUM ESSEN KOMMT

Spencer war ihr Liebstes. Nur enge Freunde wußten das, bis ein Artikel in »Look« enthüllte, daß es in ihrem Leben mehr als Freundschaft gab. Die Journalisten hatten zuvor geschrieben, daß er Kates Stärke bräuchte, und sie beschrieben, wie sie ihn mit Geduld und Liebe in einem Dialog oder einer Szene beim Filmen antrieb, aber sonst nichts.

Wenn beide in Hollywood waren, bewohnten sie das Haus auf George Cukors Grundstück. Wenn Spencer weg war, hatte Kate ihr eigenes Zuhause. Nicht immer dasselbe. Tatsächlich wechselte sie es so oft, daß mehrere Immobilienmakler der Stadt manchmal gleichzeitig Hepburn-Häuser anboten. Wo immer Kate wohnte, setzte sie gewisse Prioritäten. Garson Kanin erinnert sich an die Zeit, als er mit ihr auf Häusersuche ging. Er unterhielt sich gerade mit dem Makler im Flur des Hauses, als ihnen auffiel, daß Kate seit einiger Zeit nicht mehr bei ihnen war. Sie kam erst nach fünfzehn Minuten zurück. Als die beiden Männer sie mit großer Erleichterung kommen sahen, fragten sie, wo sie denn gewesen sei.

»Ich war unter der Dusche«, sagte sie. Weil das eine der wichtigsten Sachen war, die sie zu ihrem Wohlbefinden brauchte, wollte sie feststellen, wie ihr das Duschen in einem neuen Haus gefiel, bevor sie sich entschied, es zu kaufen.

Wichtig beim Häuserkauf war für Kate die Privatsphäre.

Deshalb fand man sie immer – oder besser, man fand sie nicht – in einem Haus hoch oben auf einem Berg. In New York diente ihr ein ehemaliger Boxer namens Charles Newhill als Chauffeur und Leibwächter, der jeden fernhielt, wenn Kate das wünschte. Sie hatte auch eine enge Vertraute: eine Sekretärin, die bald ihre Freundin wurde, eine Engländerin namens Phyllis Wilbourn, die früher bei Katharine Cornell gearbeitet hatte, und die Kate, falls Spencer nicht da war, überallhin begleitete. Nun, da sie glaubte, sie hätte sich zur Ruhe gesetzt, dachte sie darüber nach, wie essentiell die Privatsphäre für sie ist. Ziemlich überraschend nahm sie eine Einladung des »Virginia Law Weekly« an, einen Artikel zu schreiben, der von Juristen gelesen werden würde. Sie hätte über kein geeigneteres Thema schreiben können – wahrscheinlich hätten die Chefredakteure dieses geachteten Magazins das auch gar nicht gewollt. Sie schrieb über das Recht auf Privatsphäre.

Der Untertitel hieß »Die unangenehme Situation der öffentlichen Person«. Sie zeichnete mit dem Namen Katharine Houghton Hepburn. Publikationen mit kommerzieller Absicht hätten vermutlich lieber den Namen benutzt, den das Publikum auf der ganzen Welt erkennen würde. Es wären auf diese Art sicherlich mehr Exemplare verkauft worden. Doch dies war nicht die Absicht. Statt dessen sollte sie darüber reflektieren, wie schwerwiegend Einmischungen ins Privatleben sind, unter denen Leute wie sie zu leiden haben.

Sie beginnt (und dazu sollte man wissen, daß Katharine wenig Punkte oder Kommata beim Schreiben benutzt; sie sagt, sie mag das nicht, Gedankenstriche seien aufregender, ausdrucksstärker; das gleiche Rezept wandte sie bei ihrem Artikel an), indem sie darlegt, wieviel Zeit für Nachforschungen sie für das Thema aufgewendet hat.

1989 – Boston – Samuel D. Warren und Louis D. Brandeis – Das Recht zu Leben – das Recht, es zu genießen – Frühestes Gewohnheitsrecht – daß das Individuum vollen Schutz seiner Person und seines Eigentums genießen soll – ABER DIE DEFINITION VON SCHUTZ WURDE DEN BEDÜRFNISSEN DER GESELLSCHAFT ANGEPASST. *Man entdeckte die geistige Natur des Menschen – seine Gefühle – wie seinen Intellekt, seine Person und seinen Besitz. Das Prinzip, das schützt, ist das Prinzip einer unverletzten Persönlichkeit –*

Wenn man sich dann für ein allgemeines Recht auf private Gedanken – Gefühle – Sensationen – entscheidet, sollten diese den gleichen Schutz genießen wie Schreiben – Betragen – Konversation – Haltung oder Gesichtsausdruck.

Das Recht auf die eigene Persönlichkeit – Das Recht, nicht einfach nur eine falsche Schilderung des Privatlebens zu verhindern – sondern zu verhindern, es überhaupt darzustellen – ABER DIE DEFINITION VON SCHUTZ WURDE DEN BEDÜRFNISSEN DER GESELLSCHAFT ANGEPASST. *Das Recht auf Privatleben – so wie wir es vor fünfzig Jahren verstanden haben – wird überhaupt keine Bedeutung mehr haben – wenn sich unsere Welt in der gegenwärtigen Richtung weiterdreht – und das muß sie oder wird aufhören zu existieren – Deshalb ist das wahrscheinlich nötig, daß wir die Privatsphäre opfern.* [Was eine erstaunliche Aussage war, wenn man bedenkt, wie sie über das Privatleben dachte. Aber dabei beließ sie es nicht.]

Am Anfang meiner Karriere – im Jahre 1932 – hatte ich das Recht, meine Privatsphäre als mein Recht zu betrachten – und deshalb kämpfte ich darum – einen wilden und lebhaften Kampf – ziemlich erfolgreich – dachte ich – ich bekam viel Ärger – ich ging weiter – abseits meines normalen Weges – die wenigen Leute, die ich kannte, konnten ihren Mund halten – das war vor fünfunddreißig Jahren – und meine Gegner akzeptierten eine Grenze –

Heute ist es außerordentlich schwierig, Herr über sein Privatleben

zu sein – sogar wenn man keine öffentliche Person ist – Wer sind Sie
– Wie alt sind Sie – Wer ist Ihr Vater – Ihre Mutter – Ihre Schwester
– Ihr Bruder – Ihre Großeltern – Woran sind sie gestorben – was
waren sie zu Lebzeiten – Welche Krankheiten haben Sie gehabt –
Welcher Religion gehören Sie an – waren Sie je Kommunist – Wie
hoch ist Ihr Einkommen – Wen unterstützen Sie – Wieviel hat Ihr
Haus gekostet – die Möbel – die Kleider Ihrer Frau – Ihre Juwelen –
Ihre Pelze – wieviel geben Sie für die Schulen Ihrer Kinder aus – für
Reisen – für Unterhaltung – für Bücher – für Alkohol – für Blumen
– für Zähne – Tragen Sie eine Brille – Menstruieren Sie noch – ist
Ihre Periode regelmäßig – Ihr Stuhlgang – Welche Operationen
haben Sie hinter sich – Schlafen Sie mit Ihrer Frau in einem
Zimmer – und seit wann – Sind Sie jemals mit dem Gesetz in
Konflikt geraten – Trinken Sie – Lassen Sie uns einen Fingerab-
druck machen – Wieviel – Das sind nur einige der Fragen, die
beantwortet werden müssen – wenn – Sie bei Ihrem Arbeitgeber
versichert sind – (das ist ein Schauspieler) – ein Auto fahren – die
Einkommensteuer zahlen – sozialversichert sind – usw.

Sie sagte, sie wolle sich besonders auf die Härte, die Schauspieler trifft, konzentrieren.

Wir sind schlimmer dran als die Politiker – der Politiker verkauft
seinen Körper – und/oder seine eigene besondere Persönlichkeit, und
das erfordert keine hohe Wertschätzung – Da ist immer das »Was
will man mehr erwarten« hinter einem abschätzigen Kommentar –
Sowohl die Öffentlichkeit als auch die Presse glauben, daß sie mit
Recht intimste Details aus unserem Leben erfahren – und Leben
bedeutet meist Sexualleben – denn das ist der Teil des Schauspieler-
lebens, der die Presse und Öffentlichkeit am meisten erregt.

Sie zeigte sich nicht gerne an »öffentlichen Plätzen«, von
denen sie sagte, das sei Terrain von Vorwitzigen, die die

absurdesten Fragen stellen. (Die größten Übeltäter waren ihrer Meinung nach nicht die Reporter, sondern Versicherungsverkäufer. »Man kann sich gegen alles versichern, aber man muß seine Intimsphäre dafür opfern.«)

Mein Territorium war mein eigenes Zuhause – das Haus eines Freundes – ein Privatclub – das ist alles ganz gut – Aber dann muß man aus Privatgründen an einen öffentlichen Ort – ins Krankenhaus – die Kirche – auf den Friedhof – wo eine in der Öffentlichkeit stehende Person gezwungen ist, wegen Krankheit oder Tod öffentliche Örtlichkeiten aufzusuchen – Man sollte glauben, daß er oder sie in solch einem Fall das Recht hätten, vor den neugierigen Augen eines Außenstehenden geschützt zu werden – ein Gerichtssaal – Aber sogar dort – oder sollte ich lieber sagen besonders dort – wurde der Geschmack der Öffentlichkeit für solche Extravaganzen geprägt – so daß die Magazine und die Presse – die sogenannten angesehenen – den Geschmack weiterhin befriedigen müssen – den sie dem Publikum angewöhnt haben.

Sie hatte dafür einen Begriff.

Höfliche Pornographie ist nicht mehr interessant – Keine Ausflüchte mehr – Nackte Tatsachen – Sag es – Tue es – Da ist es – Da ist die Tatsache – Die Wahrheit – Das »Vier-Buchstaben-Wort« – Der nackte Körper – Nichts zurückhalten – Man fühlt sich traurig – deprimiert – nimmt ein Benzedrin – fühlt sich zu lebhaft – nimmt ein Aspirin – man will schlafen – nimmt ein Schlafmittel – man fühlt Schmerzen – nimmt Codein – man ist verwirrt – geht zu einem Psychoanalytiker – Verstecken Sie es nicht – Reden Sie – sagen Sie es – Es ist nie Ihre Schuld – Wir werden die Schuld abschieben auf Mama – Papa – Onkel Sam – Lehrer – Arbeitgeber – Sie sind verantwortlich – Ich scheine abzuschweifen – aber wenn Sie die Öffentlichkeit mit diesen intimen Details füttern – wenn man die

Öffentlichkeit dazu gebracht hat zuzuhören – zu lesen – zu reden –
über die intimsten Details aus dem Leben eines anderen (ganz zu
schweigen von Ihrem eigenen) und dazu gebracht hat, jede Extrava-
ganz zu »verstehen« – denn nichts ist nur richtig oder falsch – und
Sie zum göttlichen Recht auf Leben gebracht hat – auf Freude – auf
Freiheit – Rennen – Springen – Geh – Geh – Geh – Glücklich –
Glücklich – Glücklich – Glücklich.

Der Artikel ging noch weiter. Er sagte nicht nur viel darüber
aus, was Katharine Houghton Hepburn fühlte, sondern wer
Katharine Houghton Hepburn war. Eine öffentliche Person,
die wußte, daß sie eine öffentliche Person war, die froh war,
eine öffentliche Person zu sein, die sich aber auch immer
wieder wünschte, es nicht zu sein. Wenn man zwischen den
Gedankenstrichen liest, erkennt man eine Frau, die Verwir-
rendes für sich geordnet hat.
Der Artikel ging um die Welt. Ob sie gegen diesen Eingriff in
ihr Privatleben protestierte, weil der Artikel in Blättern
erschien, für die er nicht bestimmt war, ist nicht bekannt.
Aber sie sagte der »Chicago Tribune« später: »Man lernt im
Leben, daß man nur sich selbst wirklich korrigieren kann,
niemand anderen. Wenn man das ernsthaft möchte, kann
man es nur mit sich selbst machen.«
Sie hoffte, daß nicht viele Leute bemerkten, wie krank Spencer Tracy wirklich war. Zwei Jahre pflegte sie ihn, wenn er
besonders unangenehme Prostatabeschwerden hatte, eine
nicht ungewöhnliche Krankheit bei älteren Männern, aber
Spencer traf es härter als die meisten.
Kate sagte, sie habe sich zur Ruhe gesetzt. »Kochen und
Saubermachen sind interessanter geworden als Schauspielern«, sagte sie. Spencer drehte weitere Filme wie *It's a Mad,
Mad, Mad World (Das Ding)*. Er geriet zufällig an diese Rolle.
Spencer spielte einen Polizeichef in diesem Film mit einem

riesigen Staraufgebot: Milton Berle, Phil Silvers, Terry-Thomas, Joe E. Brown, Buster Keaton, Ethel Merman, Dorothy Provine, William Demarest, Jimmy Durante, um nur einige davon zu nennen.

Das Drehbuch stammte von William Rose, der Spencer bald von einer Idee erzählte, die einen phantastischen Filmstoff für ihn und Kate abgeben würde. Das hieß, falls sie Lust hatte, ein Comeback wagte, denn das wäre ihre erste Arbeit seit *Long Day's Journey into Night*. Es wäre ihre erste Arbeit seit 1959 – was im Showbusineß eine lange Zeit ist. *Guess Who's Coming to Dinner (Rat mal, wer zum Essen kommt)* würde ihren Ruhestand unterbrechen.

Sie war sich der Schwierigkeiten bewußt. Würde Spencer mit einer Hauptrolle zurechtkommen? Es würde die übliche Szene geben, in der sie Spencer die Fliege band – was nur wenigen Leuten aufgefallen ist, aber das tut sie in jedem Tracy-Hepburn-Film –, aber auch viel Schmerz. Sie wußte, daß sie ihn beobachten würde, jeden Zug seines Gesichts studieren, um zu sehen, wie er mit der Anspannung zurechtkam. Außerdem mußte sie sich ihren Text und ihre Handlungen merken und – wie Spencer schon vor so langer Zeit gesagt hatte – versuchen, nicht an die Möbel zu stoßen.

Sie sagte bald danach: »Es ist schwer, das zu machen, was die Leute ein Comeback nennen, wissen Sie. Wenn man als Schauspieler aufhört, ist man wirklich ›out‹. In diesem Geschäft vergessen einen die Leute einfach.« Aber diesen Film vergaß das Publikum nicht.

Er handelt von einem liberalen Ehepaar mit einer hübschen Tochter, die nicht begreift, wie liberal ihre Eltern wirklich sind. Erst als sie ihren zukünftigen Ehemann mit nach Hause bringt, einen charmanten, brillanten, weitsichtigen jungen Mann mit politischen Ansichten, die sich mit den ihren decken, ändert sich das. Das Problem – und zugleich das

Interessante an der Geschichte – ist, daß seine Herkunft nicht ganz dieselbe wie die ihre ist.

Seine Eltern sind Arbeiter, die in einem Haus leben, das in einer weniger eleganten Umgebung als das seiner zukünftigen Frau liegt. Noch problematischer, er ist ein Schwarzer. Wie üblich kümmerte sich Kate um alles. In ausgedehnten Gesprächen mit der Friseuse über die Kunst des Haarewaschens erklärte sie ihr: »Ich bin die beste Haarewäscherin der Welt.« Als der Regisseur Stanley Kramer gefragt wurde, ob Kate recht hätte mit all den Ratschlägen, die sie so häufig erteilte, antwortete er: »Zur Hälfte.«

Der Film wurde ein spektakulärer Erfolg. Der neunte und der erfolgreichste nach dem bewährten Muster. Es war auch der letzte Film dieser Art. Sein Erfolg war auf die wunderbare Verschmelzung von Wirklichkeit und Schauspielkunst zurückzuführen, die das Paar bot. Noch in keinem Film hatten sie gemeinsam ein Elternpaar gespielt, und trotzdem spielten sie die Eltern genauso, wie es jedermann von ihnen erwartete: angenehm, lustig, beschützend und verständnisvoll.

Kate sagte, daß sie für die Rolle der Ehefrau ihre eigene Mutter zum Vorbild genommen hätte – und diejenigen, die ihre Mutter kannten, sahen es. Dann gab es noch das Genie Stanley Kramer als Regisseur und Sidney Portier als ruhigen, ärgerlichen, zukünftigen Schwiegersohn. Das junge Mädchen, das Kate aussuchte, um ihre Tochter zu spielen, war eine unbekannte Schauspielerin, die Kate jedoch sehr gut kannte: ihre Nichte Katharine Houghton.

Kate war wie immer auf ihre Arbeit gut vorbereitet, als mit den Dreharbeiten begonnen wurde. Außerdem sagte sie, »Falls meine Nichte vor Aufregung tot zusammenbricht, bin ich da, ich kenne auch ihren gesamten Text.« Das war Kates zweiunddreißigster großer Film und Spencers achtunddreißigster. Er sah wenigstens zehn Jahre älter als siebenundsechzig aus. Sein Haar war weiß, und sein Gesicht war alt. Er sagte, das würde vermutlich sein letzter Film werden.

Er konnte es nicht ertragen, die Filme von Zeitgenossen wie Humphrey Bogart, Gary Cooper und Clark Gable anzuschauen. Es gab sie alle nicht mehr, und Spencer, immer schon ein Hypochonder, sah sein Ende nun auch nahen.

Kates Liebe und Sorge um Spencer war nur mit der um ihre Nichte Kathy zu vergleichen – Tochter ihrer Schwester Marion und desselben Ellsworth Grant, der solche Schwierigkeiten gehabt hatte, Dr. Hepburn zu sprechen, als er »verknallt« war. Kate brachte ihr den Text bei und verschaffte ihr einen Zugang zu ihrer Rolle. »Und ich finde«, sagte sie damals stolz, »ich bin keine schlechte Lehrerin. Ich denke, ich habe Kathy viel geholfen. Natürlich habe ich ihr Sachen beigebracht, die ich keinem anderen beigebracht hätte.« Aber sie sagte auch, daß sie noch fünfundzwanzig Jahre nach ihrem ersten gemeinsamen Film und zehn Jahre nach dem letzten, den sie gemacht hatte, von Spencer lernte. »Er ist wirklich der große Meister des Films. Für mich ist er der große Meister der Schauspielkunst. Er kreiert etwas völlig Glaubhaftes und bringt eine Sache auf den Punkt. Es ist wie griechische Kunst. Es ist vereinfacht. Es ist so schön wie eine der Säulen des Parthenon. Die Proportion ist perfekt, und sie beruht auf totaler Konzentration und Wahrheit. Es ist so einfach wie ›Danke‹ zu sagen, und es heißt nicht ›Danke dir‹. Da ist nichts Geheucheltes dran.«

Es war ein schwieriges Thema, und die Leute von Columbia gingen ein großes Risiko ein, indem sie den Film produzierten. Aber sie reduzierten ihren Einsatz. Anstatt den Hauptdarstellern Gagen zu zahlen, bestanden sie darauf, daß deren Gagen sich prozentual nach den Verkaufserlösen richteten. Kate profitierte von dieser Vereinbarung. Spencer nicht.

Es war im Juni 1967. Das Wetter war angenehm sommerlich. Die Aufmerksamkeit der Welt war auf den gerade beendeten Sechstagekrieg im Mittleren Osten gerichtet. Kate war furchtbar besorgt. Als sie eines Nachts ein Geräusch aus Spencers Zimmer hörte, setzte sie sich ängstlich im Bett auf. Erleichtert bemerkte sie, daß er lediglich in die Küche ging. Sie hörte das Geräusch vom Öffnen einer Milchflasche, das Geräusch vom Auf- und Zumachen einer gut gepolsterten und geölten Eisschranktür, das Geräusch von Milch, die in ein Glas gegossen wird, und dann ein Geräusch, das sie nie wieder hören wollte.

Sie eilte in die Küche und fand Spencer, auf das vor ihm stehende Glas starrend. Mit Augen, die nie wieder sehen würden. Er war an einem Herzanfall gestorben. Und mit ihm war der schönste Teil ihres eigenen Lebens zu Ende.

15

DIE FRAU,
VON DER MAN SPRICHT

Auch vorher waren die beiden über längere Zeiträume getrennt gewesen, als sie ihre Filme in Europa drehte und in den Theaterstücken in Stratford auftrat. Aber tief innen hatte sie sich immer mit ihm verbunden gefühlt. Sie führten lange Telefongespräche miteinander, in denen es um nicht viel mehr als das Wetter ging – das reichte ihnen aus.

Jetzt, wo er für immer gegangen war, wußte sie, wie sehr ihre Partnerschaft auf »einer natürlichen und wahrhaftigen Erfüllung der Bedürfnisse beruht hatte«. Sofort nach seinem Tod entschloß sich Kate, daß die Wahrheit hinter der Konvention zurückstehen solle. Spencers Körper wurde diskret zu »den Leuten auf dem Hügel« gebracht, wie er seine Familie nannte. Zu dem Haus, das er für seine Frau Louise und seine zwei Kinder gekauft hatte, das aber nie wirklich sein Zuhause gewesen war. Es war eine katholische Beerdigung. Kates Gedenkfeier für ihn war eine viel intimere Angelegenheit und eine, die ihrem Bedürfnis nach Privatsphäre entsprach. Sie trauerte – und sie trauert heute noch immer.

Intellekt hat nichts mit den Gefühlen einer Person zu tun. Deshalb kann man leicht sagen, daß Katharine Hepburn den Tod ihres Geliebten auf eine sensible Art akzeptierte, indem sie nämlich ihr eigenes Leben fortführt und sich an ihn mit einfacher Zuneigung erinnert.

Sie hielt die Erinnerung an ihn auf die Weise wach, die ihr am meisten entsprach. Anstatt wie zu Spencers Lebzeiten vorzugeben, sie seien nur gute Freunde gewesen, erzählte sie nun jedermann, wie nahe sie sich gestanden hatten. Sie sagte nun: »Spencer pflegte das so zu machen« oder »Spencer hatte seine eigene Art, so etwas auszudrücken«. Sie schuf eine Art verbales Denkmal, das viel tröstlicher als ein Granitstein auf einem Friedhof war. Sie tat auch etwas, was sie seitdem beibehalten hat. Anderen schien das bizarr, wenn nicht gar exzentrisch, aber für sie war es der richtige Weg, ihre Erinnerungen zu bewahren. Sie begann nämlich, seine Kleidung zu tragen. Ein Paar Hosen hier, einen bequemen Pullover dort. Sie versuchte nie, das zu erklären. Schließlich wußte jeder, daß sie Männerkleidung viel bequemer fand als Frauenkleider. Sie war immer noch der Ansicht, Hosen seien das vernünftigste Kleidungsstück. Sie sagt gerne, »Spencer veränderte sich nie. Wie auch immer die Rolle war«. Am meisten an ihm gefiel ihr, daß er ein wirklicher Mann war. »Der ideale amerikanische Mann. Er hat einen Stiernacken, einen Männernacken. Ich mag einen Männernacken bei einem Mann. Zu viele der heutigen Männer haben den Nacken eines Knaben...«

Sie wiederholte immer wieder, wie gut sie in den Augen der Amerikaner zusammenpaßten. »Ich neckte ihn, irritierte ihn und versuchte, mit ihm zu konkurrieren oder ihn sogar auszustechen. Von Zeit zu Zeit dreht er sich zu mir um, und ich zitterte. Schließlich bezwang er mich. Und darum geht es doch in jeder durchschnittlichen Männer-Frauen-Beziehung?«

Einige Leute sagte, Spencer Tracy hätte sich mit dem Film *Rat mal, wer zum Essen kommt* ein Denkmal gesetzt. Kate gewann dafür einen Oscar. Sie erfuhr davon, als sie in Südfrankreich arbeitete – wieder zu arbeiten, war die beste

Medizin gegen ihre Trauer. Man spekulierte, daß Spencer sowohl für seine Arbeit als auch aus sentimentalen Gründen die Auszeichnung erhalten würde. Wenn das der Fall gewesen wäre, wäre er der erste Preisträger gewesen, der dreimal ausgezeichnet worden wäre, und der erste, der posthum einen Oscar bekommen hätte. Wie sich herausstellte, brach auch Kate alle Rekorde.

Die Nachricht von der Verleihung des »Academy Award« kam überraschend. Als der Anrufer ihr vom Oscar erzählte, stellte sie nur eine Frage. »Hat auch Mr. Tracy einen erhalten?«

Als ihr gesagt wurde, er habe keinen erhalten, antwortete sie: »Nun, ich nehme an, dieser war für uns beide.« Gregory Peck erzählte, wie ihn das bewegt hatte. Er war damals Präsident der »Academy«, ein Amt, das er genauso ernst nahm, wie in *Twelve O'Clock High (Der Kommandeur)* ein Flugzeug zu fliegen. Ein Telegramm von Kate aus dem Peck-Archiv sagt eine Menge:

ES WAR WUNDERBAR EINE VOLLKOMMENE ÜBERRASCHUNG BEWEGT WEIL ICH MICH FÜHLE ALS HÄTTE ICH EINE GROSSE LIEBEVOLLE UMARMUNG MEINER KOLLEGEN ERHALTEN UND WEGEN EINER VIELZAHL ANDERER GRÜNDE DIE SPENCER STANLEY SIDNEY KATHY UND BILL ROSE HEISSEN – ROSE SCHRIEB ÜBER EINE NORMALE MITTELALTE UNSPEKTAKULÄRE NICHT GLAMOURÖSE KREATUR MIT EINEM GUTEN KOPF UND WARMEM HERZEN DIE IN EINER SCHWIERIGEN SITUATION DAS ANSTÄNDIGSTE TUT WAS IHR MÖGLICH IST – MIT ANDEREN WORTEN SIE WAR EINE GUTE EHEFRAU UNSERE UNBESUNGENSTE UND WICHTIGSTE HELDIN ICH BIN FROH DASS SIE WIEDER IN MODE KOMMT ICH MODELLIERTE SIE NACH MEINER MUTTER DANKE NOCHMALS NORMALERWEISE VERLEIHEN SIE DIESE DINGE NICHT AN ALTE MÄDCHEN WISSEN SIE

Es war ihr erster Oscar seit *Morgenrot des Ruhms*. Sie erzählte dem Magazin »Look«, daß sie sich selbst als »Streitaxt mit einem Herzen aus Gold« betrachte. Darüber hinaus verstand sie »die Ansicht der Jugend, die sagt, ›Sie ist ziemlich alt, nicht wahr?‹«

Genau diese Charakteristika suchte Peter O'Toole für die Rolle der Eleanor von Aquitanien in seinem kommenden Film *The Lion in Winter (Der Löwe im Winter)*, in dem er ihren Ehemann, Heinrich II., spielte. Auf den ersten Blick schien das ein seltsames Paar zu sein. Man schrieb das Jahr 1968, und Kate war fast sechzig. Peter war noch in den Dreißigern, obwohl sein ausschweifender Lebenswandel bereits sein Gesicht gezeichnet hatte. Kate hingegen war wie immer in guter körperlicher Verfassung. Außerdem ist es einfacher, einen Schauspieler älter aussehen zu lassen als jünger. In der Rolle trug er einen Vollbart. In mancher Hinsicht glichen sich die beiden wie ein Ei dem anderen. Keinen von beiden konnte man als konventionell bezeichnen, und die Monate, die dem ersten Treffen folgten, in dem über den Film diskutiert wurde, bewiesen das. O'Toole scherzte nicht nur, als er sagte: »Es ist furchterregend, mit ihr zu arbeiten – reiner Masochismus. Sie wurde von einer dunklen Schicksalsmacht geschickt, um auf mir herumzuhacken und mich zu quälen.« Kate nahm seine Aussagen nicht ernst. »Nein«, sagte sie. »Wir werden sehr gut miteinander auskommen. Er ist Ire und bringt mich zum Lachen. Wie dem auch sei, ich bin auf ihn angewiesen und er auf mich.«

Sie war sich sicher, daß alles gutgehen würde, denn sie war »in einer Lebensphase, wo die Leute nett zu mir sind, und es macht mir nichts aus, wenn Leute nett zu mir sind. Tatsächlich behandele ich sie auch recht nett.« Das waren Worte, die Labsal bedeuteten. Und das wußte sie. Als sie auch noch zugab: »Ich bin eine schrecklich irritierende Person, und ich habe die Leute seit Jahren irritiert. Alles Definitive ist irritierend und stimulierend. Ich glaube, sie meinen, daß sie mich nicht mehr lange um sich haben werden.« Die Rolle beeindruckte sie von Anfang an. Eleanor, erklärte sie, »muß eisenhart gewesen sein. Sie war zweiundachtzig und trotzdem noch voller Lebenslust.« Sie und ihr Ehemann waren »große Persönlichkeiten ihrer Zeit, und sie pokerten auch wie große Persönlichkeiten ihrer Zeit um ganze Länder.« O'Toole spielte zum zweiten Mal die Rolle des Heinrich. Vor vier Jahren hatte er eine jüngere Ausgabe des Königs als Partner von Richard Burton in *Becket* gespielt. Damals quälte er das Publikum damit, daß er seinen Freund, den Erzbischof von Canterbury, in den Tod schickte. Jetzt war er noch unsympathischer. Nachdem er seine Ehefrau bequem in einem königlichen Gefängnis untergebracht hatte, stimmte er zu, daß sie Weihnachten zu einer bizarren Familienwiedervereinigung nach Hause kommen dürfe. Der König hatte eine hitzige Winterromanze mit einer französischen Prinzessin hinter sich, deren Brüste ihn zum Wahnsinn trieben. Die internationale Diplomatie schaltete sich ein, um ein vernünftiges Arrangement zu schaffen. Die Prinzessin sollte einen seiner beiden Söhne heiraten. Die Königin war geholt worden, um die Angelegenheit zu klären. Denn die Prinzessin war von keinem der königlichen Sprößlinge angetan. Einer war der Liebhaber des französischen Königs (was kein besonders gutes Vorzeichen war, um einen Erben in die Welt zu setzen). Der andere, sagte die Prinzessin, »hat Pickel und riecht nach Kompost«. Eine seltsame Heirat.

Keine Kosten werden gescheut, um Eleanor eine wahrhaft königliche Heimreise zu ermöglichen. Der König stellt ihr seine Barke zur Verfügung und steht am Kai, um sie willkommen zu heißen.

»Wie lieb von Ihnen, mich aus dem Gefängnis zu lassen«, sagt Ihre Majestät, als der König, der immer noch ihr Ehemann ist, sich tief verbeugt, um ihr die Hand zu küssen. »Das ist nur ein kurzer Urlaub«, erwidert er.

Der Autor, James Goldman, konzipierte die Rollen nach seinen Vorstellungen von diesen historischen Persönlichkeiten. Das Stück wurde verschiedentlich als ein »mittelalterliches *Wer hat Angst vor Virginia Woolf?*« beschrieben und als »Anti-*Camelot*«. Außerdem war es brillant. Beide waren der Ansicht, sie seien für die Rollen so geeignet, als würden sie sich selbst in einer früheren Zeit unter etwas anderen Umständen spielen. Es war keine ruhige Beziehung. Beide waren ausgesprochen starke Persönlichkeiten und teilten genausoviel aus, wie sie einsteckten. Kate betrachtete es als ihre Pflicht, besonders viel auszuteilen. Sie sagte O'Toole, er würde nicht genug essen und zuviel trinken. Da er dagegen argumentierte, nannte sie ihn nicht mehr Peter. Von dem Moment an gab sie ihm den Namen »Gierschlund«. Er hingegen nannte sie »Alter Klappergaul«.

Sie arbeiteten noch nicht lange zusammen, als er Gefallen an ihrer Beziehung fand. Katharine Hepburn inspirierte ihn. »Sie ist wie eine verdammte Zitronenpresse«, sagte er. »Sie quetscht eine Vorstellung aus dir heraus.«

Die ersten Vorstellungen wurden auf der Bühne des Londoner »Haymarket Theatre« abgehalten, das vom Regisseur deshalb gewählt wurde, weil er glaubte, dort ohne den Druck der herumlungernden Filmtechniker besser proben zu können. Von dem Augenblick an, als sie ihren Fuß erstmals auf die Bühne setzte, mischte sie sich ein. »Ich möchte nur einen kleinen Vorschlag machen«, sagte sie zum Regisseur Tom Harvey mit einem Lächeln, das ein Desaster ankündigte, falls er ihren »kleinen Vorschlag« nicht annehmen würde. »Es scheint mir«, sagte sie, auf eine Szene Bezug nehmend, die als schwierig galt, »es ist verdammt einfacher für Peter, auf diese Art zu spielen, und auch viel einfacher für mich.«

James Goldman stimmte ihr zu. Aber mit der schlichten verbalen Zustimmung war sie noch nicht zufrieden. »Möchten Sie das hineinschreiben?« fragte sie ihn. Und selbstverständlich wurde genau das getan. Ihr schien, als müsse sie einige Worte der Entschuldigung an ihn richten. »Ist das nicht schrecklich von mir?« fragte sie. Selbstverständlich wissend, daß ihre Partner nun sagen mußten, es sei vollkommen richtig von ihr gewesen, und alle seien dankbar für ihr Verständnis bei den wahrscheinlich auftretenden Schwierigkeiten. Sie erklärte, daß das alles ein Teil ihrer Professionalität sei. Ein Amateur würde vielleicht Szenen akzeptieren, die nicht ganz vollkommen waren. Sie nicht. »Ich kenne den Unterschied zwischen einem Amateur und einem Professionellen«, sagte sie.

Sie änderte auch die Eröffnungsszene. Im Drehbuch stand, sie müsse am Feuer sitzen. »Nein, nein«, sagte Kate, als ihr das erklärt wurde. »Das würde sie nicht tun. Sie würde Holz hacken.«

In London floh sie, wie üblich, vor der Presse. Ein Fotograf schaffte es dennoch, sie abzulichten. Als ihr der Regieassistent eine Zeitung brachte, schaute sie mißmutig hinein. »Sehe ich nicht scheußlich aus!« rief sie und fügte hinzu, »ich dachte, wir wären diesen Hurensohn losgeworden. Er verfolgte uns durch das ganze West End. Wir hätten uns das Benzin sparen können.«

Einzig derartige Vorfälle hielten sie davon ab, mit dem Fahrrad durch ganz London zu fahren. In Camden Town hielt sie einen Jungen auf einem Fahrrad an. »Wo hast du das her?« fragte sie ihn. »Ich möchte auch eins.« Und sie holte sich eins – ein zusammenklappbares Rad, das sie hinten im Rolls aufbewahrte und morgens für ihre Runden durch den

Regents Park benutzte. Peter zeigte sich völlig unbeeindruckt. »Sportlichen Ehrgeiz entwickele ich nur, wenn es darum geht, die bestmöglichen Konditionen bei meinen Vertragsabschlüssen auszuhandeln«, sagte er.

Beide suchten die Nebendarsteller selbst aus, sogar diejenigen für die kleinsten Rollen. Sie fühlten sich nicht wohl, wenn sie mit Schauspielern arbeiten mußten, die ihrer Definition von Schauspielen nicht gerecht wurden. Weil es ein Theaterstück war, suchten sie die Schauspieler für die Nebenrollen in den Theatern mit fester Truppe und in Provinztheatern. Sie baten einen dort namhaften Schauspieler, eine eher kleine Rolle im Film zu spielen; sie fanden eine Schauspielerin mit einer kleinen Rolle, die sich vielleicht gut in einer größeren im Film machen würde.

Es spielten auch bekannte Darsteller mit, wie beispielsweise Anthony Hopkins, den sie für die Rolle von Richard I. wollten (er verzögerte die Dreharbeiten, weil er vom Pferd fiel), und Nigel Stock, mit dem Peter am »Bristol Old Vic«-Theater gearbeitet hatte und in dem Film *Nacht der Generale*. Die Prinzessin wurde von der schönen Jane Merrow gespielt. Sobald die Truppe zusammengestellt war, entwickelten Kate und Peter eine seltsame Beziehung zu den Mitgliedern. Plötzlich wurden beide in eine elterliche Rolle gedrängt. Die Mädchen fragten Peter O'Toole um Rat wegen ihrer Freunde, und Kate mußte mehr als ein Eheproblem der jungen Männer ihrer Truppe lösen. Sie entwickelte schnell Sympathie – wurde aber auch zornig, wenn sie meinte, daß der ratsuchende junge Mensch genau das verdiente, was er bekommen hatte.

Kate erteilte auch Peter Ratschläge. Sie behandelte ihn ähnlich wie Nina Foch. Sie verstand nicht, warum er einige Filme in der Vergangenheit überhaupt gedreht hatte. Natürlich fand sie *Lawrence von Arabien* gut und selbstverständlich auch

Becket. Aber *Wie klaut man eine Million?* und *Great Catherine* gefielen Katharine gar nicht. »Gierschlund, du wählst schlecht aus«, beschied sie ihn, und der normalerweise redegewandte Mr. O'Toole war erst einmal völlig sprachlos.

»Nur ein Flop seitdem ich angefangen habe«, setzte Peter an, um sie zu korrigieren. Aber so einfach ging das nicht, wie ihm jeder, der schon mit Kate gearbeitet hatte, hätte sagen können. »Streite nicht herum«, sagte sie. Woraufhin er beschloß, ihr einen weiteren Namen zu geben. »Du bist nur eine alte Hochstaplerin«, sagte er. Was ihr allerdings zu gefallen schien.

Ihre Kritik galt nicht nur seiner Arbeit, sie sagte ihm auch eindringlich, daß er zuviel trank. »Einem anderen Mitglied der Truppe gegenüber äußerte sie, er sei zu fett«, erzählte Nigel Stock. Als Antwort auf ihre Vorwürfe füllte Peter ihr Auto von oben bis unten mit leeren Bier- und Schnapsflaschen. Sie drehte gerade eine Szene ohne ihn. »Das ließ sie wie einen irren Alkoholiker aussehen«, sagte Stock. »Aber sie wußte sofort, wer das getan hatte – und hielt es für einen großartigen Witz.«

Das war nicht das Ende dieser teils etwas aufreibenden Beziehung, die auf gegenseitigem Respekt beruhte, den wahrscheinlich nur wenige so exzentrisch ausgedrückt hätten. Beide dachten, sie wüßten, wie der andere fühlt. Was die Filmarbeit anbelangte, so lagen sie auf der gleichen Linie. Sie stritten sich nicht um die Wahl des Regisseurs. Sie einigten sich problemlos auf Anthony Harvey, dessen Arbeit Peter in einem Film mit geringem Budget (*Der Holländer*) sehr beeindruckt hatte. Kate hatte noch nichts von Anthony gehört und mußte erst überzeugt werden. Das einzige Kino, in dem *Der Holländer* gerade lief, war ein unbequemes, schlecht riechendes kleines Kino, das einer verkommenen, ärmlichen Kneipe ähnelte. Sie stiegen über ausgestreckte Beine und knochige

Knie, stolperten über leere Plastikflaschen, bis sie endlich einen geeigneten Platz fanden. Nachdem sie sich *Der Holländer* angeschaut hatten, war Kate ebenfalls überzeugt. Die Dreharbeiten begannen in den Bray Studios von Dublin. Denn Peter war am entspanntesten und glücklichsten, wenn er in seiner Heimat Irland drehen konnte, und Kate lernte gerne neue Drehorte kennen. Außerdem erhielten sie Filmfördergelder. Die irische Regierung war erfreut, daß ein internationaler Film in ihrer Hauptstadt gedreht werden sollte, was ihrer Meinung nach viel zu selten vorkam.

Kate sah erstaunlich fit aus, obwohl sie immer noch an der Augenentzündung litt, das Relikt von ihrem Sturz in den Kanal von Venedig, und obwohl sie Flecken im Gesicht hatte. Sie wußte, was das für Flecken waren. Sie hatte es ihrem Hausarzt und dann ihrem Hautarzt gesagt. Hautkrebs. Allerdings kann diese Krebsart leicht behandelt werden, und sie hatte mit der Behandlung nicht lange gezögert. Ein Bekannter sagte einmal, »es gefiel ihr, Patient zu sein«, ohne unter Hypochondrie zu leiden. Weihnachten 1968 verbrachten sie in Irland. Die anderen Mitglieder der Crew gingen zu Parties oder ruhten sich aus. Sie stand vor Morgengrauen auf und fuhr nach Arklow, um am Weihnachtsmorgen die Felsen hochzuklettern.

Sobald alle Innenaufnahmen in Bray abgedreht waren, reiste der gesamte Stab nach Südfrankreich, wo es genügend alte Schlösser mit malerischen Ausblicken aufs Meer gab, die in die winterliche Geschichte paßten. Es war ein schrecklicher Flug über den Kanal gewesen. Das Flugzeug, das die Filmfirma gechartert hatte, war mit der Kamera- und Scheinwerferausrüstung fast überladen.

»Es gelang uns gerade noch abzuheben«, erinnert sich Nigel Stock. »Ziemlich furchterregend.« Und genauso war der Rest des Fluges von Dublin nach Marseille. Ein Hauptquartier der Truppe war das »Jules Cesar« in Arles. Sie lebten aber auch in einer Reihe von Schlössern und Klöstern in der Nähe, die Kate sofort bewohnte, als wäre es die natürlichste Sache der Welt. Sie konnte eine wahrlich königliche Pose einnehmen, wenn sie in einem der zugigen, verstaubten Zimmer war. »Einmal war ich allein mit ihr«, erinnert sich Nigel Stock. Es war nicht die königliche Haltung, die ihn damals erstaunte. Es war der Pullover, den sie zum Schutz gegen die Kälte trug. »Sie hatte zwei davon«, erinnert er sich. »Beide mottenzerfressen. Einer war rot und einer blau. Sie wurden abwechselnd getragen. Der rote, erzählte sie mir, gehörte Bogie. Der blaue Spencer. Sie sagte, daß seien die beiden Männer, die sie wirklich geliebt hatte.« Sie erzählte ihm auch freiheraus von ihrer Beziehung zu Spencer und seiner Familie.

Es war Januar, und alle Mitglieder des Teams profitierten von dem Feuer, das Katharine Hepburn und Peter O'Toole ausstrahlten, die sich scheinbar sowohl auf der Leinwand als auch privat gegenseitig entzündeten. Peter O'Toole ist gesellig bei Leuten, die er mag, das genaue Gegenteil jedoch bei Leuten, die er nicht mag. Er hat eine Haltung gegenüber der Presse, als hätte er sie sich bei Kate abgeguckt. Er hat auch keine Angst, sich mit Männern und Frauen abzugeben, die andere große Stars vielleicht als »unter ihrer Würde« bezeichnen würden. Kates Maskenbildner und Peter wurden enge Freunde. Eines Tages, als ihr Gesicht geschminkt werden mußte, fand man ihn nicht. Sie schickte einen Suchtrupp los. Endlich fand man ihn in Peters Garderobe, tief in ein Gespräch verstrickt.

Kate hielt es nicht für den geeigneten Zeitpunkt, um eine kryptische Botschaft loszuschicken. Statt dessen stürmte sie die Treppen zu dem Zimmer im Kloster hinauf, in dem sie gerade drehten, trat Peters Tür auf und schrie mit einer

Stimme, die man seit *Der Widerspenstigen Zähmung* von Kate nicht mehr gehört hatte. »Was machst du mit meinem Maskenbildner?«

Peter sah sie mit seinem liebenswerten, charmanten Lächeln an, das bereits Hunderte von Frauenherzen gewonnen hatte. Er hoffte, ein Kuß auf die Wange seines Co-Stars würde genügen, sie zu beruhigen. Er genügte nicht. Statt dessen versetzte Kate ihm einen kräftigen Schlag, wie Cyril Ritchard ihn schon mehrfach auf der Bühne in *The Millionairess* erleben durfte. Als O'Toole sich gefangen hatte, war Kate schon wieder weg, und sagte, während sie die Treppen hinunterstürmte: »Das nächste Mal, wenn ich einen Maskenbildner brauche, schick ihn mir runter, sobald ich nach ihm frage.« Diese Forderung würde kein zweites Mal ignoriert werden.

Am nächsten Tag vertrugen sie sich wieder. Bevor die Dreharbeiten begannen, stolzierte Peter, von Kopf bis Fuß einbandagiert, vor ihr herum und sah aus, als wäre er eine Mumie, der es in ihrer Pyramide zu heiß geworden ist. Dieses Mal lachte sie über den Witz, aber nicht, wenn solch außergewöhnliches Betragen die harte, ernsthafte Filmarbeit behinderte. Darüber konnte sie dann absolut nicht lachen.

Doch versehentlich verletzte sie Peter ein zweites Mal. Die Szene, in der Heinrich seine Königin begrüßt, als sie für ihren Kurzurlaub angesegelt kommt, sah majestätisch aus. Er stand in einer Barke. Sie in der anderen. Als sich die beiden Boote einander näherten, kam die Fingerspitze seines rechten Zeigefingers dazwischen und wurde gequetscht. Kate wäre bei den Proben fast das gleiche passiert. Sie hatte ihren Daumen in einer eisernen Tür der Bühne eingeklemmt, der dadurch fast aus dem Gelenk gerissen wurde. Kate hatte jede medizinische Hilfe abgelehnt, geschweige denn erlaubt, daß jemand mit ihr ins Krankenhaus fuhr. Sie arbeitete weiter, um die Hand einige blutdurchtränkte Taschentücher gewickelt. Genau das hatte selbstverständlich jedermann von einer Hepburn aus Hartford erwartet.

Ebenso konnte man Pflege und Aufmerksamkeit, die sie kranken Mitgliedern der Truppe angedeihen ließ, erwarten; Anthony Hopkins nach seinem Sturz und Anthony Harvey, der mit hohem Fieber ins Krankenhaus eingeliefert wurde. Sie umsorgte beide mit der Hingabe einer Krankenschwester. Das gehörte für sie zum Filmen.

Eines Nachts gab Peter eine Party für die Truppe in seinem Hotel. Es war dafür bekannt, die besten Marseiller Gerichte und dazu hochprozentigen Alkohol zu servieren. Autos voller Schauspieler, Statisten und Techniker kamen am Hotel an, in dem Peter den perfekten Gastgeber spielte. Er bot ihnen Speisen und ein Getränk an, das ausgesprochen mild zu sein schien. Wie sich Nigel Stock erinnerte, wurden die Gäste einer nach dem anderen von der kombinierten Wirkung des Essens und Trinkens überwältigt. Sogar O'Tooles Manager wurde dabei gesehen, wie er sich auf die Knie niederließ, um einen russischen Tanz vorzuführen. Nur Peter kannte die Stärke des Alkohols, den er servierte. Sie hätten natürlich den Braten riechen müssen. Er war der einzige, der auf der Party nicht trank. »Zu der Party hat Peter Kate nicht eingeladen«, bemerkte Nigel Stock. »Ich glaube nicht, daß er sich getraut hätte. Ich glaube, sie hätte ihn durchschaut, was von uns keiner tat.«

Auf jeden Fall fand sie, daß er zuviel trank. »Du ruinierst dein Leben«, sagte sie. »Warum tust du das?« Und sie demonstrierte, wie leicht es ist, Dinge aufzugeben, die man sich angewöhnt hat. Sie hörte auf zu rauchen. Peter war nicht zu überzeugen. »Wozu, du Puritanerin aus Neuengland!« rief er aus. »Ich habe dich schon Wodka schlucken sehen wie einen russischen Kommissar.« Falls das stimmte, hätte er das Geheimnis besser bewahren sollen. Sie hörte so etwas nicht gerne, auch wenn es offensichtlich nicht stimmte. Kate hatte immer einen gewaltigen Appetit, trotz ihrer schlanken, mädchenhaften Figur. O'Toole war auch dünn. »Alter Knochen«, nannte sie ihn und bestand darauf, daß er endlich statt des ganzen Alkohols feste Nahrung zu sich nehme. Das schien ihn jedoch nicht weiter berührt zu haben.

Es war nicht nur ihre irgendwie exzentrische Haltung gegenüber Freizeitaktivitäten, die einen Eindruck auf die Crew machte. Wenige von ihnen waren je mit jemandem zusammen gewesen, der sein Geschäft so gut verstand wie sie. »Ich fürchtete mich vor ihr, denn sie war eine so ehrfurchtgebietende Persönlichkeit«, erzählte mir Stock. »Sobald sie den Szenenaufbau betrat, wußte sie zum Beispiel genau, wie die Scheinwerfer eingestellt sein sollten. Ich glaube, sie wußte tatsächlich mehr als der Beleuchter. Sie setzte sich jedesmal durch, wenn sie ihm sagte: ›Ich möchte den Scheinwerfer hier und einen weiteren dort.‹«

Es gab den üblichen Streit mit der Presse und einen besonders unangenehmen mit einem Reporter, von dem sie dachte, er stelle zu persönliche Fragen. Stocks Furcht vor ihr schwand. »Tatsächlich«, erzählte er mir, »lernte ich sie zu lieben. Sie war ausgesprochen freundlich zu mir. Irgendwie haben wir einander verstanden, ohne besonders darüber reden zu müssen. Sie hatte mich gerne um sich. Es gab kein dummes Zeug mit ihr.«

Kurz darauf kam Kate nach London, um ihn in dem Stück *A Man and His Wife* den Winston Churchill spielen zu sehen, im »Peggy Ashcroft Theatre« des Vorortes Croydon. »Sie erwischte mich nach der letzten Matinee. Ich versuchte gerade, das Make-up von meinen Augen zu entfernen. Und da stand diese Frau im Türrahmen, die ich kaum erkennen konnte. ›Es ist großartig‹, sagte sie immer wieder. ›Sie müssen das wirklich im ‚West End‘ spielen.‹«

Das war Musik in seinen Ohren und genau das, was er selbst seit langem dachte. »Sie sprach mit allen und brachte die Sache ins Rollen. Aber sie hatte leider keinen Erfolg wegen einer außergewöhnlichen und traurigen Begebenheit.« Ihr alter Freund Michael Benthall führte Regie. Er besaß eine sechzigprozentige Produktionsbeteiligung. »Er arrangierte alles, starb dann aber zehn Tage, nachdem Kate mich besucht hatte.« Wie auch immer, dieses Ereignis demonstrierte die Hochachtung einer Schauspielerin für einen Schauspieler und zeigte deutlich, wie sie sich einsetzte und ihre Versprechen hielt.

Inzwischen lief *Der Löwe im Winter* in den Kinos und wurde mit kritischem Beifall begrüßt. In der Londoner »Sun« schrieb Ann Pacey von ihren Zweifeln: »Miss Hepburn spielt Miss Hepburn großartig, und Mr. O'Toole gibt recht erfolgreich vor, der fünfzigjährige Heinrich zu sein. Tatsächlich will sich der Funke großartiger Teamarbeit nicht an dem kalten Hintergrund, den kühlen mittelalterlichen Schlössern und Umständen, entzünden. *Der Löwe im Winter*, von dem Briten Douglas Slocombe wunderschön verfilmt, ist sehr klug und klassisch und kulturbewußt, aber erfreulich nur in einigen Szenen, in denen das Offensichtliche tatsächlich passiert.«

Sei's drum. Andere dachten anders.

Im folgenden Frühjahr erhielt Kate einen weiteren Oscar. Sie teilte die Auszeichnung »Beste Schauspielerin« mit Barbra Streisand. Erstmals erhielt eine Schauspielerin diese Auszeichnung zum dritten Mal.

Es war unvermeidlich bei einer Frau, die so sehr im Licht der Öffentlichkeit stand, daß es Gerede gab, wann immer ihr etwas Ungewöhnliches passierte. Es hieß, sie würde heiraten, diesmal William Rose, den Autor von *Rat mal, wer zum Essen kommt* und *Das Ding* sowie von solch populären britischen

Produktionen wie *Die feurige Isabella* und *Ladykillers*. Sie wurden häufig zusammen gesehen. Rose versuchte, alle Gerüchte im Keim zu ersticken, indem er sagte: »Wir sind seit langem Freunde, weil wir Spencer Tracy beide gut gekannt haben.« Die Leute gaben sich damit nicht zufrieden. »Ich hege für sie die höchste Bewunderung und Achtung und so etwas.« Und dann fügte er hinzu: »Ich bin reich, fett, habe mich verausgabt und suche jemanden, der mit mir in meinem bordeauxfarbenen Maserati nach Italien fährt.«

Sobald Kate den Film mit O'Toole abgedreht hatte, nahm sie ein Engagement an, das sich als viel weniger befriedigend herausstellen sollte. Das galt sowohl für den Film als auch für die Rolle, die sie darin spielte.

The Madwoman of Chaillot (Die Irre von Chaillot) war eine alte Geschichte voller phantastischer Gedanken. Ebenfalls ein phantastischer Gedanke wäre gewesen, den Film nicht zu drehen.

Unglücklicherweise wurde er gedreht, und keiner, der damit zu tun hatte, war auch nur im geringsten froh darüber. Er basierte auf dem Stück von Jean Giraudoux und war so vollgestopft mit Stars wie eine Oscar-Verleihung. Das hätte eine Warnung sein müssen. Denn die Qualität eines Films ist meist umgekehrt proportional zur Anzahl der Stars, die darin spielen. Hier nun spielte Katharine Hepburn die exzentrische Pariserin, und um sie versammelten sich Yul Brynner (mit Haaren), Danny Kaye, Dame Edith Evans, Charles Boyer, Claude Dauphin, Jean Gavin (der später von Ronald Reagan zum amerikanischen Botschafter in Mexiko ernannt wurde), Paul Henreid, Nanette Newman, Oscar Homolka, Margaret Leighton und Richard Chamberlain.

Eine der ersten Schwierigkeiten bei dem Film war, daß der Regisseur ausgewechselt wurde – kein gutes Zeichen für das, was anschließend passierte.

Es ist die Geschichte einer Verrückten, die überzeugt davon ist, daß ganz Paris unmittelbar bevorsteht, in ein gigantisches Ölfeld verwandelt zu werden. Darum bittet sie ihre Freunde, ihr zu helfen, das zu verhindern. Der Film wurde von Ely Landau produziert, und Kate glaubte, ihm etwas schuldig zu sein für die Mühe, die er in *A Long Day's Journey into Night* gesteckt hatte. John Huston, dessen Ideen ihr phantasievoll erschienen, sollte Regie führen. Aber Landau war anderer Ansicht, und Huston, der weltberühmte Regisseur von *African Queen*, wurde durch das englische Wunderkind Bryan Forbes ersetzt. »Da fiel alles in sich zusammen«, erzählte mir Paul Henreid, der einen französischen Offizier spielte. Eine Abwechslung zu den deutschen und zentraleuropäischen Rollen, zu denen er von Warner Brothers verdammt war. »Wir probten einige Szenen im Renoir-Museum von Nizza, was meine Idee war. Es schien gut zu funktionieren. Sie bat Huston, ihr Regieanweisungen zu geben und diesen Teil zu inszenieren. Wir waren alle recht glücklich – bis Landau ohne unser Wissen Huston durch Bryan Forbes ersetzte.«

Es wäre vorstellbar, daß Kate, die bei all ihren Projekten ein Mitspracherecht bei der Besetzung hatte, davon wußte. »Bryan Forbes hatte keine Ahnung, was gut und was schlecht war, und ruinierte das brillante Drehbuch.« Das war jedoch nicht das Schlimmste an dem Wechsel. Henreid sagte: »Irgendwie schien Katie, die sonst sehr sicher ist, auf einmal eingeschüchtert zu sein und gab all seinen Regieanweisungen nach, was absolut verhängnisvoll war.«

»Der erste Teil mit Brynner, Boyer, Homolka und mir selbst, der in der Kanalisation von Paris endete, lief ganz gut. Aber dann, als Forbes übernahm, ging alles schief. Kate und Danny Kaye ins Gespräch vertieft mit noch einigen anderen Charakteren, doch als ich das alles auf der Leinwand sah, war es nur vollkommen lächerlich. Kate selbst trimmte man auf sehr niedlich. Es war unsagbar schlecht.

Solange Huston da war, war es amüsant. Nach dem Wechsel war es fürchterlich. Ich erinnere mich, als mich Forbes einmal zum Essen einlud, ihm eine glatte Absage erteilt zu haben. Ich fand alles, was er tat, war grauenhaft. Was Kate anging, so schien er sie lediglich anzuweisen, zu lächeln und ihr Zahnfleisch zu zeigen.«

Henreid sagte, ihm sei der Einfluß, den Tracys Tod damals auf Kate gehabt hatte, sehr wohl bewußt gewesen. »Sie sprach die ganze Zeit über ihn, und so wie sie sprach, hatte ich das Gefühl, daß sie das Filmengagement in einem Schockzustand angenommen hatte.« Er erzählte mir, daß er und Kate während der Dreharbeiten sehr freundlich miteinander umgegangen sind. Einmal brachte er ihr eine große Schachtel Schokolade mit. »Sie liebte Schokolade. Das wußte ich, deshalb kaufte ich diese Schachtel in einer Confiserie in Nizza. Sie war hocherfreut. Sie aß die halbe Schachtel auf – ohne mir ein einziges Stück anzubieten!«

Einmal aßen sie zusammen zu Mittag, sehr ungewöhnlich für Kate, die den Leuten immer noch erzählt, sie sei in ihrem ganzen Leben erst in einem halben Dutzend Restaurants gewesen. »Es war das phantastischste Essen, das Sie sich vorstellen können«, erzählte er mir. »Und Sie haben garantiert noch nie jemanden soviel verschlingen sehen wie diese Frau. Die Speisen auf dem Horsd'œuvre-Wagen verschwanden fast auf einen Sitz.«

Die Sorgen, die andere Mitglieder der Truppe wegen Bryan Forbes hatten, wurden von Kate offensichtlich nicht geteilt. Sie wurde sogar so gut Freund mit ihm, daß sie zum Abendessen zu ihm nach Hause eingeladen wurde und seiner Frau Nanette Newman, die auch in dem Film mitspielte, häusliche Ratschläge erteilte.

»Sie ist überwältigend auf eine besonders angenehme Art und Weise«, erinnerte sich Miss Newman in einer BBC-Radiosendung. »Sie ist eine außergewöhnliche Persönlichkeit. Wenn man sie näher kennenlernt und sich an ihre direkte Art gewöhnt hat, ist sie unglaublich freundlich…«

Als sie sich erstmals auf der Bühne begegneten, fragte Kate Nanette in ihrer typisch abrupten Art: »Was haben Sie mit Ihren Haaren gemacht?« Einige waren überrascht, daß sich Katharine Hepburn darum sorgte.

»Nun, Miss Hepburn«, erwiderte Nanette. »Bryan meinte, ich solle es zur Abwechslung einmal so tragen.«

»Nun«, antwortete Kate und musterte die junge Schauspielerin von Kopf bis Fuß, »es ist eine Veränderung zum Schlechten!« Trotzdem sagte Nanette, »Sie war wirklich interessiert. Und sie hat die große Fähigkeit, das Leben zu genießen, und ich finde, das ist eine große Gabe.«

Die Gabe, die sie unzweifelhaft besaß, war erstklassig. Der Regisseur Billy Wilder erzählte, daß er zu jedem Wort steht, das er einmal über sie geschrieben hat. »Es gibt zwei Mädchen beim Hollywood-Film, die Klasse haben«, sagte er, »und beide heißen Hepburn. Es gibt sonst niemanden. Nur eine Menge von Kellnerinnen, die mit ihrem Hintern vor einer Kamera wackeln. Aber die Hepburns sind wie Lachse, die flußaufwärts schwimmen. Hier ist Klasse, jemand der eine Schule besucht hat, kann buchstabieren und vielleicht Klavier spielen.«

Ein Journalist, der sie damals gesehen hat, Alexander Walker, sagte, daß er nicht das Gefühl hatte, sie wirklich zu treffen. »Ich ›fühlte‹ sie«, schrieb er nach diesem Treffen. Warum hatte sie diese außergewöhnliche Wirkung? Vielleicht hatte Walker damals schon die richtige Antwort, als er nämlich zitierte, was sie über taube Menschen gesagt hatte. »Taube Leute lieben es, wenn ich mit ihnen rede«, sagte sie. »Niemand der schlecht hört, hat Schwierigkeiten, mich zu verstehen. «

Sie hatte so viel Energie, weil sie das tat, was sie tun wollte – und weil sie jeden Abend um halb neun im Bett lag. Wie sonst kann man um fünf Uhr früh aufstehen und ein Bad nehmen? Kate machte keine Konzessionen. Sie radelte überall hin. Sie trug zerfledderte weiße Tennisschuhe, alte Hosen und ein weißes Männerhemd, das ihr aus der Hose hing, wahrscheinlich eines von Spencer.

Sie mietete eine Villa in St. Jean Cap-Ferrat, die zu dem Leben paßte, das sie für sich gewählt hatte. »Es ist das einzige Haus, das mir hier gefällt«, erklärte sie – als ob sie eine Erklärung schuldig gewesen wäre. »Wirkliches Privatrefugium. Es ist recht einfach eingerichtet. Mir gefällt die Maserung von altem Holz. Ich fasse es gerne an, und ich mag sein Aussehen. Menschen sollten wie altes Holz sein. Ich hoffe, so zu sein. Einige Menschen sind wie Kästchen, die aus Juwelen oder Perlen gemacht sind. Ich ziehe Dinge aus einfacheren Materialien vor. Es ist nicht nur die Maserung. Es ist die natürliche Farbe und das einfache, schlichte Aussehen. Ich vermute, es ist schön zu sehen, wenn Sachen zur Abwechslung ›gussied up‹ sind. [Das ist typisch Katharine Hepburn, die ein Wort erfindet, wenn sie im Wörterbuch keines finden kann, um das Gewünschte auszudrücken.] Ich glaube, das gleiche gilt für die Schauspielerei, nicht wahr? Man konnte früher nie so erkennen, daß sie schauspielerten, wie bei den heutigen Schauspielern. «

Für Kate war die ganze Geschichte von *Die Irre von Chaillot* eine Allegorie für den Zustand des Universums. »Es hat mehr Relevanz als vor zwanzig Jahren. Die Welt ist verrückt geworden. Wir werden immer noch von Gier beherrscht. Traurig. Darüber sprach Giraudoux. «

Sie gab auch zu, daß die Rolle »eine Menge von mir selbst

239

enthielt«. Und sie gab Alexander Walker ein Beispiel dafür: »Es gibt einen großartigen Moment in *Die Irre von Chaillot*, als nämlich Danny Kaye, der den Lumpensammler spielt, zu mir sagt: ›Comtesse, die Welt hat sich verändert. Die Welt ist nicht mehr schön. Die Welt ist nicht glücklich.‹ Und sie sagt: ›Aber warum wurde mir das nicht gesagt?‹ Sie lebte in einer Traumwelt... aber ist es gut, aufzuwachen? Oder ist es schlecht? Bewahre deine Träume. Das ist es, worauf es ankommt. Das ist es, was mich weitermachen läßt. Bewahre deine Träume. Der Rest ist unwichtig. «

Kate arbeitete gerne mit einigen der großen Frauen des europäischen Kinos wie Irene Papas und Giulietta Masina, die auch verrückte Damen spielten, ebenso berührt davon. Madame Masina erzählte ihr, daß sie immer noch ein Foto von Kate aus *Vier Schwestern* besaß.

»Mon dieu!« sagte Kate. »Das ist schon lange her. Und jetzt so viele interessante Rollen auf einmal. Es tut mir leid, ich lebe dafür, Rollen auszukosten.« Deshalb kam sie wahrscheinlich so gut mit ihrer französischen Köchin zurecht, die das Essen für sie so schmackhaft bereitete wie ein guter Regisseur einen erfolgreichen Film. »Diese Frau hat ähnliches erreicht wie ich«, sagte Kate.

Wie üblich nutzte Kate jede Chance zum Sightseeing, »wenn sie gerade in der Nähe« war. Sie machte einen Ausflug nach Monaco, welches sie als »Pickel auf dem Kinn von Südfrankreich« bezeichnete. Andere Leute gingen dorthin, gebannt, mit vor Staunen sabbernden Mündern, mit naiv glänzenden Augen, und sie dachten an Hollywoods Prinzessin Grace Kelly, die stilvoll in dem fürstlichen Palast lebte. Nicht so Kate. »Das arme Mädchen«, sagte sie. Dennoch ließ sie nicht die Gelegenheit aus, die sich ihr anzubieten schien, um das Heim ihrer Königlichen Hoheit zu sehen.

Als würde sie in eine weitere Villa von Beverly Hills einbrechen, kletterte Kate die Leiter hoch, die an die Palastmauer gelehnt war. Sie sagte: »Ich hoffe, wir werden nicht verhaftet«, kletterte aber trotzdem weiter. »Das muß der Palast sein. Ich meine, er muß hier sein. Er könnte nicht auf der anderen Seite des Hügels liegen. Dort ist keine Sonne.« Nachdem sie das Palastgelände inspiziert hatte – sogar sie traute sich nicht wirklich einzubrechen –, beschloß sie, auf dem gleichen Weg zurückzugehen, auf dem sie gekommen war. Glücklicherweise lehnte eine weitere Leiter an der Mauer. Sie hätte ein Tor finden können, durch das sie hätte hinausgehen können, auf diesem Weg jedoch verlor sie einen ihrer mottenzerfressenen Pullover (ein rotes Kleidungsstück mit einer Menge Löcher am Bund). Es gab noch andere Dinge, die sie dort interessierten: wilde Blumen. Sie kannte alle Namen. Von Schlüsselblumen bis Leberblümchen. Aber dafür interessierte sie sich schon immer. Wilde Blumen waren immer schon ihre Leidenschaft gewesen.

Ein verrücktes, sorgloses Abenteuer. Und eine Menge, worüber man reden konnte. Nur, es war nicht der Palastgarten, in dem sie und ihre Begleitung gewesen waren. Es war nur ein Park!

Was im Theater zählte, live wie auch auf der Leinwand, war Persönlichkeit, wie sie Alexander Walker beschrieb: »Innerhalb gewisser Grenzen kann man seine Rollen diversifizieren, aber letztlich ist deine Persönlichkeit entscheidend. Ich? Ich bin wie das ›Flatiron Building‹. Ein nettes altes Gebäude, daß niemand abreißen will.« Nur wenige Leute empfanden so für *Die Irre von Chaillot*. Der Film war ein Mißerfolg, wie ihn Paul Henreid vorhergesagt hatte, sowohl in den Kinos als auch bei den Kritikern. Typisch war dieser Kommentar von John Simon: »Eines von Giraudoux' weniger guten und äußerst fragilen Stücken wurde neu geschrieben, aufgebläht durch unpassende Zeitbezüge, in die Länge gezogen mit einer

Unmenge von humorlosen Nichtigkeiten und bestückt mit unzähligen schlecht schauspielernden Stars.« Rex Reed, der damals tonangebende amerikanische Kritiker schrieb: »Die Absichten sind ehrenhaft. Eine Niederlage unvermeidbar.«

Sogar die besten Ideen von Katharine Hepburn waren gelegentlich dazu verdammt, keine Früchte zu tragen. Nach Jahren, in denen sie ihre Regisseure regiert hatte, beschloß sie nun, es offiziell selbst als Regisseurin zu versuchen. Ende 1968 akzeptierte sie ein Angebot von Irene Selznick, Witwe von David O'Selznick und Tochter von Louis B. Mayer, bei einem Film Regie zu führen, den Irene auch selbst produzierte. Er sollte *Martha* heißen und eine Adaption von *Martha, Eric and George* sowie *Martha in Paris* sein, zwei Geschichten der britischen Autorin Margery Sharp. Kurz gesagt, es sollte ein gewagtes Unternehmen von Frauen werden, vielleicht die logische Konsequenz aus allem, was Kate je für die Frauenbewegung empfunden hatte. Aber es gab Probleme mit dem Drehbuch, und das Projekt wurde abgeblasen.

Kate war damit beschäftigt, sich für das Recht in der Welt einzusetzen. Sie sah das als ihre Pflicht an. Wenn sie zustimmte, einen Pressevertreter zu treffen, wollte sie ihre Ansichten über den Mißbrauch menschlicher Werte äußern. Dem Kolumnisten David Lewin erzählte sie, was sie über die Jugend dachte. »Die jungen Menschen sind großartig«, sagte sie, »weil sie jung sind. Ich beneide sie nicht. Es ist Zeitverschwendung, Dingen nachzuweinen, die unwiderbringlich sind. Tatsache ist, daß es heute mehr junge Leute gibt, und die stoßen andere herum, um auf sich aufmerksam zu machen. Deshalb tragen sie Miniröcke und verrückte Kleidung, um auf sich aufmerksam zu machen. Zu meiner Zeit... war es einfacher, sich zu produzieren.

Junge Leute müssen immer noch den Hundertmeterlauf absolvieren. Sie müssen noch herausfinden, wie viele Funken ein alter Feuerstein hervorbringt.«

Was den Sex anbelangt, so glaubt sie, daß viel zuviel darüber geschrieben wurde. »Und alles ist Humbug. Sex wird klassifiziert und codiert und Computer damit gefüttert. So kann man ganz bestimmt nicht mehr darüber herausfinden. Man sollte sein eigenes Sexualleben nicht allzu genau unter die Lupe nehmen. Zu welchem Zweck auch? Mein Vater, der Chirurg war..., befaßte sich aus beruflichen Gründen sein ganzes Leben lang mit Sex. Bevor er mit zweiundachtzig Jahren starb, sagte er mir, daß er noch zu keinem Ergebnis gekommen wäre.

Ich glaube nicht, daß Heirat eine natürliche Institution ist, obwohl meine Mutter und mein Vater glücklich verheiratet waren. Es ist sehr schwierig, Freundschaft mit dem eigenen Geschlecht zu schließen, geschweige denn, sein ganzes Leben lang mit jemandem vom anderen Geschlecht zu verbringen. Es ist nicht leicht, interessiert zu sein, und Heirat bedeutet, interessiert zu sein – an jemand anderem, die ganze Zeit.«

Sie sprach auch über Disziplin: »Aus der Mode jetzt, aber es ist die Basis für ein befriedigendes Leben«; über Schönheit: »Heute sagt man, ich sei eine Schönheit mit wohlproportioniertem Gesicht. Aber als ich anfing, dachte man, ich sei eine Mißgeburt mit all den Sommersprossen«; über Eigentum: »Ich bin nicht neidisch auf Eigentum und habe mich nie damit umgeben«; und selbstverständlich gab es auch eine Hepburn-Theorie über den Tod«: »Ich will mir kein Denkmal schaffen. Ich bin eitel genug, um mit dem, was ich tue, zufrieden zu sein, und an dem, was ich tue, Spaß zu haben – obwohl die Schauspielerei wahrlich nicht das Wichtigste auf der Welt ist. Man kann nicht alles haben, deshalb bin ich zufrieden mit dem, was ich erreicht habe. Wenn ich ein neugeborenes Baby sehe, schaue ich zuerst seine Füße an, nicht seinen Kopf, und sage, ›du hast noch einen weiten Weg vor dir. Ich hoffe, deine Füße werden dich tragen.‹ Meine haben mich getragen. Das Leben ist lang genug, obwohl einige Menschen sagen, es sei zu kurz. Mir scheint es so lang. «

16

DER BESTE MANN

Als sie über ihren sechzigsten Geburtstag nachdachte, wurde ihr bewußt, daß ihr mittlerweile ein Attribut anhaftete: legendär. Spencer hätte sich darüber lustig gemacht, aber dennoch verlangt, daß man ihr die Aufmerksamkeit, die Beachtung und den Respekt entgegenbringt, der normalerweise nur Legenden vorbehalten bleibt. Es wäre nicht normal, wenn jemand, der so lange im Geschäft gewesen ist wie sie, und dann noch an der Spitze, nicht mit diesem Attribut bedacht worden wäre. Ja, natürlich ist sie eine Legende. Manchmal eine schlechtgelaunte, reizbare, schwierige Legende. Aber trotzdem eine Legende. Sie sah das etwas anders und etwas intelligenter. Eine Legende zu sein, interessierte sie nicht. Sie beschäftigte sich vielmehr mit einem einfachen Wort: Überleben. »Wenn man lange genug überlebt«, sagte sie damals, »wird man wie ein altes Gemäuer verehrt. Das große Problem ist, die Lebensmitte zu meistern. Das ist das Schwierige.«
Sie dachte dabei an die Zeit zwischen ihrem ersten Oscar für *Morgenrot des Ruhms* – alle vorherigen Bühnenauftritte wie selbstverständlich ignorierend – und den späteren Jahren mit Tracy. Wenn man so etwas überstand, war man auf dem richtigen Weg. Sie erwähnte natürlich nicht solch eine »Kleinigkeit« wie ihr Talent. Aber sogar Legenden gestattete man, ab und zu bescheiden zu sein.

»Ich glaube, für die Menschen ist man interessanter, wenn man unkonventionell auftritt. Aber ich kleide mich nicht, wie ich es tue, aus Effekthascherei. Ich kann meinen Charakter nun nicht mehr ändern, nicht in meinem Alter. Obwohl ich manchmal glaube, daß ich eines Tages im Knast enden werde. Und obwohl ich wahrscheinlich dafür büßen muß, daß ich diese große Schachtel Pralinen esse [nicht Paul Henreids], halte ich mich gerne fit.«

Sie gab zu, daß sie Glück mit ihrer Herkunft gehabt hatte: »Ich wurde in einer Zeit erwachsen, als man noch an Individuen glaubte; bevor die Versicherungsgesellschaften unser Leben bestimmt haben.« Es hätte großer Überredungskünste bedurft – und ein Mitspracherecht bei der Auswahl der Direktoren hätte Kate zugestanden werden müssen –, bevor sie einen Vertrag mit einer Versicherungsgesellschaft abgeschlossen hätte. 1969 war sie jedoch nicht in der Stimmung, über so etwas nachzudenken. Eine neue Herausforderung war am Horizont zu sehen. Sie war kurz vor ihrem ersten Auftritt in einem Broadway-Musical. Erstmals, seit sie »Auld Lang Syne« in dem weniger erinnernswerten Film *The Little Minister* gesungen hatte, stimmte sie wieder ein Lied vor einem Publikum an.

Sie traf dabei auf eine Frau mit einem noch gewaltigeren Ruf als dem ihren. Der Mann, der die Show kreiert hatte, unterbreitete ihr das Angebot. Es handelte sich um Alan Jay Lerner, der ohne seinen langjährigen Mitarbeiter Fritz Loewe arbeitete – die beiden hatten ein Repertoire von Musicalerfolgen zusammengestellt, angefangen bei *Paint Your Wagon* bis hin zu *My Fair Lady*, die sie wie die Erben von Rodgers und Hammerstein aussehen ließen –, aber dafür mit der Musik von André Previn.

Coco war Lerners Idee, eine Show, die auf der Karriere der Modeschöpferin Coco Chanel basierte. Er hatte ein Buch, seine Musik und seinen Text. Er dachte auch, er hätte seine Hauptdarstellerin. Rosalind Russell, die vor sieben Jahren so gut in der Filmfassung von *Gypsy* gewesen war. Aber Miss Russell litt bereits an Krebs, dem sie bald darauf erliegen würde. Deshalb konnte sie nicht annehmen.

Dann fiel ihm Katharine Hepburn ein. Für Kate war der Anruf, bei dem ihr diese Rolle angeboten wurde, eine dieser Herausforderungen, die jedem unsinnig erscheinen, außer demjenigen, der sie annimmt. Aber der Scheck war diesmal wenigstens noch nicht ausgeschrieben, auch der Betrag war noch nicht eingesetzt. Lerner wollte Kate, allerdings nur, wenn sie singen könne. Und nicht einmal sie war sich sicher, ob sie dazu fähig war. Aber sie erinnerte sich an *The Little Minister* und »Auld Lang Syne«. Das war die Nummer, die sie ihm vorsang. Sie sang, während Lerner in die Tasten des großen Klaviers im New Yorker Appartement von Irene Selznick griff. Er war nicht hinter einer der süßen lyrischen Stimmen her, die die Stars der damaligen Broadway-Shows noch hatten. Rex Harrison hatte bewiesen, daß das nicht nötig war. *My Fair Lady* mit der Figur des Professor Higgins hatte alles verändert. Seither genügte eine angenehme Stimme, die einen verständlichen Ton erzeugen konnte.

Als er Kate mit »Auld Lang Syne« hörte, genügten ein Kuß und ein Dankeschön, um zu bestätigen, daß Kate und *Coco* ein Erfolg werden würden. Als sie den Regisseur des Musicals, Roger Edens, traf und mit ihm ein paar Lieder durchging, sagte er, daß seine Aufregung nur mit der bei Ethel Merman und Judy Garland zu vergleichen sei. Beide wahrlich keine Abbilder von Kate.

Er erinnerte sich: »Als sie an diesem ersten Sonntag zu mir nach Hause kam, kramte ich ungefähr fünfzig Lieder hervor, aber sie stöhnte nur wegen ihres Repertoires. ›Ich singe nur ‚Onward Christian Soldiers'‹, sagte sie. Also fingen wir ganz von vorne an und studierten einige Lieder ein. Um sechs Uhr abends wußte ich, daß sie die dritte Frau meines Lebens war.«

Von da an übte sie ihre Lieder in der Selznick-Suite des plüschigen »Pierre Hotel« in Manhattan. Das Repertoire ihres Freundes Cole Porter entsprach ganz ihren Bedürfnissen. Also stand sie Tag für Tag am Klavier, dankte »Mrs. Lowsborough Goodbody für das wunderbare Wochenende« oder gab die Botschaft der traurigen Miss Otis weiter. Manchmal war sie ambitionierter und sang sogar die Lieder von *Camelot* (auch von Lerner und Loewe).

Lerner sagte damals: »Sie ist bemerkenswert musikalisch und vergißt dabei nicht zu schauspielern wie die meisten singenden Schauspieler. Sie schauspielert immer.« Ich bin nicht sicher, ob Miss Hepburn das als Kompliment aufgefaßt hätte. Denn sie glaubt, daß Schauspielerei eine Erweiterung der eigenen Person ist.

Als Kate sich sicher sein konnte, daß Lerner und die anderen für die Show Verantwortlichen wirklich zufrieden mit ihr waren und nicht nur höflich, sagte sie: »Sie scheinen mich zu mögen. Sie müssen verzweifelt sein.«

Für Kate war das Musical ein neues und aufregendes Medium. Wieder würde sie keine Zeit haben, um Spencer zu weinen. Sie kam von nun an auch nie vor halb zwölf nachts ins Bett, aber sie war willens, dieses Opfer zu bringen. Hätte sie ihre Bäder opfern müssen, wäre das noch mal etwas anderes gewesen, aber glücklicherweise war dafür Zeit genug. Lerner dachte, daß Kate in die eleganten Schuhe von Madame Chanel passen würde (die Kleidung, die sie in der Show tragen mußte, war reine Arbeitskleidung, ihre Hosen, waren wie immer sakrosankt), weil beide ähnlich geartet waren. »Natürlich nicht körperlich.« Was er meinte, war, daß beide starke, unabhängige Frauen waren. »Beides Karrierefrauen, die nicht ein Gramm ihrer Weiblichkeit verloren hatten.«

Die Chanel selbst hatte ihm gesagt: »Es gibt keine Zukunft für eine Frau, die versucht, wie ein Mann zu sein.« Was, obwohl es jahrelang falsch verstanden worden war, genau der Hepburn-Philosophie entsprach. Aus Kleidern hatte sich Katharine nie viel gemacht, nun aber spielte sie eine Frau, die Kleider machte.

Die ursprüngliche Idee zu dieser Show hatte Rosalind Russells Ehemann, Frederick Brisson, mindestens zwölf Jahre zuvor gehabt. Er brachte Alan Jay Lerner auf das Projekt, der schließlich genauso davon besessen war wie Professor Higgins davon, aus einer Blumenverkäuferin eine Lady zu machen.

Es sollte eine völlig unabhängige Produktion werden. Weder sollte Madame Chanel ein Mitspracherecht haben, wer sie darstellen sollte, noch sollte sie die Kleider für die Show entwerfen; dafür wurde Cecil Beaton engagiert, wie schon für *My Fair Lady*. Jedoch erwartete man von ihm, daß er sich stark vom Stil der Chanel »inspirieren« ließ.

Die siebenundachtzigjährige Chanel verfolgte genauestens die Entwicklungen, sowohl mit den Augen der Künstlerin als auch mit denen einer Mutter, die auf ihre Kinder aufpaßt. Die »Kinder« der Chanel waren ihr Stil, ihre Persönlichkeit. Eben ihr eigenes Leben. Als Kate sie traf, reagierte sie genauso, wie schon zahlreiche Leute reagiert hatten, als sie Katharine Hepburn erstmals begegnet waren. Sie zitterte. Und zum ersten Mal in ihrem Leben, machte sie sich Gedanken über einen Mantel, den sie zugegebenermaßen seit über vierzig Jahren trug. Aber auf dem Weg nach Paris dachte sie, »Was zum Teufel soll das?« Sie war nun wirklich schon zu alt, um sich noch zu ändern.

Es hieß, daß Coco sie zuerst erkannte. Sie sah zu Kate auf,

aber nicht auf sie herunter. Wie »Newsweek« berichtete, war es ihr völlig egal, was Kate trug, solange es nicht von der Konkurrenz war.

Nach dem Mittagessen wurde Kate und Lerner die laufende Kollektion vorgeführt. Als alles vorbei war, ging sie leise in Cocos Zimmer, um sich zu verabschieden. Die alte Dame schlief fest auf einem Sofa. Ihren Hut noch auf. Ihre Brille war noch auf ihrer Nase. Sie fand, daß Kate »zu alt« war. »Nun«, meinte die Chanel, »sie muß fast sechzig sein!«

Sie kamen recht gut miteinander aus, als sie sich im Ritz trafen, ganz nahe der Nr. 5, dem Hause Chanel in der Rue Cambon. Kate kaufte sich sogar Kleider in dem Salon, jedoch eher für ihren Kleiderschrank, als um sie auf der Straße oder zu Hause zu tragen. Die Schauspielerin, die ihr Gesicht mit Alkohol wusch, wollte jedoch kein Parfüm von Chanel benutzen. Das wäre auch zuviel verlangt gewesen von der Enkelin eines Mannes, der seine Zähne mit ordinärer Seife putzte. »Gott«, sagte sie damals, »meine Mutter benutzte Kölnischwasser. Es hatte einen schwachen Duft. Mir gefällt der Geruch von Kirschholz, wie ich ihn von der Farm meines Großvaters in Virginia kenne, aber ich benutze nichts, was gut riecht.«

Kate begann langsam, wegen der Show nervös zu werden. Ihre Zweifel mehrten sich mit jedem Augenblick, da die Premiere näherrückte. Als es sich nur noch um Stunden bis zur Aufführung handelte, überlegte sie, ob sie sich nicht wieder vorsagen solle, sie sei in Wirklichkeit in Indianapolis. Später gestand sie, Coco und sie seien nicht die gleiche Art von Frau, wie sie am Anfang so überzeugend behauptet hatte: Coco war »großartig und kannte eine Menge Leute; mich selbst hielt ich eher für einen Bauerntölpel. Ich mochte das Skript, aber ich wußte, ich würde sie nicht spielen können, wenn ich sie nicht mochte.«

Coco war recht zufrieden mit dem, was sie sah, und saß bei der Premiere am 18. Dezember 1969 in der ersten Reihe des »Mark Hellinger Theatre«. Sie applaudierte so enthusiastisch, wie es ihr Alter und der Anstand nur erlaubten.

Es gab keine Probevorstellungen außerhalb der Stadt. Lerner und Brisson hatten entschieden, daß dies eine Show für die Großstadt sei. Abgesehen davon war es eine teuer ausgestattete Show mit komplizierten Bühnenbildern, die bewegt werden mußten, so daß ein derartiges Risiko nicht gerechtfertigt gewesen wäre. Sicherlich würde niemand wagen, die Show ein »Nichts« zu nennen. Tatsächlich hieß es dann auch, es wäre die »showigste« Show seit den Tagen Ziegfelds.

Jeder schien der Show irgendwelche Gefühle entgegenzubringen, was schon den halben Sieg bedeutete. Zwei Monate vor der Eröffnung hatten zwei Plakatmaler das erste Plakat für das Vordach außerhalb des Theaters fertiggestellt. »Katharine Hepburn in *Coco*«, stand darauf. Der eine sagte zum anderen: »Wir verschaffen einer neuen Schauspielerin den Durchbruch.«

Die Show kostete mindestens 750 000 Dollar, was einen neuen Broadway-Rekord bedeutete. Beatons Kostüme alleine kosteten 155 000 Dollar. Sie wurden vom Chor mit den schönsten Beinen, die die Welt je gesehen hatte, getragen und von einer jungen Dame, ein Model von Chanel. Keiner redete darüber, wieviel Kate für ihre »kleine« Rolle bekam. Kate war sich der Tatsache wohl bewußt, daß sie einen Bezug zu dem Charakter hatte, den sie spielte. »Jeder«, sagte sie der »New York Times«, »kommt vom Land mit einem Sack voller guter Dinge (was auch immer das sein mag), die er verkaufen kann. Sie kam an und hatte offensichtlich etwas, das den anderen besonders gefiel.« Die Show hatte wohl auch etwas, das den anderen besonders gefiel. Sie war nicht so sehr ein Kassenerfolg als vielmehr eine sehr gelungene Show. Die meisten Leute sagten, daß dies hauptsächlich an dem Star und dem Choreographen Michael Bennett lag.

Coco schien für Kate ideal, eine schöne Rolle für eine Schauspielerin, die zugab, zu alt für die meisten Rollen, die ihr angeboten wurden, zu sein, und die sich trotzdem nicht zur Ruhe setzen wollte, um eine alte Dame zu spielen. Madame Chanel mag zwar siebenundachtzig Jahre alt gewesen sein, aber das war nur ein winziger Altersunterschied. Weder sie noch Kate wollten sich ihrem Alter beugen. Kate gab zu, Lampenfieber gehabt zu haben, ehe die Kritiken erschienen. »Ich muß betrunken gewesen sein, als ich die Rolle angenommen habe«, sagte sie, als sie hörte, daß das Budget um etwa 150 000 Dollar überzogen worden war. »Ich fühle mich ungefähr so groß wie eine Maus und habe nur noch die Hoffnung, von einem Lastwagen überfahren zu werden, wenn ich das Theater verlasse.«

Falls das wirklich passiert wäre, hätte sich das »Time Magazin« vermutlich freundlicher geäußert. »*Coco*«, war zu lesen, »ist langweilerler als eine Bombe [der amerikanische Ausdruck für eine Theaterflop]. Jeder, der etwas auf sich hielt, war dort [hieß es über die Premiere] und erwartete eine ganz außergewöhnliche Vorstellung. Dramatisch, der Champagner war schal, die Horsd'œuvres schmeckten nach Sägespänen, und der Klatsch brachte einen zum Gähnen. Die Show ist eine Mahnung dafür, daß Fließbandarbeit nicht ein Brunnen der Inspiration ist, und dafür, daß Bekanntes in großen Mengen nicht notwendigerweise Unbekanntes mit hervorragender Darbietung oder spannender Unterhaltung hervorbringt... Kein Wunsch ist erfüllt. Kein Traum wird wahr.«

Die Publikation des Magazins »Life« war viel freundlicher. Der Kritiker schrieb: »Viel aus *Coco* ist talentierter Unsinn. Miss Hepburn macht Coco in der Rolle zu einer amüsanten Kaiserin. In ihrer erstaunlichen Verkleidung als Sängerin schmettert sie ihre Lieder eher mit Deutlichkeit als Melodie, und das gelingt ihr am besten, wenn sie eine Art Kneipenlied singt, das hervorragend zu Vachel Lindsays Gedicht ›The Congo‹ paßt. Der Höhepunkt ihres Auftritts ist ein wilder Siegestanz, den sie aufführt, als vier New Yorker Einkäufer sie vor dem Ruin retten: ›Orbachs, Bloomingdales, Best und Sacks‹. Die Hepburn legt in ihren Tanz dieselbe Schalkhaftigkeit, dieselbe unvergleichliche Mischung aus Verführung und derbem Spaß, die man manchmal während einer Nahaufnahme in ihren Augen erkennen kann. Das schlägt die saloppe Eleganz um Längen.«

Und dann folgte der treffendste Kommentar von allen: »Ist Coco etwa Coco, oder ist sie in Wirklichkeit ein echte Individualistin, bekannt als Katharine Hepburn? Als Schauspielerin hat die Hepburn ein Leben damit verbracht, die Charaktere durch das stahlharte Sieb ihres Selbst zu filtern. Sie ordnet sich Rollen nicht unter; sie beherrscht sie, und inzwischen liebt jeder die besondere Art ihrer Tyrannei, die sich aus ihrer Persönlichkeit ergibt... Ihre Vorstellung ist ein Triumph des Willens über wirkliche Einschränkungen. Wenn sie nicht tanzen kann, springt sie; wenn sie nicht singen kann, moduliert sie ihre Sprache, um Gesang anzudeuten.«

Der »Time«-Kritiker hatte nicht einmal ein gutes Wort für André Previn übrig, den Jungen mit den blauen Augen vom Musical, der normalerweise nichts falsch machen konnte. Im Magazin stand, seine Musik »ist mißglückt und hat nicht mal Schwung«.

Trotzdem wuchs die Schlange vor der Theaterkasse, und die Leute, die sich bisher damit hatten begnügen müssen, Kates Filme zu sehen oder in einer Fotoausstellung ihre Karriere zu verfolgen – wie sie im Sommer im Museum of Modern Art zu sehen war –, waren entzückt von dem, was ihnen geboten wurde.

So manches Problem konnte nur Kate schaffen oder lösen. Sie wollte frische Luft während der Proben, also öffnete sie alle Bühnentüren, mitten im New Yorker Winter. Die Chanel-Mädchen waren davon gar nicht erbaut. Also kaufte sie allen wollene Handschuhe gegen die bittere Kälte. Als sie sich durch die Geräusche von Bauarbeiten an einem gegenüberliegenden Gebäude gestört fühlte, bestand sie darauf, daß die Arbeiten während der Matineevorstellungen – zweimal pro Woche – unterbrochen wurden. Die Bauarbeiter erhoben nicht mehr Einwände, als es eine ganze Schar von Hollywood-Produzenten getan hätte.

Manchmal verhakte sich das Bühnenbild von einer der großen Drehbühnen. Das brachte Kate nicht aus der Fassung. Sie setzte sich einfach an den Bühnenrand und erklärte dem Publikum, was eigentlich geschehen sollte. Währenddessen versuchten die Bühnenarbeiter verzweifelt, die Schwierigkeiten zu beheben. Als einmal unglücklicherweise ein großer Spiegel auf der Bühne zerbrach, rief Kate nach einem Besen und fegte die Scherben auf, während die anderen herumstanden und ihr zusahen, wie sie die Situation meisterte. Das war zweifellos Showtalent. Und das Publikum applaudierte herzlich.

Kate verließ die Show siebeneinhalb Monate später, am 1. August 1970, nachdem sie ihr Auftreten bereits um zwei Monate verlängert hatte, und überließ ihre Rolle dem französischen Star Danielle Darrieux. Aber Madame Darrieux gelang es nicht, das Publikum zu erobern. Das Stück war ohne Kate wie ohne Coco. Sie wußte, was das Publikum für sie empfand und, sagte das auch bei ihrer Abschiedsrede. Niemand hatte soviel Herzlichkeit von einer zurückhaltenden Neuengländerin erwartet. Ihr Abschied klang jedoch eher wie eine Drohung. »Nun, Sie lieben mich«, sagte sie. »Und ich liebe Sie – und das war's.«

17

LIEBE IN DER
DÄMMERUNG

Wenn man immer gewußt hätte, woran man bei ihr war, wäre es weniger interessant gewesen, Katharine Hepburns Lebensgeschichte zu erfahren. Es war immer ungewiß, ob sie sich wie eine Heldin oder wie eine alte Vettel benehmen würde.

Jeder der Geschichten von ihrem exzentrischen Betragen stand eine von überragender Großzügigkeit gegenüber. Jedesmal wenn jemand von ihren lustigen Taten erzählte, wußte ein anderer eine Geschichte, die einfach empörend war. Manchmal konnte man ihr diese empörenden Taten nicht verübeln, weil sie genau das tat, was man selbst gerne getan hätte.

So auch, als sie in der Nähe ihres damaligen Hauses in Hollywood radelte. Ein Autofahrer schnitt sie und zwang sie auszuscheren. Wie sie selbst beschrieb, »war sie außer sich vor Wut«. Im unerschütterlichen und verständlichen Glauben, daß es kein Auto mit einer wütenden Hepburn aufnehmen könne, jagte sie hinter dem Wagen her. Und es zahlte sich aus. Sie holte das Auto ein, sprang von ihrem Rad und hämmerte gegen die Fahrerscheibe. Als das Fenster heruntergekurbelt wurde, zischte sie, »Ich wollte nur sehen, wie ein Schwein aussieht«, stieg wieder auf ihr Rad und fuhr den Hügel hinunter. »Das hat mir großen Spaß gemacht«, sagte sie danach.

Der war es auch, den sie ihrem Publikum mit ihrer Arbeit vermitteln wollte. Manchmal arbeitete sie einfach nur deshalb, weil sie glaubte, daß bestimmte Stücke oder Filme ordentlich gemacht werden müßten. Wenn nicht sie diese Verantwortung übernahm, wer dann? Deshalb widmete sie sich zum ersten Mal wieder seit *The Warrior's Husband* der griechischen Tragödie. Der Film *The Trojan Women (Die Troerinnen)*, den sie in Spanien drehte – zwischen ihren Szenen den örtlichen Dialekt lernend –, war eine reine, unverfälschte Sache.

Sie glaubte, den Film müsse man einfach drehen, obwohl sie richtig erkannt hatte, daß man damit ein kleines Vermögen verlieren würde. Ein weiterer Grund war der Regisseur Michael Cacoyannis, dem gegenüber sie einen unendlichen Respekt empfand. Andere Leute hatten ihr schon früher gesagt, sie solle »Klassiker spielen«, aber abgesehen von Shakespeare-Stücken hatte es dafür bisher kaum Gelegenheiten gegeben. Als Cacoyannis ihr nun eine klassische Rolle anbot, akzeptierte sie begeistert. In dem Film spielten auch Irene Papas, Genevieve Bujold und Vanessa Redgrave mit. Kate kannte ihren Text, obwohl sie als letzte am Drehort eintraf, weil sie ihre Auftritte in *Coco* verlängert hatte. Aufgrund ihrer profunden Schulbildung kannte sie das Stück und die Epoche, in der es spielte.

Das Ambiente von Spanien sagte ihr sehr zu. Sie hatte genügend Gelegenheit zu baden. An den meisten Abenden ging sie um sieben Uhr schlafen. Die Sonne war schon so strahlend hell und heiß, daß es ihr nicht schwerfiel, dafür um fünf Uhr morgens aufzustehen.

Als alternde Hekabe war sie brillant. Die Jahre spiegelten sich in ihrem Gesichtsausdruck, in der Art, wie sie ihre Hände bewegte und ihr Haar trug. Aber nicht in ihrer Reaktion auf die anderen Mitglieder des Filmteams. Wenn ihr eine Aufnahme gefiel, applaudierte sie begeistert, sobald der Regisseur »Schnitt« gerufen hatte.

Sie mußte in ihrem schwarzen Kleid auf dem staubigen Boden kriechen. Das war für sie kaum ein Problem – wahrscheinlich ein kleineres als die Chanel-Kleider im »Hellinger Theatre«. Wenn sie nicht drehte, trug sie ihre übliche Kleidung. »Ich bin etwas seltsam«, gab sie zu. »Eher sonderbar. Aber die Spießer tragen die Last der Welt.« Aus diesem Grund gefiel ihr auch nicht, was in den Kinos lief und sich auch auf andere Kunstrichtungen auswirkte. »Nur Pornos«, sagte sie damals. »Nur Pornos.«

»Ich drehe gerne Filme«, erzählte sie der »Los Angeles Times«. »Das ist so einfach. Ich habe das Gefühl, ich sollte dafür zahlen. Auf der Bühne muß man sich ständig beweisen, und man muß sich fürchterlich anstrengen. Aber ich komme immer wieder zurück zum Theater. Ich bin wie ein Bettler in Lumpen. Vielleicht deshalb, weil ich sofort Erfolg beim Film hatte, aber nicht am Theater.«

Jetzt war ihr Ziel, zurück ans Theater zu gehen, was sie mit einer strapaziösen Tourneeversion von *Coco* tat, die in ihrer Heimatstadt Hartford eröffnete. Bald gab es die unvermeidlichen Gerüchte, daß sie mit der Show nach London gehen würde. Und natürlich behauptete jeder, daß sie eine Filmversion von *Coco* drehen würde. Es mußte doch einen Film geben, nicht wahr? Und wenn diese vollendete Filmschauspielerin keinen Film daraus machte, wer dann? Die Antwort war: niemand. *Coco* wurde nicht verfilmt. Auch kam die Show nicht nach London.

Es war leider keine ungetrübte Tournee. Es passierte bei der Eröffnung in Hartford, im Hause von Kates Familie. Kate wurde von der Frau, die bis vor kurzem ihre Chauffeuse gewesen war, bösartig angegriffen. Es war gerade zwei Uhr dreißig morgens, als die Frau sie aus einem Wandschrank heraus ansprang.

Louella Gaines West, die gerade von Kate entlassen worden war, wartete auf sie im Schlafzimmer – mit einem Hammer bewaffnet, den sie nicht gebrauchte. Die Waffe, die sie verwendete, hätte tödlich sein können: ihre Zähne. Kate wurde von der Frau in den Finger gebissen – die Fingerspitze fand man auf dem Fußboden. Später sagte sie: »Der menschliche Biß ist sehr gefährlich. Wunderbarerweise bekam ich keine Entzündung. Ich fuhr von einem Spezialisten zum anderen, durch das ganze Land. Der Schmerz! Aber Gott sei Dank habe ich sie nicht verloren. Die Show hätte platzen können. « Glücklicherweise war ihr Bruder Robert, ein Arzt, anwesend, und es gelang ihm, sie schnell ins Krankenhaus zu bringen, wo die Fingerkuppe wieder angenäht werden konnte. Sie spielte weiter mit einem bandagierten und geschienten Finger. Die West wurde wegen Einbruchs, Körperverletzung, Verleumdung und Hausfriedensbruch verurteilt. Sie hatte behauptet, Kate schulde ihr ein Gehalt.

Inzwischen arbeitete Kate an dem Film *A Delicate Balance*, der für die meisten Beteiligten kein sehr großer Erfolg war.

In der Geschichte weiß man von Anfang an, daß Kate die Hauptfigur ist. Sie spielt das alternde Oberhaupt einer Familie, die in Connecticut lebt. Aber es ist nicht eine Familie wie die ihre, einander zugetan und liebevoll. Diese Familie ist eher das genaue Gegenteil.

Die ganzen Dreharbeiten fanden in einem riesigen Haus in London statt, das als Double für das Haus in Connecticut fungierte. Gefilmt wurde in den unteren Räumen. Oben waren die Garderoben, eine teilten sich Paul Scofield und Joseph Cotten, eine andere Lee Remick, Kate Reid und Betsy Blair, und eine dritte benutzte Kate alleine.

Die Geschichte handelt von einem Ehepaar (Kate und Scofield), dessen eine Tochter (Lee Remick) nach ihrer vierten gescheiterten Ehe zu Hause erwartet wird. Es kommt jedoch noch schlimmer. Kates Schwester (Kate Reid) ist eine Alkoholikerin. Außerdem taucht noch ein Paar unangemeldet und unpassend auf, das wie in *The Man Who Came to Dinner* nicht mehr abreisen will. Ursprünglich sollte Kate Reids Rolle von Kim Stanley gespielt werden, aber wie sich herausstellte, spielte sie diese Rolle schon ihrem Privatleben. Die Geschichte basierte auf Edward Albees Stück, und Kate gab zu, daß sie es nicht wirklich verstand, bis der halbe Film abgedreht war. Das war für sie tatsächlich etwas ganz Neues. Als Ely Landau, der Produzent – es sollte die erste Produktion für das »America Film Theatre« sein, das sich zum Ziel gesetzt hatte, Theaterstücke als Filme in Städten zu zeigen, die kein eigenes Theater besaßen – ihr erstmals die Rolle anbot, sagte sie: »O nein. Was soll das Ganze überhaupt? Ich bin eine einfache, nette Person. Ich flechte gerne Weihnachtskränze, fege Fußböden. Ich verstehe diesen ganzen komplizierten Kram nicht! Ich bin eher wie meine Schwester, die eine Bäuerin ist. Sie sagt, daß das Schwierigste, was sie machen möchte ist, zwei Eimer voll Milch über einen Zaun zu heben.«

Sie erlag dennoch der Versuchung und erklärte das später auch: »Mein Gott, das ist ein deprimierendes Stück! Ich spielte es, um verstehen zu können, worum es geht. Erst durch das Spielen verstand ich es. Es geht um Selbstschutz. Ich glaube, wir sind alle ungeheuerlich selbstgeschützt. Ich identifiziere mich mit den Leuten, die Eindringlinge in ihr Privatleben verabscheuen, und ich glaube, das überzeugte mich, es doch zu drehen, obwohl ich erst gar nicht mitmachen wollte. Ich bin ein sehr zurückgezogener Mensch.«

Der ausführende Produzent bei *A Delicate Balance* war Neil Hartley. Er erzählte mir: »Sie ist eine enorm talentierte und bewußte Schauspielerin. Sie weiß immer genau, wer auf der Bühne ist, wo die Lichter sind, wo genau sie sein soll. Es ist Intuition, die perfekt ihre Professionalität ergänzt. Es scheint, als hätte sie Augen am Hinterkopf. Sie bestand immer darauf, daß bei den Dreharbeiten keine Fremden anwesend sind. Wenn irgend jemand anwesend war, der nicht dazugehörte, merkte sie es.«

Kate kannte Betsy Blair, seit ihrer Zeit als Starlet und noch bevor sie als ernsthafte Schauspielerin und Ehefrau von Gene Kelly eigenen Ruhm erlangte. »Ich wurde stark von ihr beeinflußt. Sie fuhr ein kleines Auto, also war alles, was ich fahren wollte, ein kleines Auto.« Manchmal waren beide bei den Parties eingeladen, die George Cukor gab. Er verkehrte »mit der Hepburn, der Garbo, Ethel Barrymore und mir. George wollte einfach nett sein, aber es war sehr aufregend für mich, und ich konnte mir einbilden, daß er mich einlud, weil er dachte, daß ich eines Tages wie die anderen sein könnte. Das, was Kate erreicht hatte, dachte ich, am ehesten zu erreichen. Sie war die Tochter eines Arztes, die immer sehr geradeheraus war. Ich war die Tochter einer Lehrerin aus New Jersey. Ich konnte nicht erwarten, eine Garbo oder Barrymore zu sein, um Himmels willen.«

Sie träumte davon, wie die Hepburn zu werden. Bis zu *A Delicate Balance* im Jahre 1973 hatten sie sich nicht mehr gesehen. Seit Betsy nämlich fast sechzehn Jahre zuvor Hollywood verlassen hatte. Der Titel schien genauso viel über die Dreharbeiten auszusagen wie über die Geschichte selbst. Ihr Wiedersehen fand im großen, viktorianischen Haus des Regisseurs Tony Richardson statt, wo für *A Delicate Balance* geprobt wurde. »Kate war die letzte, die ankam, und ich erinnere mich, daß sie die Treppen heraufrannte und in der Hand einen kleinen Strauß mit Veilchen trug.« Betsy erzählte, daß sie dann jeder der Frauen eine Blume überreichte. Dann gab sie jedem ihre Telefonnummer. War das eine mysteriöse Veränderung in ihrem Verhalten? Was war nur mit ihrem geschätzten Privatleben? Es gab einen guten

Grund, der ihr äußerst logisch erschien. »Ich glaube, es ist ärgerlich, jemanden nicht kontaktieren zu können, wenn man ihn braucht. Deshalb gebe ich euch meine Telefonnummer, und im Gegenzug möchte ich eure haben. Aber ihr dürft mich nicht nach acht Uhr abends anrufen – niemals. Weil ich um diese Zeit zu Bett gehe.«

Später am Drehort saß Betsy auf der Treppe, ihre Beine ausgestreckt, und Kate stand neben ihr. »Weißt du«, sagte sie mit ihrer bedrohlichsten Stimme, »Ich könnte mich niemals in meinem Kostüm hinsetzen. Ich habe immer Angst, es könnte gleich wieder gedreht werden.« Betsy Blair war ein wenig eingeschüchtert. »Plötzlich fühlte ich mich wieder wie ein Teenager, der gerüffelt wird. Ich wäre am liebsten aufgesprungen und hätte strammgestanden. Doch ich war nicht mehr siebzehn.« Einige Tage später bewies sie ihr Erwachsensein. Es war vier Uhr nachmittags, und Kate war am Drehort – gähnend.

»Ich sagte: ›Oh‹, und machte einen kleinen Scherz, mit dem ich mich bei Kate revanchieren wollte. Aber sie war auf der Hut.

Sie sagte, ›Ich bin seit vier oder fünf Uhr früh auf‹. Ich fragte sie, ›Kannst du nicht schlafen?‹ ›Nein‹, antwortete sie. ›Weil ich morgens eine Menge zu tun habe. Ich stehe auf und dusche kalt, um aufzuwachen. Dann dusche ich warm, um die Muskeln zu lockern. Dann mache ich meine Gymnastikübungen. Dann dusche ich wieder, weil ich bei meiner Gymnastik schwitze und anschließend kümmere ich mich um meine Haare.«

Allen Frühaufstehern unter ihren Freunden wären ihre Lockenwickler sofort aufgefallen. Sie waren aus Leder, mit Watte gefüllt. Sobald sie die Haare aufgedreht hatte, legte sie sich wieder ins Bett, um »ihr großes Frühstück« einzunehmen. »Mit allem: Orangensaft, Kaffee, Rühreier mit Hühnerleber,

Lachs, Toast, Brötchen, Muffins, Marmelade.« Dann war es an der Zeit, mit der Arbeit anzufangen. Das Drehbuch lesen. Die Tagesarbeit überdenken. »Dann dusche ich wieder. Schminke mich. Wenn ich ins Studio fahren muß, bin ich mit allem fertig. Es ist also ganz natürlich, daß ich um vier Uhr nachmittags ein wenig müde werde.«

Sie nahm ein vernünftig ausgewogenes Mittagessen zu sich, machte danach Übungen wegen ihrer Rückenschmerzen und badete anschließend ein weiteres Mal. »Deshalb dachte ich, ich könne niemals ein Star werden. Sie strahlte diese wunderbare Fröhlichkeit aus und besaß eine erstaunliche Integrität und Selbstdisziplin.«

Sie ermutigte Betsy und Lee Remick. Lee bekam eine Runde Applaus nach einer besonders schwierigen Szene. Betsy teilte sie vertraulich mit, was Spencer wohl in einer bestimmten Situation gesagt hätte. »Kleine Andeutungen, nicht beleidigend, sondern ein wenig philosophisch; wie Spence eben in einer solchen Situation reagiert hätte.«

In einer Szene sollte Betsy Lee eine Ohrfeige geben. »Tony Richardson sagte, ich dürfe. Sie sagte, ich solle. Richtig. Aber ich hatte in meinem Leben noch nie jemanden geohrfeigt. Ich konnte es nicht, und ich wußte nicht, wie.«

Kate fand eine Lösung für das Problem. »Tony«, sagte sie zum Regisseur, »wenn du es mir nicht übelnimmst, möchte ich etwas sagen. Es ist nicht möglich, jemanden im Sitzen zu ohrfeigen. Sie sollte stehen.« Kate erkannte das Problem und wußte es gleich zu lösen. »Sie ist sehr beeindruckend«, sagte Betsy.

Aber nicht nur beeindruckend als Schauspielerin. Als sie sich das erste Mal in Richardsons Haus getroffen hatten, hatte sich Kate eindringlich Betsys Gesicht angesehen. Ihre Augen fixierten eine kleine Narbe, die von einer Hautkrebsoperation zurückgeblieben war. »Wer hat das gemacht?« bohrte sie nach, wie es höfliche Leute normalerweise nicht tun. Sie fragte direkt nach etwas, was sonst stillschweigend »übersehen« wurde.

Betsy antwortete ihr: »Ich hatte Hautkrebs.« »Oh, das kommt mir bekannt vor«, sagte sie. »Du darfst ihn nicht aufschneiden lassen. Wer ist dein Arzt?«

Miss Blair sagte es ihr. Kate, die Namen von Spezialisten sammelt, war nicht beeindruckt. »Dies sind die einzigen Ärzte, die du konsultieren solltest. Einer praktiziert in New York, einer in Boston und ein weiterer in London. Ich weiß alles über Hautkrebs. Ich habe ihn auch. Jede Rothaarige, die dumm genug ist, in der Sonne Tennis zu spielen, leidet daran.« Betsy nahm ihren Rat an und konsultierte den Londoner Arzt. Später schrieb ihr Kate, um ihr mitzuteilen, daß der New Yorker Arzt sich zur Ruhe gesetzt hatte, und gab ihr den Namen eines anderen Mannes, den sie aufsuchen sollte. Hinterher kamen noch zahlreiche Briefe sowohl von Kate als auch von Phyllis Wilbourn. »Kate war schrecklich gutmütig.«

Aber es gab auch Situationen während der Dreharbeiten, in denen anders über sie gedacht wurde. Zum Beispiel bei der Episode mit Kim Stanley. Kim war eine etablierte, seriöse Schauspielerin. Sie war damals vierundfünfzig Jahre alt und hatte sich bereits einen Namen gemacht, besonders durch *Seance on an Wet Afternoon*. Miss Stanley hatte ein Alkoholproblem, und Kate schien enerviert zu sein, weil sie davon wußte. Kim Stanley hatte sich voll unter Kontrolle und kam nicht ein einziges Mal in einem Zustand zur Arbeit, der ihr Problem offensichtlich gemacht hätte.

Betsy Blair erinnert sich: »Sie hatte seit vielen Jahren nicht mehr gearbeitet und war Alkoholikerin. Sie war gerade dabei, sich wieder zu fangen. Tony war nach Texas gefahren, wo sie irgendeine Therapie machte, und nahm sie mit nach Hause, wo er sich um sie kümmern und an dem Film arbeiten wollte. Er wußte, sie war eine großartige Schauspielerin. Es war sehr schwierig. Sie war übergewichtig und nervös. Es war sehr kompliziert, weil sie ein wenig aggressiv mit Paul Scofield umging. Sie sagte ihm, auch wenn wir die Texte nur lesen, müsse er sie anschauen. Sie mag um zehn Uhr abends getrunken haben, aber am nächsten Morgen erschien sie absolut nüchtern am Drehort.«

Das genügte aber nicht. Kate war gereizt durch ihre bloße Anwesenheit. Es war einfach nicht nötig, daß Paul Scofield Kim beim Lesen des Skripts anschaut – während dieses Stadiums der Arbeit war es für einen Schauspieler üblich, nur ins Drehbuch zu schauen. Kate und Richardson gerieten in Streit. »Tony erklärte mir, ›Ohne die Hepburn gäbe es keinen Film‹. Es war, als ob sie den Alkohol riechen würde, obwohl keiner da war.« Kim Stanley mußte gehen.

»Ich fühlte«, erzählte Betsy Blair, »daß es für uns alle besser gewesen wäre, wenn Kim Stanley geblieben wäre. Ich war damals sehr aufgebracht. Ich erinnere mich, meinem Mann gesagt zu haben, ›Wir sollten niemals jemanden idealisieren. Es kann gar nicht sein, daß jemand so wunderbar und so exzentrisch und so perfekt ist...‹« Sie konfrontierte Tony Richardson damit, aber es änderte nichts. »Kate war auch hart gegen Tony, aber er ist selbst sehr hart. Er betete sie an und machte alles sehr gut. Sie wollte ihn überzeugen, daß sie richtig dachte. Und wenn du entschlossen und wichtig und schwierig und stark und interessiert bist... ist es schwierig, zu widerstehen.«

Betsy sagte, sie hätte sich sehr überwinden müssen, um weiterarbeiten zu können. »Es war nur eine vierwöchige Drehzeit, also nahm ich mich zusammen. Ich gab mich hinterher meinen Gefühlen hin. Aber man muß sagen, daß Kate nie die Geduld verlor. Es war nur einfach so, daß bei ihr die Arbeit an erster Stelle stand.«

Allerdings nicht, wenn die Arbeit bei guten Taten hinderlich war. Seit Jahren fuhr Kate, wenn sie in Connecticut war, zu einem Krankenhaus, um eine Filmagentin im Ruhestand zu besuchen – das Opfer eines Schlaganfalls. Als die Frau noch gesund war, hatten sie gar nicht besonders viel miteinander zu tun, aber jetzt glaubte sie, sie besuchen zu müssen, weil das kein anderer tun wird. Sie wußte auch, daß sie bei einem Besuch von Katharine Hepburn gut verpflegt, gewaschen und versorgt werden wird. Jahre vorher hatte sie das gleiche für Ethel Barrymore getan.

Ob Jules Dassin, der amerikanische Regisseur, der Jahre in Frankreich und Griechenland gelebt hatte, so freundlich über Kate dachte, ist natürlich eine andere Frage. Er schickte Kate ein Stück zum Lesen. Höflich antwortete sie: »Lieber Mr. Dassin. Danke Ihnen vielmals, daß Sie mir dieses faszinierende Stück geschickt haben. Ich fand es höchst interessant, aber unglücklicherweise...« Sie hielt inne. Das war ihrer nicht würdig. Also noch mal: »Lieber Jules Dassin [freundlicher und das Folgende abschwächend], ich kann beim besten Willen den roten Faden des Stücks nicht erkennen...«

Auch nicht richtig. Sie begann noch einmal: »Mr. Dassin [geradeheraus, ohne Umschweife], dies ist sicherlich das idiotischste Stück...« Das ging sogar für Katharine Hepburn zu weit. Also begann sie ein weiteres Mal: »Lieber Mr. Dassin. Ich bin Ihnen dankbar, daß Sie im Zusammenhang mit Ihrem Stück an mich gedacht haben. Leider bin ich zur Zeit nicht abkömmlich...«

Nicht daß jetzt irgend jemand glaubt, sie hätte in ihrer Seelengüte beabsichtigt, Mr. Dassin ihre vorherige Schärfe zu ersparen. Sie faltete den letzten Brief, steckte ihn in ein Kuvert – und steckte dann alle vorher angefangenen Briefe dazu.

Auch andere Leute mochten Kate nicht. Zeitweise schien

John Ford, der Regisseur, dessen Ärmel sie einmal mit Tinte markiert hatte, dazuzugehören.

1973 war Ford der erste Empfänger des »American Film Institute's Life Achievement Award«. Kate war bei der Preisverleihung in Los Angeles nicht anwesend, an der sogar Präsident Richard Nixon teilnahm. Man vermutete – und der Kolumnist Rex Reed schrieb es, daß es Nixons Anwesenheit war, weswegen sie die Einladung ausgeschlagen hatte.

In einem Brief an die »Los Angeles Times« stellte Kate klar: »Ich bin aus gutem Grund nicht hingegangen – ich wollte außerdem gerade nach England reisen, um dort einen Film zu drehen –, weil ich nämlich faul und zügellos bin, soweit es diese öffentlichen Ehrungen betrifft, und weil ich nicht an sie glaube. Aber ich respektiere die Bemühungen meiner Zeitgenossen, dem Berufsstand Ehre, Bedeutung und Publicity zu verschaffen. Ich bin nicht der Ansicht, daß Mr. Nixon mehrere Motive für die Teilnahme am Abendessen hatte. Ich denke, daß er der Filmindustrie gegenüber ehrlich gehandelt hat, daß er ein Filmliebhaber ist und daß er begierig und glücklich war, Jack Ford ehren zu können.«

Sie ging zurück nach London. Tag für Tag verbrachte sie die frühen Morgenstunden in den Parkanlagen der Hauptstadt und im Royal Hospital in Chelsa. Sie fuhr Rad auf dessen Gelände, und beinahe wäre ihr gelungen, was den Armeen des Kaisers und Hitlers nicht gelungen war. Sie brachte einige der alten Soldaten dazu, um ihr Leben zu rennen. Höflich wurde sie gebeten, sich zu entfernen. Ähnliches passierte ihr in den meisten königlichen Parkanlagen.

»Ich glaube, ich bin aus jeder Londoner Parkanlage verbannt worden«, sagte sie. »Der einzige Ort, denke ich, wo mir noch erlaubt ist, Fahrrad zu fahren, ist der Friedhof.«

Sie fing auch an, Skateboard zu fahren. »Ich lernte es«, sagte sie, »nur um einen Neffen zu irritieren, der glaubte, ich sei schon reif fürs Grab. Ich dachte, ›Nun, dir werd ich's zeigen, du kleines Arschloch‹.«

Sie hatte eine Liebesaffäre mit London, die in den frühen 70er Jahren von vielen Projekten genährt wurde. Dort gab sie auch ihr Fernsehdebüt – in einer für das amerikanische Fernsehen gemachten Filmversion von Tennessee Williams' Stück *Die Glasmenagerie*. In dessen Original-Broadway-Version hatte eines von Kates großen Idolen gespielt, Laurette Taylor. Später wurde ein Kinofilm daraus gemacht mit Gertrude Lawrence und Jane Wyman. Kate spielte die Schöne aus den Südstaaten, die schwere Zeiten durchlebt. In einer Szene, die sehr an Miss Haversham in *Great Expectations* erinnert, trug sie das Hochzeitskleid, das sie schon in *Die Nacht vor der Hochzeit* getragen hatte. Sie freute sich, als sie feststellte, daß es nur einer kleinen Änderung über den Hüften bedurfte.

Wieder einmal stieg sie im »Connaught« ab, wo man sich inzwischen an ihre Hosen gewöhnt hatte. Sie mochte das Hotel, erzählte sie dem britischen Schauspieler Leigh Lawson, weil es einen offenen Kamin hatte, vor dem sie ihr immer noch rotes, langes Haar nach dem täglichen Waschen trocknen konnte.

Der Film lief eine begrenzte Zeit im Kino und im Fernsehen und wurde auf dem Londoner Film-Festival gezeigt. Cecil Wilson schrieb in der »Daily Mail«: »Es ist unglaublich, daß dieser von Briten gemachte Film von Tennessee Williams' frühem Stück in weniger als einem Monat fertiggestellt wurde, und es wäre unentschuldbar, wenn dieser Film von unseren Leinwänden verschwinden würde.«

Die großen Filmverleihfirmen lehnten den Film ab, weil er nicht kommerziell genug sei. Eine Schande. Mr. Wilson schrieb: »Miss Hepburn, unentwegt von ihren längst verlorenen ›Gentlemen‹ plappernd, vereint zänkisches Wesen und

Pathos gerade im richtigen Maß, und ihre sanfte Liebe treibt den Sohn in eine erschütternde emotionale Erfahrung.« Aber nicht alles lief gut. Ohne ihr Wissen und zum ersten Mal seit fast vierzig Jahren beschloß ein Produzent, daß es keinen Film mit der Hepburn geben würde. Sie wurde im wahrsten Sinne des Wortes gefeuert.

Kate war für die Rolle der älteren Dame in Graham Greenes Stück *Travels with My Aunt* verpflichtet. In den meisten Berichten über diese Episode heißt es, daß sie ihren »Marschbefehl« von MGM erhielt, weil sie das beabsichtigte, was sie in fast jedem Stück oder Film getan hatte – sie wollte das Drehbuch umschreiben. Das, sagte ihr das Studio, funktioniere in den 70ern nicht mehr so. Aber das war die Art der Hepburn, und sie behauptet heute noch, daß sie nicht wirklich weiß, warum sie rausgeworfen wurde.

Es wäre ein Wiedersehen mit dem Mann geworden, der unter den Dutzenden von Regisseuren, mit denen sie gearbeitet hatte, ihr engster Freund war: George Cukor. Er sagte, wenn Kate ginge, ginge er auch. Aber das erlaubte sie ihm nicht. Alec McCowen bot auch an zu gehen, aber auch ihm redete sie das aus. Ihre Rolle wurde der viel jüngeren Maggie Smith gegeben. Kate hat immer gesagt, ihrer Ansicht nach habe Miss Smith sehr gut gespielt.

Das Studio behauptete weiterhin, daß Kate zehn Tage vor Drehbeginn gegangen sei. Sie stritt das ab, sagte, daß sie sich so nie verhalten würde, und überlegte, ob sie klagen sollte. »Das Drehbuch war praktisch von mir. Völlig verpfuscht.« Sie klagte nicht und erzählte später einem Journalisten: »Das wäre rückwärtsleben. Und es ist ermüdend nachzuweisen, daß man mißbraucht wurde oder nicht bezahlt wurde oder so etwas. Es hätte zwei Jahre gedauert. Es gehört nicht in meinen Aufgabenbereich. James Aubrey [damals der Kopf von Metro] zu ändern.«

Und dann fügte sie hinzu: »Vielleicht war ich zu unnachgiebig. Ich glaube zwar nicht, daß ich das war, denn ich war der Meinung, wie die heilige Katharine zu sein, um Ihnen die Wahrheit zu sagen. (Jetzt weiß ich, daß ich die heilige Katharine bin, weil ich für acht Monate Arbeit, sieben Stunden täglich, niemals auch nur einen Sou erhielt.) Aber ich wäre neugierig zu erfahren, warum ich rausgeschmissen wurde.«

Sie sagte, sie habe das Buch fünfzehnmal gelesen, bevor sie sich dazu entschloß, eine Filmstory daraus zu machen. Die Drehbuchschreiber waren optimistischer gewesen, aber Kate sagte nur: »Ich werde alles lesen, was Sie schreiben, aber ich werde nicht garantieren, es auch so zu spielen.«

Das war zu einer Zeit, als man Kates Ansichten zu fast allem wissen wollte. Nachdem sie ihr Fernsehdebüt gegeben und festgestellt hatte, daß Fernsehen nicht ganz so schrecklich sei, wie sie immer erwartet hatte, sagte sie zu, als Gast in der »Dick Cavett Show« aufzutreten. Das Interview ging über zwei vollständige Sendungen, und es heißt allgemein, es sei eine der besten Shows gewesen.

Manche wollten vorhersehbare Antworten – auf Fragen über die Pornographie zum Beispiel. »Ich finde sie widerwärtig – und sehr traurig«, sagte sie in dem Magazin »Box Office«. »Ich finde es traurig, daß Produzenten und Schauspieler sich so bereitwillig für Geld verkaufen.«

Niemand verlangte das von ihr in ihrem nächsten englischen Fernsehfilm *Love among the Ruins (Liebe in der Dämmerung)*, der damals einer der teuersten und prestigeträchtigsten Fernsehfilme gewesen sein muß. Regie führte George Cukor, und die Hauptrollen waren mit Katharine Hepburn und Sir Laurence Olivier besetzt. Es war Oliviers Mitwirkung in dem Film, die sie überzeugte, mitzuspielen. Wie er mir selbst erzählte, war es »die Erfüllung eines langersehnten Wunsches«. Die einzige gemeinsame Erfahrung mit ihr hatte er bei seiner Hochzeit mit Vivien Leigh in Santa Barbara gemacht.

Die Geschichte spielt im Edwardianschen London und erzählt das Märchen von einem jungen Mädchen, das sich in einen Studenten verliebt. Er träumt davon, ein erfolgreicher Rechtsanwalt zu werden. Sie heiratet einen viel älteren Mann, der bald darauf stirbt. Jahre vergehen, und sie ist geschmeichelt von der Aufmerksamkeit, die ein junger Mann ihr entgegenbringt, gespielt von Leigh Lawson. Er verliebt sich in sie. Als seine Liebe nicht erwidert wird, verklagt er sie wegen Brechens eines Versprechens. Ihre Verteidigung übernimmt ein alternder Rechtsanwalt – gespielt von Olivier –, der natürlich ihr früherer Geliebter ist.

Bei dieser Produktion machten Schönheit und Erfahrung des Alters einen besonderen Eindruck auf die Jugend. Leigh Lawson erzählte mir, daß er es »sehr beeindruckend« fand, mit zwei Stars zusammenzuarbeiten, aber besonders mit der Hepburn. »Sie hatte ein Mitspracherecht bei der Besetzung«, erinnerte er sich. Sie trafen sich im Londoner Haus von Tony Richardson. Richardson produzierte das Stück. »Ich erinnere mich, daß sie vor das Haus fuhr, alte, geflickte Hosen und einen schwarzen Pullover mit Löchern trug. Außerdem hatte sie auf dem Rolls-Royce, den sie fuhr, ihr Fahrrad festgezurrt, und sagte mir, sie benutze es zum Radfahren im Stadtpark von Wimbledon.«

Sie hatte ein Skript auf dem Schoß liegen, während Lawson ihr vorlas. Auf ihr Stichwort hin fiel sie ein, »ihren Text nicht lesend; sie kannte ihn auswendig«.

Olivier kam ziemlich spät. Er ging sofort zu Richardson und sagte: »Danke dafür, daß Sie eine so gute Rolle für mich geschrieben haben.« Er gab Kate einen Kuß auf die Wange und begrüßte Leigh Lawson mit Handschlag.

George Cukor, der das beobachtet hatte, stand plötzlich auf

270

und sagte: »Ich hoffe, wir werden die übrige Drehzeit nicht so verdammt förmlich bleiben.«

»Ich konnte beobachten«, erzählte Leigh Lawson, »daß sie alle größte Hochachtung füreinander empfanden, so wie ich mir die von Richardson, Gielgud und Olivier füreinander vorstellte.« Kate spielte wieder ihren eigenen Regisseur. »Sie entschied, was sie machen wollte, und George ließ sie machen.«

Dem Team gegenüber benahm sie sich wieder sehr freundlich. Die Außenaufnahmen wurden in London gedreht und der Rest in den Ealing Studios, die damals nur noch ihre ehemalige Größe erahnen ließen. Als alles vorbei war, schickte Kate den Mitgliedern der Filmcrew Briefe, in denen sie die angenehme Zusammenarbeit betonte. Die Briefe schrieb sie während ihres Rückflugs nach London. »Ich freute mich, einen zu bekommen«, sagte Lawson. »Nur konnte ich ihn kaum lesen.«

1976 hatte sie einen großen Erfolg in New York mit Enid Bagnolds *A Matter of Gravity*, ein Stück, in dem Christopher Reeve ihren Enkel spielte, der sich später einen Namen als fliegender Wunderheld in *Superman* machen sollte. Der Kritiker Allan Wallach schrieb in der Zeitung »Newsday«: »Als aristokratische alte Dame, die stur an ihrem wunderbaren englischen Landhaus festhält sowie an ihrem Glauben an Tradition und Familie, verkörpert Miss Hepburn eine Rolle, die auf ihre Talente zugeschnitten ist, und sie spielt wunderbar. Sie ist am besten, während sie auf einen Stock gestützt Bagnolds geistreichen Text an ihre Familie in der bekannten trockenen Art spricht. Sie ist auch beeindruckend in den Momenten, wenn ihr Gesicht die Qual widerspiegelt nach einem Streit mit ihrem geliebten Enkel.« Eine wirkliche Sensation waren die folgenden Vorstellungen. Kate war auf dem Glatteis vor ihrem New Yorker Haus ausgerutscht, als sie Gäste verabschiedete. Nach dem schmerzhaften Sturz versuchte sie aufzustehen und stellte fest, daß es nicht ging. Sie hatte sich die Hüfte gebrochen. Sie spielte trotzdem weiter, im Rollstuhl. Bei *Coco* wäre das sicher nicht möglich gewesen. Dafür liebte das Publikum sie um so mehr. Sie liebten sie sogar, wenn sie nicht selbst in einem Stück auftrat. Sie schaute sich das neue Musical *Candide* von Leonard Bernstein an und litt währenddessen unter extremen Schmerzen, die durch den Sturz hervorgerufen worden waren. Nach der Hälfte des Stücks hielt sie es nicht mehr aus. Neidisch eine Couch beäugend, die auf der Bühne stand, erhob sie sich kurzentschlossen, kletterte über den Orchestergraben, ging auf die Couch zu und setzte sich neben einen der Schauspieler. Das war Hepburnsche Exzentrizität, die schon an Unprofessionalität grenzte. Was auch immer sie damals für Gründe gehabt haben mag, sie hätte niemals toleriert, daß jemand so etwas in einem ihrer Stücke gemacht hätte.

Während sie die Außenaufnahmen zu *Liebe in der Dämmerung* machte, tat sie etwas Unübliches. Sie sah John Wayne durchs West End spazieren, verließ das Kamerateam und rannte auf ihn zu: »Oh, Mr. Wayne«, sagte sie. »Ich bin Katharine Hepburn. Ich möchte Sie nur wissen lassen, wie sehr ich mich darauf freue, nächsten Monat mit Ihnen zu arbeiten.«

Bevor sich der »Duke« von seiner Überraschung erholen konnte und wieder zu Atem kam, war sie verschwunden und zurück bei ihrem Team. Der Film, in dem sie zusammen spielten, schien eine Reminiszenz an *African Queen* zu sein. Nur daß *Mit Dynamit und frommen Sprüchen*, ein Nachfolgefilm von Waynes *Der Marshall*, im Wilden Westen Amerikas angesiedelt war. Wayne spielte den einäugigen, in Verruf geratenen Sheriff Cogburn, der schneller mit dem Revolver ist als jeder andere sterntragende Revolverheld. Kate spielte eine Missionarin, die durch Cogburns Umsicht vor dem Tod gerettet wird.

Hal Wallis erzählte, wieviel Kate die Zusammenarbeit mit Wayne bedeutete. »Es machte ihr offensichtlich sehr viel Spaß, mit einem Mann zu arbeiten, der so stark und mächtig wie ›Duke‹ war. Ich erinnerte mich an die Unterhaltung, die wir kurz nach *Der Regenmacher* geführt hatten, fast fünfundzwanzig Jahre bevor ich die Rechte von *Mit Dynamit und frommen Sprüchen* kaufte. Ich dachte, der Film würde ihr gerecht. Wir unterhielten uns lange darüber, hier in Hollywood. Sie ist eine sehr konstruktive Person, die eine Menge Ideen hat. Sie ist keine methodische Schauspielerin. Sie macht nichts berechnend. Das ist nicht ihre Art – und für *Mit Dynamit und frommen Sprüchen* war das von Vorteil.«

Es hatte auch hier wieder die üblichen scharfen Kontroversen um Autorität gegeben. Der Regisseur war diesmal Stuart Millar, der wollte, daß sie eine Liebesszene unsentimental spielen. Wayne ärgerte sich darüber. »Man kann eine Szene nur ein paar Mal spielen, bevor sie ausdruckslos wird«, sagte er. Und Kate fügte hinzu: »Es ist, würde ich sagen, unmöglich, dies unsentimental zu spielen. Wie auch immer, wir werden tun, was wir können.«

Wayne erzählte damals einem Journalisten: »Sie ist die Beste. Sie merkt alles, was um sie herum passiert, versteht die kleinste Bewegung von jemandem.« Das war ein Eindruck, den viele teilten. Hal Wallis sagte: »Die Idee, Wayne zusammen mit der Hepburn spielen zu lassen, war recht faszinierend. Sie kamen gut miteinander aus. Das einzige, worüber sie unterschiedlicher Meinung waren, war Politik.«

Wo immer sie während der Dreharbeiten auch waren, bestand sie darauf, schwimmen zu gehen. »Es war kalt, verdammt kalt in Oregon, wo wir den Film machten, aber wir waren immer in der Nähe eines Flusses oder Sees«, erinnerte sich Wallis. »Sie wollte am Ende des Tages hineintauchen und schwimmen. In voller Montur.« Niemand hätte etwas anderes von ihr erwartet. »Wir hatten einen herrlichen Garderobenwagen für sie, aber sie benutzte ihn nicht. Wir stellten einen Tisch und einen Sonnenschirm unter einen Baum. Es war ihr lieber, sich dort zu schminken.

Es gab eine Szene, in der sie auf einem Floß über einen reißenden Fluß fuhr. Wir hatten ein Double für sie. Aber sie wollte nichts davon hören. Sie bestand darauf, die Szene selbst zu drehen. ›Nein‹, sagte sie. ›Sie steht nicht so wie ich. Sie geht nicht so wie ich.‹ Es war eine schwierige Szene, und sie hatte gerade die Hüftoperation hinter sich, aber nichts konnte sie umstimmen. Sie kaufte sich für zweiundzwanzig Dollar ein eigenes Kajak und fuhr damit auf dem Rogue River.

Sie und Wayne kamen wunderbar miteinander aus.«

»Ich dachte, er wäre sehr überheblich, und er dachte wahrscheinlich, ich wäre verknöchert. Wir gingen recht behutsam miteinander um. Aber es war keine Heuchelei dabei. Es war ganz ehrlich. Er ist ein witziger Mann. Und scharfzüngig und köstlich«, sagte sie.

Später schrieb sie in Amerikas meist verkauftem Magazin »TV Guide« über ihre Erfahrungen mit Wayne: »John Wayne ist der Held der Dreißiger, Vierziger und fast der ganzen Fünfziger. Bevor der männliche Held in den Sechzigern völlig aus der Mode geriet. Bevor uns langsam eine Gänsehaut überkam. Bevor die Frauen anfingen, ihre Unschuld in die Gosse zu werfen. Unter Mißachtung der Wahrheit, die tatsächlich pathetisch ist. Und der Unisex wurde geboren. Die Haare wurden lang, und der Stolz schrumpfte. Und wir sind auf den Antihelden und die Antiheldin abgefahren.«

Sie liebte seinen »Männerkörper«. Sie erklärte: »Gute Beine. Kein Hintern... Seinen riesigen Oberkörper tragend, als wäre er eine Feder. Mit leichtem Schritt. Elastisch. Tanzend. Schöne Füße.« Sie gab zu, »sich oft an ihn zu lehnen« und »so oft wie möglich«, weil es sich anfühlte, als lehne man sich gegen ein »großes Gebäude«. »Er ist ein sehr, sehr guter Schauspieler im intellektuellen Sinne des Wortes.«

Ihre Gefühle beruhten auf Gegenseitigkeit. »Ich habe nie zuvor in meinem Leben mit einer Frau gearbeitet, die einen Spürsinn fürs Drama hat wie diese Frau. Sie ist so feminin. Sie ist eine Frau für Männer«, sagte er. Sie hatten keine weitere Gelegenheit zusammenzuarbeiten. Wayne starb 1979.

Kates Absicht, sowohl die Filmfirma als auch die Versicherungen mit *Mit Dynamit und frommen Sprüchen* zu schockieren, war nicht neu. Sie tat das auch bei ihrem Film *Olly Olly Oxen Free (Das große Abenteuer im Ballon)* aus dem Jahr 1977. Ein seltsamer Titel, der dem Film entweder Unsterblichkeit oder Vergessenheit zu garantieren versprach. Er geriet in Vergessenheit.

Diese Geschichte einer Schrotthändlerin, die mit zwei kleinen Jungen das Abenteuer einer Ballonfahrt besteht, lief nur in sehr wenigen Kinos und wurde nur wenige Male im Fernsehen gezeigt. Der Film mißlang nicht etwa, weil Schauspielern mit Kindern – ohne weiter auf den zotteligen Schäferhund einzugehen – in der Regel beruflicher Selbstmord für einen erwachsenen Schauspieler ist. Er war einfach nicht kommerziell genug. Es war wirtschaftlicher, ihn Staub ansetzen zu lassen, als Kopien davon zu ziehen und diese in Kinos zu liefern, die leer bleiben würden.

Das war traurig, weil den Zuschauern – besser den potentiellen Zuschauern – die Gelegenheit versagt blieb, Kate einen ihrer abenteuerlichsten Stunts vollführen zu sehen. Im Alter von achtundsechzig Jahren sah man sie ungefähr hundert Meter über dem Boden am Anker eines Ballons hängen. Keiner erwartete, daß Katharine Hepburn diesen Stunt selbst machen würde, und die versammelten Vertreter einiger Versicherungsgesellschaften schlossen ihre Augen und hielten gemeinschaftlich den Atem an. Sie bestand darauf, die Szene selbst zu spielen, und ließ keinen Stuntman in die Nähe des Kleides kommen, das sie in dem Film trug. »Ich wollte das einfach machen«, erzählte sie in dem Magazin »Ladies Home Journal«. »Man hätte an den riesiggroßen Füßen sehen können, daß es ein Mann ist, der am Ballonkorb hängt.«

18

Das Korn
ist grün

Wenn man Katharine Hepburn fragen würde, welche menschliche Qualität sie am meisten schätze, würde sie wahrscheinlich antworten, Loyalität, und würde hinzufügen, daß Hunde und Katzen das im höchsten Grade haben, während Menschen in dieser Hinsicht sehr lax sein können. Deshalb hegte sie starke Gefühle für George Cukor und einige andere Hollywood-Leute, die ihr seit dem Film *Eine Scheidung* treu waren und sich auch dann nicht von ihr abwandten, als die Märchen über ihren negativen Einfluß auf die Kinokassen verbreitet wurden.

1970 fühlte sie sich von ihrem alten Freund Garson Kanin im Stich gelassen, dessen brillante Arbeit *Tracy and Hepburn* liebevoll und ohne die geringste Spur von Schärfe zum ersten Mal die Geschichte der Romanze zwischen Kate und Spencer erzählte. Als sie davon erfuhr, war sie sehr beunruhigt, daß ein Mann, der ihr so nahestand, über Begebenheiten geschrieben hatte, die einzeln unwichtig waren, aber zusammen ein Bild von Intimität schufen, das in ihren Augen niemanden etwas anging. Sie las das Buch nicht, nachdem es veröffentlicht worden war, weil sie fürchtete, es würde ihre Freundschaft zerstören. Als sie es dann doch las, schrieb sie Kanin, der einer der geachtetsten Drehbuchschreiber Amerikas war, entweder ein fotografisches Gedächtnis zu oder unterstellte ihm, daß er sich während ihrer jahrelangen Freundschaft ständig Notizen gemacht haben müsse. Sie sagte nicht, daß irgend etwas daran nicht stimmte.

Gegen George Cukor hatte sie keine derartigen Vorbehalte. Er war inzwischen ein Veteran unter den Regisseuren geworden und genoß großes Ansehen für seine Arbeit mit Frauen, um die ihn jedes andere Mitglied seines Handwerks beneidete. Wenn Cukor eine Idee für eine Geschichte hatte, schien er von der Hepburn in magischer Weise angezogen zu werden. Er äußerte im April 1974 in einem »Reader's Digest«-Artikel, daß Kate eine ganz besondere Qualität habe: »Was immer sie tut, sie tut es offen. Sie ist vorbereitet, die Konsequenzen dafür zu tragen. Sie ist sehr kantig. Sie kann aufreizend sein. Sie kann seltsam sein. Sie ist kein Engel – das ist keine Schauspielerin. Es ist nur so, daß über sie viele gefühllose Dinge gesagt worden sind.«

Das waren alles Qualitäten, die sie um so aufregender machten. Nachdem sie den Film *Liebe in der Dämmerung* gedreht hatte, sollte sie in Cukors Streifen *The Blue Bird (Der blaue Vogel)* spielen, in dem sie eine Fee darstellen sollte. Aber daraus wurde nichts. Es gab Probleme mit dem Drehbuch, und der Film, der in der Sowjetunion gedreht wurde, wurde statt dessen mit Elizabeth Taylor besetzt. Am Horizont zeichneten sich jedoch schon andere Möglichkeiten ab.

1978 gab Cukor Kate eine Nachricht der Fernsehabteilung von Warner Brothers weiter. Sie sollte eine Rolle übernehmen, die dreiunddreißig Jahre zuvor von Bette Davis gespielt worden war. Wenn man in Betracht zieht, daß die beiden Frauen in etwa gleich alt sind (Bette wurde ein Jahr vor Kate geboren), ist das sehr erstaunlich. Die Rolle war so zeitlos wie der Film, den sie im Kopf hatten, Emlyn Williams' Geschichte einer Lehrerin, die in Wales unterrichtet: *The Corn is Green (Das Korn ist grün)*. Kate kannte die Geschichte natürlich.

Aber sie wollte sie nicht spielen. »Oh, George«, sagte sie, als ihr die Idee erstmals unterbreitet wurde. »Das ist schon hundertmal gemacht worden – und all diese illegitimen Kinder.« Es ist die Geschichte einer Lehrerin, die arbeitet, damit ihr Starschüler in Oxford studieren kann. Als der Schüler glaubt, er wäre der Vater eines Babies von einem Mädchen aus dem Dorf, scheinen jedoch alle Pläne zum Scheitern verurteilt zu sein. Kate las das Skript noch mal und änderte ihre Meinung. Vielleicht weil sie eine großartige Gelegenheit für eine neunundsechzigjährige Schauspielerin vermutete. Oder einfach deshalb, weil es ihr ermöglichte, durch die wunderbare walisische Landschaft zu radeln.

Zuerst hieß es, diese Version des Stücks wolle man in Kalifornien drehen. Kate wollte davon nichts wissen. »Es muß in Wales gedreht werden«, sagte sie. Bald danach fand man einen Drehort: Isybyty-Ifan. Sie hatte nicht nur nach einem geeigneten Drehort gesucht, sondern auch nach einem Ort, wo man wohnen konnte. Schließlich fand sie für sich selbst ein Bauernhaus mit Schieferdach bei Capel Garmon in der Nähe von Betws-y-Coed. Sie erlag der Versuchung eines Kamins – so bequem zum Haaretrocknen.

Die Studioaufnahmen wurden wieder in London gemacht. Dort wurde auch über die Besetzung entschieden. Kate hatte dabei wieder das letzte Wort. Ian Saynor spielte den Jungen Morgan Evans, und Anna Massey war die zimperliche Miss Ronberry. Außerdem spielte eine bunte Mischung von englischen Charakterschauspielern mit. So zum Beispiel Bill Fraser, der sich einen Namen als Hauptfeldwebel in der frühen britischen Fernsehserie *The Army Game* gemacht hatte.

»Wir dachten, das wäre das Ende ihrer Karriere«, sagte Fraser. »Die ersten Anzeichen von Gebrechlichkeit waren zu erkennen. Aber was für einen stählernen Willen sie hatte. Sie stand um sechs Uhr auf, fuhr eine Stunde lang auf einem alten

Fahrrad durch die walisische Hügellandschaft, frühstückte dann um sieben – ein riesiges Frühstück – und war um acht Uhr am Drehort. Sie war eine nette Person. Sie hat Toyah Willcox sehr viel Gutes getan, indem sie sie führte und ihr gesagt hat, wie sie ihre Rolle spielen solle.«

Toyah, die seitdem als sehr erfolgreiche Popsängerin in England tätig ist und manchmal als Fernsehmoderatorin und Theaterschauspielerin arbeitet – sie spielte in einem Stück, das von einer Freistilringerin handelt, *Trafford Tanzi* –, verkörperte ein Mädchen. Das Mädchen ist die Tochter einer Köchin, die von Patricia Hayes gespielt wurde. Toyah gibt gerne zu, daß sie tief in Kates Schuld steht. »Sie trat für mich von der Kamera zurück. Sie gab mir den Tip, die Kamera bewußt wahrzunehmen, und half mir dabei, nicht so zu zappeln. Wenn wir die Szenen probten, gab sie mir so kleine Hinweise, wie ›Versuch das . . .‹ Es war wunderbar. Ich konnte ihr gegenüber sehr offen sein und sie einfach ›Hepburn‹ nennen, was George Cukor sehr ärgerte.«

Cukor bestand darauf, daß dieses neunzehnjährige, gerade aus der Schule entlassene Mädchen, den Star »Miss Hepburn« nennen solle. Einmal verbannte er sie aus dem Studio, weil sie das nicht getan hatte. Toyah sagte, daß Kate darüber nur lachte. Einmal ärgerte sich Kate sehr über den Regisseur. »Sie schimpfte ihn richtig aus«, erinnert sich Toyah. »›Sie ist nur ein Kind‹, sagte sie mehrmals. Und dann beschuldigte sie ihn, mich falsch zu führen. Sie stritt sich nur mit George. Nie schimpfte sie mit anderen Mitgliedern des Filmteams. Ich vermute, das war deshalb so, weil sie sich sehr gut verstanden haben. George ließ sich das gefallen. Sonst ließ er sich so etwas von niemandem gefallen. Sie war so wunderbar, wenn sie in Wut geriet. Sie sagte, ›George, warum hältst du nicht einfach die Klappe?‹«

Was Patricia Hayes (eine Komödiantin, bis dahin fast nur in

England bekannt, obwohl ihr Auftritt in der »Benny I
Show« ihr auch Fans in Amerika einbrachte) am meis\
beeindruckte, war Kates Angewohnheit, Tracys Gardero\
zu tragen, die mittlerweile schon fast zu zerschlissen war, u\
sie noch anzuziehen. Es waren seine Hosen, die sie trug, wen\
die Arbeit des nächsten Tages durchgesprochen wurde; sei\
altes weißes Hemd. »Mir fiel auf, daß die Hosen liebevol\
geflickt und am Hosenboden gestopft waren sowie sonst
überall.

Mich überraschte die Art, wie sie von ihm redete. Sie sagte,
›Natürlich spreche ich immer über ihn.‹ Ich erzählte ihr, daß
er mein großes Idol war. Ich sagte sogar, er habe mein Leben
ruiniert, weil ich immer nach jemandem wie ihm gesucht
habe. ›Nein‹, antwortete sie, ›Sie würden nie jemanden wie
ihn finden, weil er einzigartig war.‹«

Kate war auch wie eben beschrieben angezogen, als sie die
ersten Sprechproben in der Wohnung, die Cukor in London
gemietet hatte, abhielt. Sie verstand sich sofort mit Miss
Hayes. »Sie erinnern mich an meine Mutter«, erzählte sie Pat.
Die englische Schauspielerin hörte dann nichts mehr von ihr.
Kein Wort mehr von einer Rolle in *Das Korn ist grün*. Erst
Wochen später, als Kate und Cukor sie im »London's Lyric
Theatre« sahen. Sie waren eigentlich gekommen, um Colin
Blakely zu sehen, der in *Liebe in der Dämmerung* mitgespielt
hatte und jetzt in *Filomena* auftrat. In dem Stück hatte Pat eine
Nebenrolle.

»Es klopfte an meiner Tür, und Katharine Hepburn stand da.
›Sie sind wunderbar‹, wiederholte sie ständig. ›Aber was ist
das für ein scheußliches Ding, das Sie auf dem Kopf haben?‹«
Miss Hayes sagte ihr, das sei eine Perücke. »Nehmen Sie sie
herunter!« kommandierte Kate, wie nur sie das konnte.
»Tragen Sie dies Ding nie wieder! Weigern Sie sich, es zu
tragen!« Drei Tage später erfuhr Pat, daß sie die Rolle hatte.

Als Toyah Willcox für die Rolle der Tochter vorsprach, gab es Probleme mit ihren Haaren.

»Würde es Ihnen etwas ausmachen, Ihren Hut abzunehmen?« fragte Cukor sie.

»Ich trage keinen Hut«, antwortete sie. »Das ist mein Haar.« Da sie es im Punkstil mit verschiedenen Rotschattierungen trug, war dies Mißverständnis vielleicht verzeihbar. Toyah selbst war auch etwas verwirrt.

»Ich wußte nicht, wie George Cukor und Katharine Hepburn aussahen – doch in dem Moment, als ich sie sah, erkannte ich sie sofort. Sie waren erstaunlich höflich, was die Leute in solchen Positionen normalerweise nicht sind. Sie machten mir sogar eine Tasse Tee. Ich wurde auf ein Sofa neben sie gesetzt, und man gab mir eine Kopie des Textes von *Das Korn ist grün*. Dann wurde ich gefragt, ob es mir etwas ausmachen würde, ihr vorzulesen. Ich hatte es gut einstudiert, und es gelang mir, sie zum Lachen zu bringen. Um Mitternacht erhielt ich einen Anruf, daß ich die Rolle bekommen würde.« Als sie sich mit Kate zum zweiten Mal trafen, waren die Hauptkonversationspunkte Toyahs Haare und die Band, die sie leitete. »Sie fragte mich immer wieder, wie laut wir spielen!«

Diese Version von *Das Korn ist grün* war viel realistischer als der Bette-Davis-Film, der auch von Warner Brothers produziert worden war. Obwohl er nur für das Fernsehen vorgesehen war, hätte man ohne weiteres eine Kinoproduktion erwarten können – aufgrund der Besetzungsliste nämlich und wegen der Drehorte. Die frühere Version war vollständig in Hollywood gedreht worden – und das sah man.

Kate mag schon ein bißchen alt für die Rolle der Miss Moffat gewesen sein, aber ihr Kleidungsstil war mit dem von Miss Davis fast identisch. Ihre Blusen waren jedoch wie üblich bis zum Hals zugeknöpft. Kate war sich als erste bewußt, daß es

Vergleiche geben würde. Man hatte sie immer als Rivalinnen betrachtet. Kate sagte: »Miss Davis hat geäußert, sie beneide mich um meine Knochenstruktur. Das ist Natur. Ich habe nur immer daran geglaubt, daß Beste aus dem machen zu können, was man hat.« Vielleicht war es das, was sie so einmalig machte.

»Und Katharine Hepburn war immer der Star«, sagte Pat Hayes, »ohne je ihre Großartigkeit als Schauspielerin zu verlieren. Sie ließ sich eine Badewanne in ihre Garderobe stellen, was keiner von uns hatte... Aber trotz dieser Besonderheit war sie eine großartige Schauspielerin. Und immer überaus ehrlich. Sogar zu sich selbst.«

Kate wollte einen Besitz in Wales kaufen, obwohl das bis heute ein Traum geblieben ist. »Ich liebe dieses Wetter«, erzählte sie Pat. »Ich verabscheue den Sonnenschein. Sehen Sie, was er meiner Haut angetan hat. Ich habe Hautkrebs!« Sie zeigte ihre Sorgen – besonders an Tagen, wo es um ihre Augen so schlecht stand, daß sie nicht vor der Kamera stehen konnte. Es gab Zeiten, in denen ihr unteres Augenlid herunterzufallen schien. »Diese Medikamente«, sagte sie ziemlich besorgt, »wie lange werden sie noch helfen?« Das größte Handicap wurde jetzt augenscheinlicher denn je. Eine Nervenkrankheit führte dazu, daß sie mit den Kopf zitterte. Etwas, das jeden anderen hätte aufgeben lassen. Für Kate war es nur wieder eine Herausforderung, die es zu bezwingen galt. Sie nimmt Medikamente und kontrolliert die Krankheit gewissenhaft. Obwohl für jeden sichtbar, lehnt sie es ab, deswegen ihre Karriere aufzugeben.

Wales tat Kate gut. Es war für sie dort viel einfacher radzufahren als in dem Vorort Wembley, wo die Studios waren, in denen die Innenaufnahmen gemacht wurden. Sie fuhr einen Meter und stürzte. »Ich war empört«, sagte sie hinterher. »Bin ich etwa aus dem Gleichgewicht gekommen?« Sie beschlossen, die Radszenen zuletzt zu drehen – für den Fall, daß sie ihr irreparable Schäden zufügen würden. Die nebelige, naßkalte Atmosphäre von Wales vollbrachte Wunder an ihrer Haut.

»Sie sagte immer wieder, wie erfreut sie sei, daß ihr Hautkrebs sich hier bessere«, erinnerte sich Toyah. Damals bemerkte auch Toyah die ständige Gegenwart von Spencer Tracy in Kates Gedanken. »In jeder Situation bezog sie sich auf ihn«, sagte sie. »Man merkte, daß sie ihn immer noch gewaltig liebte.«

In der Szene, in der Toyah weinen mußte, sagte ihr Kate, sie müsse hysterischer, stärker sein. Eine fünfminütige Szene sollte laut George Cukor vor laufender Kamera durchgespielt werden. Am Schluß der Szene sollte Toyah einen Satz sprechen und gleichzeitig ein großes Marmeladenbrot essen. Alles lief perfekt, bis Toyah sich am Brot verschluckte. »Cukor war wütend, weil ich die Szene ruiniert hatte.« Wieder lachte Kate und applaudierte sogar. »Sie sagte mir später, ich hätte sie an sich selbst erinnert, als sie in meinem Alter war. ›Toyah‹, sagte sie, ›du bist eine Rebellin.‹ Ich dachte einmal, sie sei arrogant und naiv. Aber so war sie überhaupt nicht. Sie war so heiter.«

Die Suche nach Authentizität kannte praktisch keine Grenzen. Eine Sequenz, die im Billardzimmer eines stattlichen Hauses spielte, wurde in Brocket Hall gedreht, dem Haus des reichen Großgrundbesitzers Lord Brocket in Hertfordshire. Selbstverständlich fand Kate das faszinierend. Nicht nur das Haus selbst, sondern auch die Lage des Hauses in Ayot St. Peter nahe bei Shaws Corner. Das ist George Bernard Shaws Haus in Ayot St. Lawrence. Die Shaws und die Hepburns waren 1979 eine so potente Mischung wie eh und je.

Doch auch Brocket Hall zog sie an, so wie sie seit Jahren von unbewachten Beverly-Hills-Häusern angezogen wurde. Dieses Mal ging die Sache etwas unglücklicher aus. An dem Tag, als sich das Team den Drehort anschauen wollte, fand es die Türen verbarrikadiert. Niemand öffnete, als sie läuteten. Von dieser Tatsache ließ sich Kate nicht entmutigen. Sie sah ein offenes Fenster und kletterte hinein – nicht bedenkend, daß reiche britische Landeigentümer Alarmanlagen besitzen. Bereits nach fünf Minuten fuhr die Polizei vor, und die Herren stellten seltsame Fragen. Hätte nicht einer der Polizisten die »Einbrecherin« sofort als Katharine Hepburn identifiziert, wäre sie höchstwahrscheinlich verhaftet und in die örtliche Gefängniszelle gesteckt worden.

Das Drehbuch enthielt Szenen in einem Kohlebergwerk. Kate bestand darauf, sie in einem wirklichen Bergwerk zu drehen. »Nachher zog sie ihr historisches Kostüm aus, und ging in die Herrendusche, um sich zu waschen«, erinnerte sich Bill Fraser. »Nun, sie war ja auch alleine.«

Als die Außenaufnahmen abgedreht waren, fing man in Wembley mit den Studioszenen an. Eines Morgens erschien sie um 8.30 Uhr am Drehort, und alle Lichter waren aus, die Elektriker standen müßig herum. »Worauf wartet ihr?« fragte sie. »Der Regisseur ist nicht aufgetaucht«, erwiderte einer von ihnen.

»Nun«, antwortete sie. »Glauben Sie nicht, jemand sollte Mr. Cukor suchen? Er ist achtzig, wissen Sie. Er kann tot sein.«

Cukor fühlte sich zu der Zeit nicht wohl, und Kate erteilte ihm ständig medizinische Ratschläge. Aber es ging ihm gut genug, um auf Kate einen dämpfenden Einfluß auszuüben. »Besonders«, sagte Bill Fraser, »wenn sie gelegentlich hochging, beruhigte er sie. Er fand, ihr Schauspiel sei ein wenig breit geworden.« Ziemlich ungewöhnlich, da Kate wie eh und je damit beschäftigt war, den Regisseur zu kommandieren.

Sie erteilte auch anderen Leuten Anweisungen, sogar wenn gerade nicht gedreht wurde. Während der Dreharbeiten zu *Das Korn ist grün* wurde aus Katharine Hepburn, dem Filmstar, eine Garderobiere. Das passierte, nachdem Pat Hayes auf den Saum ihres langen Kleides getreten war und sich einige Fäden gelöst hatten. Sie sagte es einer der Sekretärinnen, die vorschlug, sie solle zur Garderobiere gehen.

Kate wollte nichts davon hören. »Das kann man doch nicht tun«, sagte sie zu Pat. »Phyllis. Geh hinauf in mein Zimmer und hole Nadel und Faden.« Die immer anwesende Miss Wilbourn kam mit den geforderten Gegenständen zurück. Pat bedankte sich und wollte damit weggehen.

»Nein«, sagte Kate. »Komm her. Ich mach das für dich.« »Sie«, erzählte Pat, »kniete sich zu meinen Füßen und nähte den Saum hoch. Ich kann mir keinen anderen Star vorstellen, der so etwas tut. Sie tat es, weil sie es wollte, und das ist ein ganz wunderbarer Zug. Sie hatte nie Kinder, aber ich merkte, daß sie große mütterliche Fähigkeiten in sich trug.«

Die Kostümbildner hatten sich viel Mühe gegeben, Kostüme zu finden, die perfekt in die Zeit paßten. Sie wurden auf großen Tischen in der Dorfhalle von Isybyty-Ifan ausgebreitet. Kate schaute wie alle anderen zu. Während sie in der Nähe der Tische stand, steckte ein kleines Mädchen seinen Kopf durchs Fenster und rief, »Hey Miss. Wann fängt der Trödelmarkt an?«

Kates Kostüme waren von etwas besserer Qualität. Am Ende der Dreharbeiten verteilte sie Blusen und Röcke an die anderen Frauen des Teams als Souvenirs. »Ich werde die Bluse, die sie mir gab, immer in Ehren aufbewahren«, sagte Toyah.

Das Korn ist grün brachte Kate und Neil Hartley wieder zusammen. Der ausführende Produzent von *A Delicate Balance* war jetzt der Produzent dieses Fernsehfilms. Er erzählte

über Kates damalige Arbeit: »Sie war bei diesem Film besonders hilfreich. Cukor wurde langsam alt. Sie war als Schauspielerin und als Mensch außerordentlich großzügig. Sie
bestand darauf, daß andere Schauspieler mehr Text bekamen
und daß sie beim Drehen genauso gut behandelt wurden wie
sie selbst. Das alles trug dazu bei, beim Team einen großen
Gemeinschaftssinn hervorzurufen. In meinen Augen verlieh
Kate dieser Rolle einen wunderbaren Zauber. Sie machte sie
unvergeßlich. Sie verkörperte diesen kuriosen amerikanischen Charakter perfekt. Ich war der Ansicht, daß der Film
die bisherigen Fernseharbeiten übertraf. Er war auch besser
als der Originalfilm.«
Das Korn ist grün brachte sie in Versuchung, weiterzuarbeiten.
»Wenn es um die Arbeit geht«, sagte sie im Herbst 1981,
»glaube ich nicht an Gerede und Spekulationen. Warum nicht
einfach etwas anpacken? Ich werde ungeduldig mit sensiblen
Typen, die sich hinsetzen und alles tiefschürfend begründen.
Sie sind wie mumifiziert, ängstlich, daß das Leben ihnen
gefährlich werden könnte. Ich habe nie Angst davor gehabt,
einen Schritt nach vorn zu wagen und möglicherweise auf die
Schnauze zu fallen.«
Auch Ernest Thompson war ihr ein Risiko wert. Thompson
hatte ein Theaterstück über Liebe im Alter geschrieben, das
Kate entzückte: *On Golden Pond.*

19

Am Ende
des Weges

Kate war von dem Stück *On Golden Pond (Am Ende des Weges)* entzückt, weil das eine Geschichte war, die sie liebend gerne mit Spencer gedreht hätte. Eine Geschichte, in der das Paar aus *Rat mal, wer zum Essen kommt* seine letzten gemeinsamen Erfahrungen hätte machen können. Der endgültige Beweis dafür, daß ihre Liebe von Anfang an richtig gewesen war. Und zum Schluß gipfelt alles in einer Situation, die deutlich zeigt, daß alles zu einem Ende kommen muß – und das sehr bald. Diese Situation hatte sie vor vierzehn Jahren durchlebt. Darauf konnte sie sich beziehen. Noch wichtiger war, das Theaterstück gab die Möglichkeit, sich in ihre damalige Situation hineinzuversetzen. Sogar Paare, die viel jünger waren, konnten eine schwache Ahnung von ihrer Zukunft bekommen.
Kate war davon so begeistert, daß sie nicht nur zusagte, in der Kinoversion mitzuspielen, sondern auch anschließend in Thompsons nächstem Stück, *West Side Waltz*, mitzuwirken. Womit sie nicht gerechnet hatte, waren die Auswirkungen von *On Golden Pond* auf sich selbst und auf ihre Beziehung zum Hauptdarsteller. Zu Beginn der Dreharbeiten fühlte sich das Team recht unbehaglich, manchmal brach sogar regelrechte Panik aus.
Die männliche Hauptrolle, ihren Ehemann, spielte Henry Fonda, der, wie jedermann wußte, an einer tödlichen Krank-

heit litt. Keine angenehme Situation für eine Schauspielerin, solch eine intime Geschichte mit einem Mann zu spielen, der, obwohl sie ihn sehr bewunderte, noch nie zuvor mit ihr gearbeitet hatte.

Sehr zahlreich waren die Spannungen, die man von der Frau erwartete, die eine wichtige Nebenrolle spielte. Denn im wirklichen Leben war diese Frau die Tochter des männlichen Hauptdarstellers und hatte selbst eine ähnlich schwierige Beziehung zu ihrem Vater gehabt wie der Charakter, den sie darstellen sollte.

Hinzu kam, daß Jane Fonda genauso energisch und individualistisch ist wie Katharine Hepburn, obwohl eine Generation zwischen ihnen liegt. Man vermutete, daß sie miteinander rivalisieren würden und daß dies unangenehme Folgen nach sich ziehen könnte. All dies lag in der Luft, als der Regisseur Mark Rydell die ersten Besprechungen einberief.

Es ist die Geschichte eines alten Paares, das Jahr für Jahr den Sommer in einem Landhaus von Neuengland verbringt. Eine Landschaft, die Kate sehr gut kannte. Dort sind die Bäume im Herbst leuchtend rot, und die Seetaucher kreischen den ganzen Tag. Zum ersten Mal erkennt die Tochter, als sie mit einem Freund und dessen Sohn das Haus am goldenen Teich besucht, wie wenig sie recht gehabt hatte mit ihrer Vermutung, daß der Vater sich nicht für sie interessiere. Das waren genau die Gefühle, die Henry und Jane Fonda im wirklichen Leben füreinander gehegt hatten.

Jane kaufte die Filmrechte an dem Stück, um das Verhältnis zwischen sich und ihrem Vater aufzuarbeiten. Beide stimmten überein, daß Kate Henrys Frau spielen sollte, und alle drei einigten sich darauf, daß Rydell Regie führen sollte. Der Film war sehr verschieden vom Originalstück. Rydell gab ein neues Drehbuch in Auftrag. Die Bühnenfassung war viel sentimentaler und auch viel humorvoller. Im Filmdrehbuch wurde dem Leben des alten Paares eine sexuelle Komponente hinzugefügt: Die Sorgen, die sich der alte Mann wegen seiner Impotenz machte, wurden nicht verschleiert.

»Ich versuchte, es zu ›sexualisieren‹, was das Originalstück allerdings nicht vorgibt, und Kate gefiel das«, erzählte Rydell. »Sie beschuldigte mich zwar, daß ich ewig nur an Sex dächte. Ich antwortete jedoch, das sei Teil meiner Persönlichkeit.« Die ersten Gespräche wurden in Rydells Haus in Los Angeles geführt. Er sagte, er sei auf Schwierigkeiten vorbereitet gewesen. »Aber ich bin es gewohnt, mit starken Schauspielern zu arbeiten, und habe eine Fähigkeit entwickelt, sehr zäh und zugleich fürsorglich zu sein«, erzählte er. Wie zäh, wurde deutlich, als nach der ersten Sitzung der Termin für die nächste festgelegt werden sollte. »Kate wollte morgens um sechs Uhr dreißig anfangen«, sagte Rydell. »Schließlich einigten wir uns darauf, daß sie um neun Uhr zu mir kommen solle – was ihr wie mitten am Tag vorkam. Es sollte eine dreitägiger Test sein. Ich mußte von Anfang an klarstellen, was ich dachte. Leute die stark sind und Ideen haben, suchen nach Führerschaft. Wenn sie das Gefühl haben, daß du wirklich Ideen hast, machen sie mit.« Die Gespräche, die so zögerlich begonnen hatten, endeten damit, daß jeder grundsätzlich dieselben Vorstellungen von der Weiterentwicklung des Projekts hatte. Sie machten in einem Krankenzimmer weiter. Kate war beim Tennisspielen gefallen und hatte sich die Schulter schwer verletzt. Drei Wochen vor Drehbeginn von *On Golden Pond* wurde sie in ein New Yorker Krankenhaus zu einer Notoperation eingeliefert.

Als Rydell in ihr Zimmer kam, lag sie im Bett, ihr Arm von einem fürchterlich aussehenden Apparat gestützt. Die Ärzte warnten sie, daß an Arbeit nicht zu denken sei. Tatsächlich glaubten sie, daß es sogar zuviel für sie sein könnte, den Film überhaupt zu drehen. Alles hätte hier zu Ende sein können –

aber die Ärzte kannte Katharine Hepburn nicht. Jeden Tag kam Rydell ins Krankenhaus, ging in das Zimmer mit Blick über den Hudson und besprach *On Golden Pond* mit ihr, nur unterbrochen durch die Ärzte. Wenn sie sich mit der Patientin beschäftigten, wartete er draußen im Flur. Sobald sie fertig waren, unterhielten sich Regisseur und Star weiter über den Film.

»Sie war eine lebhafte, zähe und recht schöne alte Frau, die einen Teenager spielte«, erzählte er. »Sie weigerte sich zu akzeptieren, daß sie nicht mehr all die Dinge tun konnte, die sie mit Zwanzig tat. Sie ist von einem Licht umgeben, und es ist unmöglich, dem zu entkommen.« Fast fünfzig Jahre früher hatte Ruben Mamoulian nahezu dasselbe gesagt. Schließlich gaben sich die Ärzte geschlagen, und die Dreharbeiten begannen am Squam Lake, New Hampshire, einem der letzten schönen Flecken mit seinen roten Bäumen und kreischenden Seetauchern.

Als Kate und Henry Fonda sich am ersten Drehtag dort trafen, gab sie ein vier Worte umfassendes Statement ab, daß es verdient, in die Geschichtsbücher aufgenommen zu werden. Sie sagte einfach »Das wurde auch Zeit.« Fonda und Hepburn arbeiteten endlich zusammen.

Aber die Spannungen waren noch vorhanden, als die Kamera zum ersten Mal in Aktion trat. Mark Rydell erinnerte sich: »In den ersten paar Tagen sprach sie die ganze Zeit über Spencer. Sie sprach über ihn, als ob er noch lebte, und wie er die Rolle gespielt hätte. Sie sagte, ›Dies wäre eine großartige Rolle für ihn gewesen‹.

Ich war sehr besorgt um Henry. Sie kämpfte mit sich, um die Tatsache zu verdecken, daß sie die Rolle als eine ansah, die Spencer hätte spielen sollen. Sie wollte verbergen, daß es ihre Beziehung war, die in dem Film gespielt werden sollte. Sie sagte mir, wie sehr es ihr gefallen habe, Spencer zu umsorgen.

›Ich setzte ihn in einen Stuhl und brachte ihm seine Pantoffeln‹, erzählte sie mir. Es war, als ob diese beiden die Rollen im Film spielten, und nicht Kate und Henry.«

Die wirkliche Schwierigkeit lag darin, daß sich beide ihrer Unzulänglichkeiten genauso bewußt waren wie die zwei Charaktere im Film: sie mit ihren augenscheinlichen neurologischen Problemen; er mit seiner Herzschwäche, die ihn bald umbringen würde. »Trotzdem«, sagte Rydell, »grenzte ihre Zielstrebigkeit bei der Arbeit fast an Sturheit. Sie kam bei Sonnenaufgang und schwamm im See.

Die ganze Erfahrung war außergewöhnlich – wie ein Psychodrama. Jeder kam morgens zum Drehort gelaufen, um diesen beiden Großen des Filmgeschäfts zuzuschauen, die gemeinsam eine Berufserfahrung von einhundert Jahren besaßen.« Der Durchbruch kam, als Kate Henry ein Geschenk machte: einen von Spencers alten, flapsigen Hüten. Er trug ihn in dem Film. »Da wußten wir, daß sie gut miteinander auskommen würden«, sagte Rydell. Von dem Tag an hegten die beiden eine große Liebe zueinander; eine gefährliche Liebe, ähnlich der, die sie auf der Leinwand darstellten, wenn auch ohne die sexuelle Komponente.

Die Freundschaft zwischen Regisseur und Star war deutlich zu sehen. »Ich sagte ihr«, erinnerte sich Rydell, »wie glücklich sie sich schätzen könne, einen netten jüdischen Regisseur zu haben, der dem Braten aus diesen zwei WASP [White American Superior People = Weiße amerikanische überlegene Leute] etwas Aroma hinzufügen könne. Sie liebte das.«

Die Beziehung zwischen Kate und Jane war wesentlich komplizierter. »Ich machte mir Sorgen deswegen«, sagte Rydell. »Diese beiden ungeheuer mächtigen Frauen umkreisten einander wie Tigerinnen. Kate sah in Jane das, was sie selbst vor Jahren gewesen war. Jane sorgte sich wegen Kates Autorität und Stärke. Tatsächlich dauerte es seine Zeit, bis Kate klar wurde, daß Jane sie in Wirklichkeit verehrte. Danach vertrauten sie einander und wurden enge Freundinnen.« Jane sagte, daß sie die vergleichbar kleine Rolle im Film aus Vernunftgründen angenommen hatte. »Ich wollte mit meinem Vater und Katharine spielen. Es war eine Herausforderung, das zu tun. Ich war nervös, daß ich nicht gut genug sein könnte.« Henry sagte damals: »Jane ist ein junger Spund, der einen Film produziert, um seinem Vater eine gute Rolle zu verschaffen. Kate war die ganze Zeit bereit mitzuspielen, und Jane merkte, daß sie sich nicht festlegen wollte. Die Rolle wird angeboten, und sie greift zu – Gott sei Dank.« Kate versteckte sich einmal hinter einem Busch, als Jane eine schwierige Szene mit ihrem Vater drehen sollte, und sah ängstlich zu. Als die Szene abgedreht war, kam sie heraus und jubelte laut. »Das ist ein wahrer Segen für einen Regisseur«, sagte Rydell. »Kate ist niemals gleichgültig oder blasiert. Es ist ihr Ernst damit.«

Vielleicht wurde die schwierigste Rolle während des Filmens außerhalb des Scheinwerferlichts gespielt. Sie war mit Shirlee, Henry Fondas Frau, besetzt, die, als ich mit ihr sprach, immer noch zu bewegt war, um darüber zu reden. Mark Rydell sagte: »Shirlee war sehr heldenhaft und würdevoll. Sie verstand sich mit Kate, aber sie wurden niemals enge Freundinnen.«

Diese Partnerschaft erweckte von Anfang an das öffentliche Interesse. Das »Time Magazine« würdigte das Paar sogar mit einer Titelseite. »Endlich Kate und Hank!« lautete die Überschrift der Filmrezension: »Jederzeit ist *On Golden Pond* gutzuheißen... Der Film widmet sich ernsthaft und intelligent ohne Sermon oder Soziologie einem unentrinnbaren menschlichen Schicksal: und zwar einem würdevollen Tod.« Der Journalist des Magazins, Richard Schickel, schrieb: »Wenn die Leute so etwas wählen dürften wie die Großeltern der Nation, hätten sie dieses Paar sicher dazu gemacht, da sie zu den wenigen Filmstars gehören, die schon so lange arbeiten, daß darüber vier oder fünf Generationen groß geworden sind.« Als die Dreharbeiten vorbei waren, wußte Mark Rydell, daß eine echte Liebe zwischen den beiden Stars entbrannt war. »Oh, man konnte das einfach sehen«, sagte er. »Man konnte es sehen.«

Der Film war ein großer Erfolg. Ein sterbender Henry Fonda gewann seinen ersten Oscar. Kate gewann ihren vierten Academy Award. Keinem Darsteller war das bisher gelungen. Außerdem zeigte es den Leuten in der ganzen Welt, daß Katharine Hepburn noch immer unter ihnen war.

20

QUALITY STREET

Kate tanzte im Walzertakt zu ihrer nächsten Bühnenproduktion in dem Wissen, daß sie ein riesiger Erfolg werden würde. Das war auch so. Nicht daß Ernest Thompsons Stück so gut gewesen wäre wie *On Golden Pond* oder daß Kate selbst so bewegend gespielt hätte. Nein, inzwischen war sie zu genau so einer Institution geworden, wie sie immer befürchtet hatte – wie das alte Flatiron Building.

Dieses Stück sei eine Komödie, wurde dem Publikum gesagt, und weitgehend glaubten das sowohl das Publikum wie auch Kritiker gerne. Besonders gefiel ihnen der Text, in dem Kate als Konzertpianistin sagt, daß ihre Gesundheit immer mehr verfalle, sie zögert aber dennoch, ihren Stolz dafür zu opfern. Kates Stolz gehörte ihr ganz alleine, und niemand wagte es, das in Frage zu stellen. Seitdem sie den Vertrag für das Stück unterschrieben hatte, hatte sie täglich zwei Stunden Klavier geübt, obwohl das Publikum ihr Spiel gar nicht hören würde. Die Musik kam bei ihrem Auftritt vom Band, leider war die Koordination nicht immer erfolgreich, so daß ihre Fingerbewegungen nicht mit der Musik übereinstimmten.

Das Stück wurde im ganzen Land aufgeführt, spielte aber nur vier Monate am Broadway. Das »Time Magazine« schrieb: »Das Stück behandelt die meiste Zeit das zwielichtige Leben einer Witwe aus Manhattan, aber die Hepburn triumphiert über die Sentimentalität und hat eine Ausstrahlung, obwohl ihr das Alter sehr zu schaffen macht.« Es spielte in einem ehemals luxuriösen Appartementhotel der Upper West Side. Dorothy Louden spielte Kates Violine spielende Nachbarin. Und wie die Kritiker vermerkten, jubelte das Publikum. Manchmal taten sie mehr als das. Sie schossen Fotos von ihr – und Kate schoß zurück. Mehr als einmal unterbrach sie das Spiel, um ihm oder ihr zu sagen, was sie davon halte. In Boston schrie sie ein junges Mädchen an, das ein Foto von ihr gemacht hatte: »Sie da oben, raus aus dem Theater. Hauen Sie ab! Ich zahle Ihnen den doppelten Preis Ihrer Eintrittskarte, damit Sie gehen.« Und dann sagte sie zum Publikum: »Diese Person, die mit der Kamera klickt, ist ein Schwein.« Die Leute applaudierten, als eine weinende junge Frau hinaus eskortiert wurde.

In New York unterbrach sie das Stück, um einen jungen Mann, der seine Füße auf die Verkleidung der Bühne gelegt hatte, zurechtzuweisen. Jeder war auf ihrer Seite, und was sie sagte, war noch interessant. Sie wurde zum Beispiel noch immer nach ihren Ansichten zur Abtreibung gefragt. »Es ist mir unverständlich«, sagte sie im Januar 1982 dem Magazin »Family Circle«, »daß so viel Aufhebens um Abtreibung gemacht wird. Sie scheint mir einfach notwendig im Falle einer Vergewaltigung, bei einem möglichen Tod der Mutter, oder wenn ein minderjähriges Mädchen schwanger wird, ohne sich nach der Geburt um das Baby kümmern zu können... Ich kann die neue Ansicht, daß die Unverletzlichkeit des Lebens schon bei der Empfängnis beginnt, nicht verstehen. Wir leben in einer Welt, die übervölkert ist. Wir sollten uns besser um die Kinder kümmern, die wir bereits in die Welt gesetzt haben.«

Sie sagte auch, daß sie etwas gegen Promiskuität habe. »Offensichtlich«, sagte sie weiter und benutzte Ausdrücke, die bewiesen, daß sie durchaus Worte für Dinge hatte, die andere nur dachten, »so wie wir uns selbst lieben, so lieb sind wir.« Dann, nicht weniger wirksam, änderte sie ihren Tonfall. »Und das gilt besonders für die Damen. Ich glaube, daß wir uns zusammennehmen und den Tatsachen ins Auge blicken sollten. Wenn wir mit jedem alten Dummkopf in die Kiste springen, werden wir schließlich zu schäbigen Gehäusen. Ähnliches gilt auch für die Männer. Sie werden schlaffe alte Säcke.«

Von da an war es nur noch ein kurzer Weg bis zur Frage der Geburtenkontrolle. Familienplanung wurde wieder einmal im Kongreß diskutiert, und sie wollte im Sinne ihrer Mutter Stellung beziehen. »Normalerweise«, sagte sie, »mische ich mich nicht in öffentliche Kontroversen. Aber die Freiheit der Fortpflanzung ist eine fundamentale öffentliche Angelegenheit, der ich aus persönlichen Gründen starke Gefühle entgegenbringe.« Ein anderes Mal schrieb sie: »Der weibliche Körper ist unverhüllt, die unflätigen Worte nehmen überhand, schlimmer, keiner zuckt dabei zusammen. Ich frage mich, ob Zensur ein solches Verbrechen ist.«

Wenn sie über etwas reden wollte – Statements, die sie in der Öffentlichkeit abgeben sollte, sah sie immer noch als Eindringen in ihre Intimsphäre an –, wollte sie über ihre Arbeit reden. Wenn die Leute sie in der richtigen Stimmung erwischten, auch mal über ihr Zuhause. Wann immer sie konnte, flüchtete sie in ihr Elternhaus nach Fenwick und schlief in dem Zimmer, in dem sie schon als Kind geschlafen hatte. »Sobald die Kamine prasseln, lebe ich an gewohntem Ort, und nichts hat sich wirklich verändert. Ich gehe dahin zurück, treffe jemanden auf der Straße und höre: ›Kate, es ist schön, dich zu sehen.‹ Meine Familie ist mir am wichtigsten. Den Respekt, den die Kinder mir entgegenbringen, hatte ich auch meiner Mutter und meinem Vater gegenüber. Daran gibt es keinen Zweifel.«

Aber für den Fall, daß zu viele Leute sie dort besuchen wollen, hat sie draußen ein Schild angebracht, auf dem in großen Buchstaben Gelb auf Rot steht: BITTE GEHEN SIE WEG. Darunter steht in kleinerer Schrift die Warnung: DRAUSSEN BLEIBEN.

Sie gab zu, in einem Beruf zu arbeiten, der grundsätzlich »egozentrisch« ist. »Es ist ein sehr peinlicher Beruf«, sagte sie. Ein anderes Mal sagte sie in entwaffnender Weise, daß die Schauspielerei »die geringste Gabe ist. Und nicht gerade die beste Art, um Geld zu verdienen. Trotz allem, Shirley Temple konnte es bereits mit vier.« Über sich selbst sagte sie: »Ich wurde entdeckt, bevor ich wußte, was ich überhaupt tat. Ich wußte, ich konnte die Leute zum Lachen oder Weinen bringen, aber ich war nicht so gesegnet, daß ich wußte, wie ich das anstellte. Erst in den letzten Jahren habe ich das Gefühl, daß ich ein wenig weiß, was ich tue.«

Deshalb hielt sie sich auch nicht zurück, wenn in ihren Augen Leute unhöflich waren. All die Warnungen, die Fans damit zu verprellen, konnten nichts gegen angeborene Eitelkeit ausrichten. Sie war der Ansicht, daß ihre Angelegenheiten niemanden etwas angingen. Als ein Gast sie unerwartet besuchte, sagte sie: »Hallo, Sie sind ein Romanschriftsteller. Wollen Sie Kaffee? Ich wette, Sie können nachts nicht schlafen.« Sie gab ihm einen Kaffee und sah ihn etwas beunruhigt an: »Wenn Sie fertig sind, fegen Sie die Terrasse oder irgendwas. Versuchen Sie, sich nützlich zu machen.« Das war auch Teil ihrer Lebensphilosophie. Nützlich sein.

Aber immer noch glaubten Leute, daß sie der Geruch von sauren Äpfeln umgebe. »Ich bin nicht eine Anhängerin des Nostalgiekults, wodurch jeder, der in den Dreißigern ein Hollywood-Star war, sofort eine Verherrlichung erfährt«, schrieb Helen Lawrenson im »Los Angeles Herald Examiner«.

Miss Lawrenson hatte einen der besten Artikel geschrieben, die je im »Esquire« veröffentlicht worden sind (»Die Latinos sind erbärmliche Liebhaber«), deshalb mußte man davon Notiz nehmen. »In meinen Augen ist das unerhörteste Beispiel dafür Katharine Hepburn, auf die sich jeder nur als größte Schauspielerin, unvergleichlich und heilig, bezieht. Mindestens ein Schreiber ist hingerissen von ihr und beschreibt sie als ›unsere größte lebende Schauspielerin‹. Das ist Quatsch. Eine Persönlichkeit? Ja. Eine Schauspielerin? Nein. Als ihr 1967 und noch mal 1968 der Oscar als beste Schauspielerin verliehen wurde, dachte ich, er sei für Langlebigkeit.«

Es gab auch andere Ansichten. Sie sollte die Rolle der Rose Kennedy (die Mutter einer der einflußreichsten amerikanischen Politikerfamilien) in einer TV-Mini-Serie von ABC spielen. Aber im Dezember 1982 hatte sie einen ernsten Autounfall. Ihr Wagen geriet auf einer schneebedeckten, vereisten Straße in Conneticut außer Kontrolle und kostete sie fast einen Fuß. Sie hatte sich den Knöchel gebrochen und ging fast das ganze Jahr 1983 auf Krücken. Ihre ergebene Freundin Phyllis brach sich bei dem Unglück ein Handgelenk. Aber Kate erwartete immer noch, daß sie zur Stelle war, und unterbrach die Klinikruhe von Zeit zu Zeit mit ihrem Ruf »Phyllis!«

Erst einen Monat vorher war Kate nach New York gegangen, um sich ihre Schulterverletzung behandeln zu lassen. Sobald der Gips entfernt war, nahm sie das Schwimmen wieder auf. Sie konnte sich schwer damit abfinden, daß sie mit Vierundsiebzig nicht sofort wieder zurück an die Arbeit gehen konnte. Schlimmer war jedoch, daß es ihr vier Monate nach dem Unfall noch nicht gut genug ging, um George

Cukors Beerdigung beizuwohnen. Sie hatte schon lange das Haus, das sie und Spencer auf seinem Besitz gemietet hatten, aufgegeben, aber sie fühlte sich ihm immer noch sehr verbunden. Nun war ein weiteres Glied der Kette zur Vergangenheit zerbrochen.

Sie wurde nach ihren Gefühlen über den Tod gefragt. »Er ist ein tiefer Schlaf«, sagte sie. Und sie fürchtet ihn nicht. »Man sollte die Zeit nicht mit Dingen verschwenden, die man doch nicht ändern kann«, sagte sie.

Trotzdem war sie froh um Beschäftigung, obwohl sie gesagt hat: »Ich habe Zeit, ich kann einsam sein, ein Segen.« Was viele Leute bei einer Frau wundern dürfte, die ein halbes Jahrhundert eine öffentliche Person war. Sie erzählte Morley Safer im Fernsehen: »Ich bin wie eine dieser Marathonläuferinnen, die ständig weiterlaufen. Und die Leute glauben, ›Nun, sie ist nicht schlecht. Aber sie rennt schon eine verdammt lange Zeit.‹«

Als sie zu Hause wieder ein wenig herumrennen, die Möbel polieren, die Böden schrubben konnte, trotz Phyllis' Protestgeschrei, war sie am glücklichsten. Eine der Freuden, die ihr durch den Unfall geraubt wurden.

Sie war immer der Meinung, daß Frauen ihren Platz kennen müssen. Das mag jetzt so aussehen, als würde sie alles, wofür sie und ihre Mutter eingetreten sind, verraten. Gar nicht, antwortet sie. Es ist einfach lächerlich, in einer Männerwelt mit Männern konkurrieren zu wollen. Sie hat nie die Frau vergessen, die als Elektrikerin bei Dreharbeiten arbeitete, und der es nicht gelang, einen Teil der Ausrüstung hochzuheben. »Nun, fühlen Sie sich nicht wie der letzte Arsch?« fragte sie die Elektrikerin. »Ja«, antwortete die Frau. »Das tue ich.«

Niemand hat jemals gewagt, Katharine Hepburn so zu nennen. Aber sie ist nicht zufrieden. »Wenn ich auf das Erbe zurückschaue, das ich von zu Hause mitbekommen habe – das Milieu, in das ich hineingeboren wurde, mit brillanten Eltern –, kann ich nur sagen, daß ich es fünfzigmal besser hätte machen müssen.« Aber sie sagte auch einmal: »Es macht mich verrückt, mittelmäßig zu sein. Es macht mich einfach verrückt. Und ich möchte alles versuchen, um wirklich gut zu sein. Ich merke genau, wenn ich gut bin, und ich bin gerne sehr, sehr gut. Ich glaube, Perfektion ist das einzige Maß für Menschen, was immer sie auch machen.

Je älter man wird, desto intelligenter wird man, also bemerkt man eher, wo man verfault ist. Das Leben tötet uns alle, einen nach dem anderen. Aber bis es das tut, kriecht man weiter auf dem einen oder anderen Weg.«

Jeder, sagte sie, muß sich klarmachen, daß das Leben schwierig sein wird. »Schreckliche Dinge werden geschehen. Man schreitet voran. Weitergehen und hart sein. Nicht im Sinne von gemein zu anderen, sondern hart zu sich selbst. Man macht mörderische Anstrengungen, um nicht geschlagen zu werden.«

Sie hatte ihr Bestes getan, um dieser Philosophie zu entsprechen. Auf dem Kamin in ihrem Haus in Neuengland ist eine Inschrift: »Lausche dem Lied des Lebens.« Sie lauscht ihm seit fast fünfundsiebzig Jahren. Sie sagt: »Wenn ich mein Buch beendet habe, werde ich nicht mehr glauben, daß ich eine Schauspielerin gewesen bin.«

Ende 1983 drehte sie mit Nick Nolte den Film *The Ultimate Solution of Grace Quigley*. Es ist eine schwarze Komödie. Aber nichts in dem Drehbuch war vergleichbar mit ihrer Reaktion auf sein Zuspätkommen bei den Dreharbeiten. Burt Lancaster, Peter O'Toole und eine Reihe andere hätten ihm sagen können, was zu erwarten war.

»Ich habe gehört, Sie seien betrunken in den Gassen dieser

Stadt gelegen«, sagte sie zu ihm. Worauf Nolte entgegnete:
»Sie sind ein zänkisches altes Weib, das viel Spaß macht.«
Spencer Tracy sagte einmal zu ihr, »Was immer du tust,
Mädchen, serviere es mit ein paar Beilagen.« In dem Film *Pat
and Mike* sagt er in breitem New Yorker Slang: »Nicht viel
dran an ihr, aber das, was dran ist... ist auserlesen.« Das ist
Katharine Hepburn: auserlesen. Mit ein paar Beilagen.

FILMOGRAPHIE

Eine Scheidung, ›A Bill of Divorcement‹, RKO, 1932
Mit John Barrymore, Billie Burke und David Manners.
Produziert von David O. Selznick. Regie: George Cukor.

Ihr großes Erlebnis/Die Junggesellin, ›Christopher Strong‹, RKO, 1933
Mit Colin Clive, Billie Burke und Helen Chandler. Produziert von
Pandro S. Berman. Regie: Dorothy Arzner.

Morgenrot des Ruhms/Das neue Gesicht, ›Morning Glory‹, RKO, 1933
(ihr erster Oscar)
Mit Douglas Fairbanks Jr., Adolphe Menjou, Mary Duncan und
C. Aubrey Smith. Produziert von Pandro S. Berman. Regie: Lowell
Sherman.

Vier Schwestern, ›Little Women‹, RKO, 1933
Mit Paul Lukas, Joan Bennett, Edna May Oliver, Douglass Montgomery. Produziert von Kenneth MacGowan. Regie: George Cukor.

›Spitfire‹, RKO, 1934
Mit Robert Young, Ralph Bellamy und Martha Sleeper.
Produziert von Pandro S. Berman. Regie: John Cromwell.

Komödie um Liebe, ›Break of Hearts‹, RKO, 1935
Mit Charles Boyer, Jean Hersholt und John Beal, Produziert von
Pandro S. Berman. Regie: John Cromwell.

›*The Little Minister*‹, RKO, 1935
Mit John Beal, Alan Hale, Donald Crisp. Produziert von Pandro S.
Berman. Regie: Richard Wallace.

›*Alice Adams*‹, RKO, 1935 (Nominierung für einen Oscar)
Mit Fred MacMurray, Evelyn Venable, Fred Stone. Produziert von
Pandro S. Berman. Regie: George Stevens.

›*Sylvia Scarlett*‹, RKO, 1935
Mit Gary Grant, Edmund Gwenn, Brian Aherne. Produziert von
Pandro S. Berman. Regie: George Cukor.

Maria von Schottland/Maria Stuart, ›*Mary of Scotland*‹, RKO, 1936
Mit Fredric March, Donald Crisp, Florence Eldridge. Produziert
von Pandro S. Berman. Regie: John Ford.

Ein aufsässiges Mädchen, ›*A Woman Rebels*‹, RKO, 1936
Mit Herbert Marshall, Elizabeth Allan, Donald Crisp. Produziert
von Pandro S. Berman. Regie: Mark Sandrich.

›*Quality Street*‹, RKO, 1937
Mit Franchot Tone, Fay Bainter, Eric Blore. Produziert von Pandro
S. Berman. Regie: George Stevens.

Bühneneingang/Rivalinnen, ›*Stage Door*‹, RKO, 1937
Mit Ginger Rogers, Eve Arden, Adolphe Menjou, Lucille Ball,
Andrea Leeds. Produziert von Pandro S. Berman. Regie: Gregory
La Cava.

Leoparden küßt man nicht, ›*Bringing Up Baby*‹, RKO, 1938
Mit Cary Grant, May Robson, Charles Ruggles. Produzent und
Regisseur: Howard Hawks.

Die Schwester der Braut, ›*Holiday*‹, Columbia, 1938
Mit Cary Grant, Doris Nolan, Edward Everett Horton. Produziert
von Everett Riskin. Regie: George Cukor.

Die Nacht vor der Hochzeit, ›The Philadelphia Story‹, MGM, 1940
(Nominierung für einen Oscar)
Mit Cary Grant, James Stewart, Roland Young, Ruth Hussey.
Produziert von Joseph L. Mankiewicz. Regie: George Cukor.

Die Frau, von der man spricht, ›Woman of the Year‹, MGM, 1942 (der
erste Tracy-Hepburn-Film. Nominierung für einen Oscar)
Mit Spencer Tracy, Fay Bainter, William Bendix. Produziert von
Joseph L. Mankiewicz. Regie: George Stevens.

Die ganze Wahrheit, ›Keeper of the Flame‹, MGM, 1942
Mit Spencer Tracy, Richard Whorf, Stephen McNally. Produziert
von Victor Saville. Regie: George Cukor.

Stage Door Canteen, Sol Lesser, 1943
Dutzende von Stars in einem Propagandafilm, u. a. Harpo Marx,
Yehudi Menuhin, Merle Oberon, Johnny Weismüller. Produziert
von Barnett Briskin. Regie: Frank Borzage.

Drachensaat, ›Dragon Seed‹, MGM, 1944
Mit Walter Huston, Aline MacMahan, Akim Tamiroff. Produziert
von Pandro S. Berman. Regie: Jack Conway und Harold S. Bucquet.

Zu klug für die Liebe, ›Without Love‹, MGM, 1945
Mit Spencer Tracy, Keenan Wynn, Lucille Ball, Patricia Morrison.
Produziert von Lawrence Weingarten. Regie: Harold S. Bucquet.

Der unbekannte Geliebte, Die fremde Geliebte, ›Undercurrent‹, MGM,
1946
Mit Robert Taylor, Robert Mitchum, Marjorie Main, Edmund
Gwenn. Produziert von Pandro S. Berman. Regie: Vincente Min-
nelli.

Endlos ist die Prärie, ›Sea of Grass‹, MGM, 1947
Mit Spencer Tracy, Melvyn Douglas, Robert Walker, Ruth Nelson.
Produziert von Pandro S. Berman. Regie: Elia Kazan.

Clara Schumanns große Liebe, Liebesmelodie, ›*Song of Love*‹, MGM, 1947
Mit Paul Henreid, Robert Walker, Henry Daniell, Leo G. Carroll. Produzent und Regissseur: Clarence Brown.

Der beste Mann/Zur Lage der Nation, ›*State of the Union*‹, Frank Capra – MGM, 1948
Mit Spencer Tracy, Adolphe Menjou, Van Johnson, Lewis Stone. Produzent und Regisseur: Frank Capra.

Ehekrieg, ›*Adam's Rib*‹, MGM, 1949
Mit Spencer Tracy, David Wayne, Tom Ewell, Judy Holliday. Produziert von Lawrence Weingarten. Regie: George Cukor.

African Queen, ›*The African Queen*‹, IDF-Romulus, 1951 (Nominierung für einen Oscar)
Mit Humphrey Bogart, Robert Morley, Peter Bull. Produziert von Sam Spiegel. Regie: John Huston.

Pat und Mike, ›*Pat and Mike*‹, MGM, 1951
Mit Spencer Tracy, Aldo Ray, Jim Backus. Produziert von Lawrence Weingarten. Regie: George Cukor.

Traum meines Lebens, ›*Summertime*‹, Alexander Korda, 1955 (Nominierung für einen Oscar)
Mit Rossano Brazzi, Isa Miranda, Darren McGavin, Andre Morell. Produziert von Alexander Korda. Regie: David Lean.

Der Regenmacher, ›*The Rainmaker*‹, Paramount und Hal B. Wallis, 1952 (Nominierung für einen Oscar)
Mit Burt Lancaster, Wendell Corey, Lloyd Bridges. Produziert von Paul Nathan. Regie: Joseph Anthony.

Der eiserne Unterrock, ›*The Iron Petticoat*‹, Remus-Harry Saltman, 1956
Mit Bob Hope, James Robertson Justice, Robert Helpmann, David Kossoff. Produziert von Betty E. Box. Regie: Ralph Thomas.

Die Frau, die alles weiß/Die Frau, die alles kennt, ›Desk Set‹, TCF, 1957
Mit Spencer Tracy, Joan Blondell, Gig Young. Produziert von Henry Ephron. Regie: Walter Lang.

Plötzlich im letzten Sommer, ›Suddenly Last Summer‹, Columbia/Horizon, 1959 (Nominierung für einen Oscar)
Mit Elizabeth Taylor, Montgomery Clift, Albert Decker. Produziert von Sam Spiegel. Regie: Joseph L. Mankiewicz.

›Long Day's Journey into Night‹, Ely Landau, 1962
Mit Sir Ralph Richardson, Jason Robards Jr., Dean Stockwell. Produziert von Ely Landau. Regie: Sidney Lumet.

Rat mal, wer zum Essen kommt, ›Guess Who's Coming to Dinner‹, Columbia/Stanley Kramer, 1967 (Oscar, der letzte Tracy-Hepburn-Film)
Mit Spencer Tracy, Katharine Houghton, Sidney Poitier. Produzent und Regisseur: Stanley Kramer.

Der Löwe im Winter, ›The Lion in Winter‹, Avco Embassy, 1968 (Oscar)
Mit Peter O'Toole, Jane Merrow, Anthony Hopkins, Nigel Stock. Produziert von Martin Poll. Regie: Anthony Harvey.

Die Irre von Chaillot, ›The Madwoman of Chaillot‹, Warner Brothers/Commonwealth United, 1969
Mit Danny Kaye, Yul Brynner, Charles Boyer, Edith Evans, Claude Dauphin, Paul Henreid. Produziert von Ely Landau. Regie: John Huston und Bryan Forbes.

Die Troerinnen, ›The Trojan Women‹, Josef Shaftel, 1971
Mit Vanessa Redgrave, Genevieve Bujold, Irene Papas. Produzent (mit Anis Nohra) und Regisseur: Michael Cacoyannis.

Empfindliches Gleichgewicht, ›A Delicate Balance‹, American Express/Ely Landau/Cinevision, 1975
Mit Paul Scofield, Lee Remick, Betsy Blair, Kate Reid. Produziert von Ely Landau und Neil Hartley. Regie: Tony Richardson.

Die Glasmenagerie, ›The Glass Menagerie‹, Talent Associates/Norton Simon, 1973 (ihr Fernsehdebüt)
Mit Sam Waterson, Joanna Miles, Michael Moriarty. Produziert von David Susskind. Regie: Anthony Harvey.

Mit Dynamit und frommen Sprüchen, ›Rooster Cogburn‹, Universal, 1975
Mit John Wayne, Anthony Zerbe, Richard Jordan. Produziert von Paul Nathan für Hal B. Wallis. Regie: Stuart Millar.

Liebe in der Dämmerung, ›Love among the Ruins‹, TV-Film, ABC, 1975 (Emmy)
Mit Laurence Olivier, Colin Blakely, Leigh Lawson. Produziert von Allan Davis. Regie: George Cukor.

Das Korn ist grün, ›The Corn is Green‹, Warner/TV-Film, 1978
Mit Patricia Hayes, Ian Saynor, Toyah Willcox. Produziert von Neil Hartley. Regie: George Cukor.

Die Reise im Ballon/Das große Abenteuer im Ballon, ›Olly Olly Oxen Free‹, Rico-Lion, 1978
Mit Kevin McKenzie, Dennis Dimster, Peter Kilman. Produzent und Regisseur: Richard A. Colla.

Am Ende des Weges/Am goldenen See, ›On Golden Pond‹, 1981 (Gewinn eines Oscars)
Mit Henry Fonda, Jane Fonda, Dabney Colman, Doug McKeon. Produziert von Bruce Gilbert. Regie: Mark Rydell.

Grace Quigleys letzte Chance, ›The Ultimate Solution of Grace Quigley‹, MGM/UA/Golan/Globus, 1984
Mit Nick Nolte, Elizabeth Wilson, Chip Zien, Kit Le Fever. Produziert von Menachem Golan und Yoram Globus. Regie: Anthony Harvey.

Alter schützt vor Heirat nicht, ›Mrs. Delafield Wants to Marry‹, Schaefer/Karpf and Gaylord, 1986 (TV-Film)
Mit Harold Gould, Denholm Elliott, Brenda Forbes, David Odgen Stiers. Produzent und Regisseur: Mark Schaefer.

Spencer Tracy – Ein Porträt von Katharine Hepburn, ›The Spencer Trace Legacy: A Tribute by Katharine Hepburn‹, 1986 (Dokumentarfilm)
Regie: David Heeley.

Eine Dame namens Laura, ›Laura Lansing Slept Here‹, Schaefer/Karpf/
Eckstein and Gaylord, 1988 (TV-Film)
Mit Lee Richardson, Joel Higgins, Karen Austin. Produzent und
Regisseur: Mark Schaefer.

Theaterstücke

The Czarina, 1927
The Big Pond, 1927
The Cradle Snatchers, 1928
These Days, 1928
Holiday, 1928
Death Takes a Holiday, 1928
The Man Who Came Back, 1928
A Month in the Country, 1928
The Admirable Crichton, 1928
Art and Mrs. Bottle (or The Return to the Puritan), 1929
A Romantic Young Lady, 1929
Romeo and Juliet, 1930
The Male Animal, 1930
The Warrior's Husband, 1931
Just Married, 1931
The Cat and the Canary, 1931
The Animal Kingdom, 1931
The Bride the Sun Shines on, 1932
The Lake, 1934
Jane Eyre, 1937
The Philadelphia Story, 1939
Without Love, 1942
As You Like It, 1951

The Millionairess, 1952
Measure for Measure, 1955
The Taming of the Shrew, 1955
The Merchant of Venice, 1955
Much Ado About Nothing, 1957
Twelfth Night (or What You Will), 1960
Anthony and Cleopatra, 1960
Coco, 1970
A Matter of Gravity, 1976
West Side Waltz, 1981

BIBLIOGRAPHIE*

ANDERSEN, Christopher: *Young Kate*. New York 1988

BOWERS, Ronald L.: *Katharine Hepburn since '57*. In: Films in Review. August/September 1970

BRITTON, Andrew: *Katharine Hepburn. The Thirties and After*. Newcastle upon Tyne 1984

BRYAN III., John und Lupton A. WILKINSON: *The Hepburn Story*. In: The Saturday Evening Post. 29. 11. 1941 – 6. 1. 1942

BRYSON, John: *The Private World of Katharine Hepburn*. Boston 1990

CAREY, Gary: *Katharine Hepburn. A Biography*. London 1983

CARR, Larry: *Katharine Hepburn*. In: Carr, Larry: More Fabulous Faces. New York 1979. S. 211-265

COWIE, Peter: *Katharine Hepburn*. In: Films and Filming. Juni 1963

CRICHTON, Kyle: *Kate the Great*. In: Collier's. 4. 12. 1943

CRIST, Judith: *Katharine Hepburn*. In: The Movie Star. Hg. v. Elisabeth Weis. New York 1981

DICKENS, Homer: *The Films of Katharine Hepburn*. New York 1971. Aktualisierte Ausgabe von Lawrence J. Quirk. New York 1990

EDWARDS, Anne: *Katharine Hepburn. A Biography*. London 1986. Amerikanische Ausgabe: *A Remarkable Woman. A Biography of Katharine Hepburn*. New York 1985.

* Bei der Bibliographie handelt es sich um eine Auswahlbibliographie (Zeitungen, Zeitschriften und Bücher). Stand: Sommer 1992. Fedor Bochow.

FEIBLEMAN, Peter S.: *The Unsinkable Katharine Hepburn.* In: Look. 6. 8. 1968

FROOK, John: *The Comeback of Kate: Ageless Queen Full of Beans.* In: Life. 5. 1. 1968

GILLIATT, Penelope: *Miss Hepburn.* In: Vogue. November 1981

HEINZLMEIER, Adolf und Bernd SCHULZ: *Katharine Hepburn. Die Widerspenstige.* In: Heinzlmeier, Adolf und Bernd Schulz: Internationale Kinostars. Herford 1988. S. 64–65

HEPBURN, Katharine: *African Queen oder Wie ich mit Bogart, Bacall und Huston nach Afrika fuhr und beinahe den Verstand verlor.* München 1991. Aus dem Amerikanischen von Jürgen Abel. Originalausgabe: *The Making of The African Queen or How I Went to Africa with Bogart, Bacall and Huston and Almost Lost My Mind.* New York 1987

HEPBURN, Katharine: *»Ich«. Geschichte meines Lebens.* München 1991. Aus dem Amerikanischen von Cornelia Zumkeller. Originalausgabe: *Me. Stories of My Life.* New York 1991

HEPBURN, Katharine Houghton: *Katharine Hepburn Talkes about the Right of Privacy.* In: New York Post. 15. 8. 1965

HIGHAM, Charles: *Kate. The Life of Katharine Hepburn.* New York 1975

JENSEN, Oliver O.: *The Hepburns.* In: Life. 22. 1. 1940

KANIN, Garson: *Spencer Tracy und Katharine Hepburn.* Frankfurt am Main 1990. Aus dem Amerikanischen von Paul Werner. Originalausgabe: *Tracy and Hepburn. An Intimate Memoir.* New York 1971

LATHAN, Caroline: *Katharine Hepburn. Her Film & Stage Career.* London 1982

MARILL, Alvin H.: *Katharine Hepburn. Ihre Filme – Ihr Leben.* München 1979. Aus dem Amerikanischen von Alfred Dunkel. Originalausgabe: *Katharine Hepburn.* New York 1973

MASON, G.: *Katharine the Great.* In: Films and Filming. August 1956

MORLEY, Sheridan: *Katharine Hepburn.* London 1984

NAVARRO, Marie-Louise: *Katharine Hepburn.* Paris 1980

NEWQUIST, Roy: *Katharine Hepburn.* In: McCall's. Juli 1967

NIGHTINGALE, B.: *After Making 9 Films Together, Hepburn Can Practically Direct Cukor.* In: New York Times. 28. 1. 1979

PHILLIPS, Gene: *Cukor and Hepburn.* In: American Classic Screen. Herbst 1979

ROBINSON, David: *The Hepburn Years*. Lincoln Center Library. Hepburn Archives. Ohne Datum

SAAL, Hubert: *Kate and Coco*. In: Newsweek. 10. 11. 1969

SCREEN GREATS VOL. VI: *Katharine Hepburn*. New York 1982

SPADA, James: *Hepburn: Her Life in Pictures*. New York 1984

SWINDELL, Larry: *Katie, Katie, What a Lady*. In: New York Times., 27. 4. 1969

THAIN, Andrea: *Katharine Hepburn. Eine Biographie*. Reinbek 1990

The Hepburn Story. In: Time. 1. 9. 1952

THORPE, E.: *Katie Could Do It*. In: Films and Filming. Juni 1955

TOZZI, Romano V.: *Katharine Hepburn*. In: Films in Review. Dezember 1957

WERNER, Paul und Uta VAN STEEN: *Die streitbare Dame. Katharine Hepburn*. In: Werner, Paul und Uta van Steen: Rebellin in Hollywood. 13 Porträts des Eigensinns. Frankfurt am Main 1986. S. 167–184

SACHREGISTER

315